Oscar bestsellers

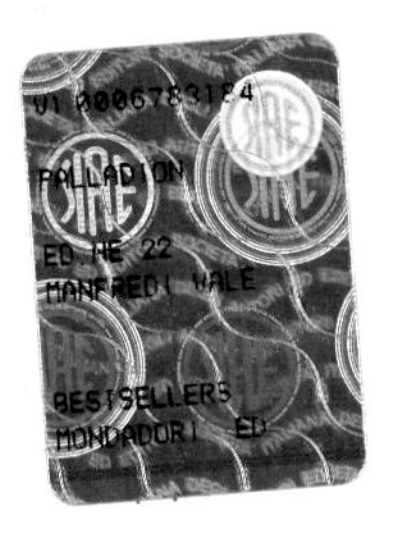

Dello stesso autore

nella collezione Oscar

Akropolis
Aléxandros. Il figlio del sogno
Aléxandros. Le sabbie di Amon
Aléxandros. Il confine del mondo
I Celti in Italia
(con Venceslas Kruta)
I cento cavalieri
Chimaira
Gli Etruschi in Val Padana
(con Luigi Malnati)
Il faraone delle sabbie
I Greci d'Occidente
(con Lorenzo Braccesi)
L'impero dei draghi
Mare greco
(con Lorenzo Braccesi)
L'isola dei morti
L'oracolo
Le paludi di Hesperia
Lo scudo di Talos
Storie d'inverno
(con Giorgio Celli e Francesco Guccini)
Il tiranno
La torre della solitudine
L'ultima legione
Zeus

nella collezione Omnibus

L'armata perduta

VALERIO MASSIMO MANFREDI

PALLADION

OSCAR MONDADORI

I edizione Omnibus novembre 1985
I edizione Oscar bestsellers giugno 1991

ISBN 978-88-04-35005-7

Questo volume è stato stampato
presso Mondadori Printing S.p.A.
Stabilimento NSM - Cles (TN)
Stampato in Italia - Printed in Italy

Ristampe:

21 22 23 24 25 26

2008 2009 2010 2011

www.librimondadori.it

We are not impotent, we pale stones,
*Not all of our power is gone...**

E.A. Poe

* Non siamo impotenti noi, pallide pietre,
Non tutto il nostro potere si è dissolto...

PALLADION

A Christine

Il Palladio, la più sacra immagine della Dea Athena, scese dal cielo e il Re Laomedonte la pose sulla Rocca di Troia. Di là la tolse Ulisse e la donò a Circe, la maga. Telegono poi, figlio dell'Eroe e di Circe, la lasciò a Latino che le innalzò un tempio nella città di Lavinium. Altri invece affermano che Enea la ritolse ai Greci e la portò con sé in Italia, profugo da Troia. Essa ha il potere di chiudere gli occhi e di agitare la lancia e da ciò si riconosce, perché molte città si vantano di possedere il vero simulacro.

Servius

ANTEFATTO

Era un giovane sulla trentina, alto, robusto, dai lineamenti forti, facili da ricordare. Certamente un forestiero, non l'aveva visto mai da quelle parti. Camminava da un po' lungo l'argine del fiume, su e giù, fermandosi ogni tanto a guardare la corrente. Per un paio di volte s'era avvicinato al cancello del laboratorio come se volesse entrare; poi s'era allontanato.

Quando venne l'ora di chiudere, il marmista ripose i suoi attrezzi e si avviò all'uscita.

Se lo trovò davanti, improvvisamente.

Di pelle scura, occhi grandi e fondi, i raggi obliqui del sole gli scolpivano la faccia e le braccia nude, duramente:

«Sei tu il padrone qui?» gli chiese.

«Sì, perché?»

«Dovresti farmi un lavoro.»

«Lo vedi, sto per chiudere. Sei qui da un pezzo, non potevi deciderti prima?»

Il giovane non rispose.

«E non puoi tornare domani?»

«No, domani devo partire... per un viaggio. Starò via molto tempo.»

«Se è così...» Il marmista tornò indietro e riaprì la porta del laboratorio.

«Allora, che cosa vuoi che faccia?»

«Una lapide, con una iscrizione funebre.»

«Ho già molti lavori da consegnare per i prossimi giorni.»

«Non è urgente.»

«Allora si può fare. Scegli il materiale che ti piace e lasciami le misure e il testo, per favore.»

Il giovane scelse un marmo bianco di Luni poi prese un pezzo di gesso e tracciò una scritta sul piano del bancone.

«Ecco» disse «questo è il testo.»

Il marmista ebbe l'impressione che la sua voce avesse un tremito. Guardò la scritta, poi gli occhi del giovane. Brillavano, lucidi e immobili, pieni di una malinconia infinita.

«Era tuo figlio?»

Il giovane scosse la testa. Una luce torbida gli attraversò per un attimo lo sguardo.

«Mio figlio?... No» disse. «...Sono io... sono io il figlio.»

Il marmista non fece altre domande. Era abituato a parlare con persone che il dolore faceva sragionare.

«Quanto ti debbo?» chiese il giovane.

«Non c'è fretta, puoi pagare alla consegna.»

Il giovane insistette per pagare; doveva partire per un lavoro in un paese straniero, non sapeva quando sarebbe tornato di preciso. Il marmista accettò il denaro.

«Sarà pronta da qui a otto, nove giorni» disse.

«Quando sarà il momento qualcuno verrà a prenderla. Addio.»

Si volse e riattraversò il cortile con passo deciso. Il marmista chiuse il laboratorio, il cancello, e si incamminò verso casa. Si girò prima di svoltare all'angolo della via.

Era ancora là, sull'argine del fiume, immobile come un sasso. La brezza della sera gli scompigliava i capelli e incollava alle sue spalle muscolose la stoffa leggera che le ricopriva.

Guardava l'acqua del fiume scorrere sotto di lui.

PARTE PRIMA

Moriar stando, contempturus
animam quam mihi febricula
*eripiet una.**

Flavio Costante Giuliano
Imperatore dei Romani

* Morirò in piedi, disprezzando la vita che una piccola febbre mi può strappare.

I

Alabanda, Asia Minore, l'anno DLXXIV *dalla fondazione di Roma, l'ora nona delle calende del mese di sestile*

Il centurione Publius Afranius sonnecchiava sotto una pianta di fico a ridosso delle mura della città quando fu svegliato da uno dei suoi uomini che giungeva trafelato dall'accampamento: «Centurione! È arrivato un tale a cavallo che vuole parlarti immediatamente. Dice che è un messo del senato».

«Che? Un messo del senato? Dove?»

«Giù, al corpo di guardia, e sembra che vada molto di fretta.»

Il graduato saltò in piedi afferrando l'elmo che pendeva da un ramo del fico, se lo piantò in testa con una manata, poi si gettò di corsa dietro al legionario che lo precedeva. Giunto davanti al corpo di guardia si fermò un attimo per rassettarsi, diede una rapida occhiata a un cavallo fradicio di sudore e coperto di mosche ed entrò.

Un raggio di luce illuminò, dal vano della porta, un giovane ufficiale di cavalleria con gli occhi arrossati, i capelli e la barba bianchi di polvere. Sul corsetto di cuoio che indossava scintillavano le insegne di tribuno militare. Publius Afranius scattò nel saluto: «Ave, sono il comandante della guarnigione, centurione di prima linea Publius Afranius, quinta coorte, sesta legione "Ferrata", pronto ai tuoi ordini».

«Ho un messaggio urgente del senato per il console» rispose secco l'ufficiale. «Dove si trova?»

«Non lo so, non ne sono stato informato, ma posso dirti che abbiamo avuto l'ordine di mandare gli ultimi rifornimenti a

Termessos. Laggiù potranno dirti dove si trova esattamente il console con l'esercito. In ogni caso sei fuori strada e mi chiedo chi sia stato così stupido da mandarti quaggiù. Avresti dovuto seguire la strada che porta a Tabai e poi a Cybira.»

«È una strada troppo lunga» ribatté l'ufficiale «e mi è stato detto che di qua posso arrivare a un ponte sul fiume Harpasos e quindi tagliare per Tabai risparmiando una giornata di viaggio.»

«Oh, certo» rispose il centurione scuotendo la testa «attraversando una regione infestata da predoni pisidi e galati sbandati, inferociti per la fame. Ti hanno dato davvero un buon consiglio. Non era meglio farti condurre via mare direttamente ad Aspendos?»

Il tribuno ebbe un moto di stizza: «Nel mare di Cilicia ci sono più pirati che pesci ma, a parte questo, mi sarei fatto portare su una nave da guerra se solo fossi stato informato che il console si era spinto tanto lontano. Per quale motivo ha lasciato la zona d'operazione che gli era stata assegnata per ordine espresso del senato?».

«Mi chiedi troppo,» rispose il centurione «io ho avuto ordine dai miei superiori di presidiare questo buco maledetto dove non ci sono che capre e tafani. Ma se devi raggiungere il console e visto che ormai sei arrivato fin qua, ti darò una scorta che ti conduca fino al ponte. Là sarai di nuovo sulla strada principale che è sotto il nostro controllo.»

«Mi sta bene: fai preparare gli uomini, dammi un cavallo fresco e razioni di viveri per due giorni, parto immediatamente.»

Il centurione sgranò gli occhi: «Immediatamente? Se mi consenti, è una decisione avventata; la notte vi sorprenderà prima che possiate raggiungere il ponte e dovrete dormire in un territorio pericoloso. Dovresti invece farti un bagno, mangiare, riposarti e ripartire domattina all'alba. È già stata una grave imprudenza spingerti fin qua senza scorta».

«L'avevo: due ufficiali greci dell'esercito del re Eumene di Pergamo, ma a uno si è azzoppato il cavallo e l'altro non è riuscito a tenermi dietro.»

«I Greci hanno il sedere troppo molle,» ghignò il centurione «coi miei ragazzi ti troverai meglio. Allora, non vuoi proprio ripensarci?»

«Ho già deciso, centurione. Fa' come ti ho detto; e mentre prepari la scorta accetterò volentieri un boccone... e un bagno.»

«La fontana è fuori nel cortile; quanto al mangiare c'è pane, formaggio e uova sode; vino niente, è finito tutto in aceto.»

«Va bene così, centurione, ma facciamo presto.»

Poco dopo un piccolo drappello di cavalieri era pronto nel cortile del corpo di guardia mentre il tribuno, a torso nudo, consumava un rapido pasto asciugandosi al sole.

Appena ebbe trangugiato l'ultimo boccone l'ufficiale, rivestitosi, saltò a cavallo dando il segnale della partenza.

«Un momento!» gridò il centurione accorrendo frettolosamente con una tavoletta cerata fra le mani. «La ricevuta!»

Il tribuno vi impresse con l'anello il sigillo, poi diede di sprone lanciando al galoppo il robusto sauro siracusano con cui aveva cambiato la sua cavalcatura sfinita.

Publius Afranius se ne stette un momento ritto in mezzo al cortile, cercando di decifrare il sigillo sulla tavoletta e scoprì così d'aver consegnato un cavallo, otto misure di grano, tre misure di farina, due di carne secca e sei cavalieri del sesto squadrone a Lucius Fonteius Hemina, figlio di Caius, tribuno della terza legione "Italica".

Si tolse l'elmo e tornò a distendersi sotto il fico, ma ormai il sonno gli era passato.

Il drappello, aggirata la cinta muraria di Alabanda, si gettò sulla pista che portava a oriente verso le colline e gli uomini dovettero legarsi il fazzoletto davanti alla bocca per proteggersi dal denso polverone sollevato dai cavalli.

Il paesaggio intorno si faceva sempre più aspro man mano che avanzavano e i raggi del sole che cominciava a scendere verso il mare scolpivano i duri profili delle rupi torreggianti qua e là sulla landa gibbosa. Lontano, davanti a sé, il tribuno poteva vedere le montagne viola e porpora della Licaonia. Quando la strada si inoltrava in una strettoia gli uomini della scorta si aprivano a ventaglio spingendo le loro cavalcature su per i fianchi dei colli per parare le insidie che quella terra selvaggia poteva nascondere e per fare scudo all'inviato del Senato e del Popolo romano.

Raggiunto un crinale abbastanza elevato Lucius Fonteius fermò il suo cavallo e chiamò a sé il capo scorta per fare il punto e prendere visione del terreno. A occidente le torri di Alabanda erano scomparse da un pezzo e l'immensa sfera del sole pareva adagiarsi sulla distesa ondosa della terra di Misia. Una folata di vento disperse per un attimo l'odore greve dei cavalli lucidi di sudore e schiumanti di bava.

Il tribuno indicò una sottile striscia di polvere che si muoveva a grande distanza sull'altopiano, accesa a tratti dai raggi del sole morente: «Predoni?» chiese al capo scorta con uno sguardo pieno di apprensione.

«Non direi, sono troppo lenti. Si direbbe una carovana di nomadi o un gregge che rientra dal pascolo.»

«Dove siamo, secondo te?»

«Da qui è difficile dirlo, ma se riusciamo a raggiungere quella cresta prima che il sole cali sotto l'orizzonte potremo forse saperlo. Vedi quella fenditura nella roccia? Di là gli ultimi raggi del sole fanno brillare le acque dell'Harpasos e lo rendono visibile in mezzo al paesaggio già immerso nell'ombra da grande distanza.»

«Presto, allora, non perdiamo tempo.» Si gettarono giù per il pendio, attraversarono una piccola valle e si inerpicarono di nuovo fino alla cresta in cui uno squarcio profondo lasciava passare ancora i raggi del sole. Appena vi si affacciarono il capo scorta fece un cenno al tribuno indicandogli un punto lontano verso l'orizzonte dove brillò ancora per pochi attimi un nastro argenteo, come le scaglie di un serpente che si rintana al calar della notte.

«Quello è l'Harpasos,» disse il capo scorta «il che significa che mancano ancora venticinque miglia più o meno per arrivare al ponte. Potremmo accamparci in fondo alla valle che abbiamo attraversato lasciando quassù una sentinella e ripartire domattina prima dell'alba.»

Per qualche attimo il tribuno accarezzò pensieroso il collo del suo cavallo: «Ho un'idea migliore,» disse poi «ci riposeremo fin verso la mezzanotte poi ripartiremo. Ci sarà luna piena questa notte, il cielo è terso e non avremo difficoltà a seguire la pista».

«Ma tribuno,» obiettò il capo scorta «i cavalli sono sfiniti e anche gli uomini sono stanchi.»

«Il vostro centurione dice che i Greci hanno il sedere molle ma vedo che anche voi non siete da meno» sogghignò l'ufficiale. «Io devo assolutamente raggiungere il console e dunque a mezzanotte sarò di nuovo in sella. Voi fate ciò che volete.»

«Come vuoi,» rispose il capo scorta imprecando tra sé «hai tu il comando.» Girò il cavallo e raggiunse i suoi uomini nella valle.

Il mattino dopo, a giorno fatto, il gruppo era in vista del ponte sull'Harpasos, poco più di una passerella di legno al di là della quale montava la guardia un picchetto di legionari. Il tribuno si volse a salutare i suoi compagni di viaggio: «Addio, amici, e... grazie della compagnia!». Il capo scorta alzò la mano con un sorriso agro: "Che l'Averno ti inghiotta" brontolò tra sé "a momenti ci rimettiamo tutti la pelle... correre come matti nella notte su quel sentiero da capre". «Grazie a te della passeggiata, tribuno,» disse invece ad alta voce «fai buon viaggio!»

Lucius Fonteius raggiunse il picchetto dall'altra parte del ponte, cambiò il cavallo e ripartì a briglia sciolta sulla strada di Tabai. La notte successiva era in vista di Cybira, poco più che un grosso villaggio circondato da un muro di gesso crudo. Un vento afoso sollevava turbini di polvere dall'altopiano e trascinava per le vie buie gli sterpi secchi che aveva divelto sui colli bruciati dalla siccità.

Attraversò l'abitato al passo, coprendosi la bocca col mantello finché non raggiunse il presidio romano, l'unica costruzione illuminata dalla luce di una lanterna. Dormì malamente su di un saccone fetido e ripartì all'alba ancora sporco e sudato per non aver potuto lavarsi. Attraversò luoghi orridi e accidentati fermandosi talvolta a consultare la mappa che gli avevano consegnato gli ufficiali greci di Smirne. Di tanto in tanto, sulle rocce roventi che fiancheggiavano la strada vedeva gigantesche figure scolpite nel sasso vivo, immagini di antichi re e guerrieri sgretolate dalla vampa del sole.

Si accampò in un luogo deserto dell'altopiano rannicchiandosi tra le radici di un pino solitario, accanto a una misera polla d'acqua verdastra. Vi abbeverò il cavallo ma egli bevve l'acqua calda della sua fiasca.

A oriente si profilavano ormai le vette della catena del Tauro, spruzzate di neve e a occidente, sull'orizzonte offuscato da una densa caligine, scendeva il sole, come un immenso tuorlo gonfio di sangue. E gli pareva che l'enorme vescica potesse lacerarsi sfiorando i picchi taglienti e sommergere il mondo di tabe vermiglia. Ma forse un dio ostile di quella terra desolata tormentava la sua mente nell'ora che precede il sonno.

La notte successiva giunse stremato alle porte di Termessos. La città, adagiata sui fianchi di una valle boscosa, biancheggiava sotto la luna. I legionari di guardia lo condussero verso la piazza centrale, circondata da un portico, dominata dalla mole grandiosa di un tempio.

Le colonne, dipinte di turchino e profilate in oro puro, reggevano un timpano colossale in cui brulicavano figure di dei e di eroi turgide di muscoli, avviluppate in panneggi dai colori rutilanti, accesi dai bagliori di due bracieri che languivano sui tripodi della gradinata di accesso. Nella foresteria del tempio riposava il legato della sesta legione "Ferrata", comandante la piazza.

Lucius Fonteius lo fece tirar giù dal letto.

Il legato aveva ottenuto per quella notte la compagnia della più bella e raffinata etera della città, una donna i cui favori erano contesi dai più potenti uomini d'Asia e che si diceva avesse posato come Afrodite per un famoso scultore della città.

Svincolatosi dalle sue braccia esperte, l'ufficiale scese nell'atrio masticando tutte le imprecazioni apprese in una lunga vita d'accampamento. Si trovò di fronte un uomo malfermo sulle gambe che lo fissava con sguardo allucinato e alzava la mano nel saluto: « Ave, legato, sono Lucius Fonteius Hemina, tribuno della terza "Italica", per ordine del senato debbo raggiungere immediatamente il console. Dove si trova?».

Il legato sogghignò: «Tribuno, tu non ti reggi in piedi e stai male. Ti farò preparare un bagno e un letto e domani ne riparleremo».

Lucius Fonteius estrasse da un astuccio che portava al collo un rotolo di papiro porgendolo all'ufficiale: «Questo decreto» disse «mi consente di darti degli ordini benché tu sia più alto in grado e, se non obbedisci, di destituirti. Per l'ultima volta, dov'è il console?».

Il legato ammutolì, prese il rotolo e si accostò, per leggerlo, alla torcia che uno dei suoi legionari aveva acceso per rischiarare l'atrio buio.

«Dunque?» chiese ancora il tribuno.

«Il console era sulla strada di Perge ieri mattina,» rispose «a quest'ora dovrebbe essere accampato non lontano da Syllion, se pure non ci è già arrivato, a ridosso del fiume Taurus, sulla strada del valico.»

Il tribuno trasalì, terreo in volto, frugò nella sua bisaccia e ne estrasse una mappa dispiegandola sotto la luce.

«Ascoltami bene, legato,» disse «io devo sapere se c'è una pur lontana possibilità di raggiungere il console prima che arrivi a Syllion.»

«La possibilità esiste» disse il legato. «Il console può aver deciso di far riposare le truppe a Perge... oppure può avere avuto noie coi Pisidi... i carriaggi e le salmerie possono aver ritardato la marcia dei fanti sul terreno accidentato... oppure...» continuava contando sulla punta delle dita.

«Tanto mi basta,» lo interruppe il tribuno «riposerò per un'ora. Tu intanto prepara un cavallo fresco e due uomini che mi facciano da guida.» Il legato annuì. «E non dimenticare di svegliarmi se ci tieni al tuo grado» aggiunse mentre si avviava dietro al legionario che lo conduceva in camera da letto.

Il legato non riusciva a capacitarsi di tutta quella fretta e del motivo per cui quell'uomo, già ai limiti della resistenza, si sottoponesse ad una cavalcata massacrante nel cuore della notte. Doveva esserci sotto qualche cosa. Scelse dunque la migliore delle sue staffette e la spedì a raggiungere il console per avvertirlo di quella strana visita. Poteva trattarsi di una manovra politica, anzi, doveva essere così senz'altro dal momento che non c'erano pericoli incombenti e tali da giustificare un intervento tanto eccezionale. D'altro canto che ragione poteva mai esserci di far pervenire un messaggio in quel modo, attribuendo poteri tanto straordinari a un tribuno militare? Il console gli sarebbe stato sicuramente grato di averlo messo sull'avviso e, chissà, forse si sarebbe ricordato di lui una volta tornati a Roma. E così, quando Lucius Fonteius arrivò all'accampamento la tenda pretoria era illuminata e il console in persona, Cnaeus Manlius Vulso, lo attendeva sulla soglia avvolto nel paludamento, affiancato da dodici littori. Il tribuno, sceso da cavallo, gli si avvicinò alzando la mano nel saluto: «Salve, console,» disse «ti reco un messaggio del senato». Manlius Vulso lo squadrò da capo a piedi: «Un messaggio ben importante, devo supporre, se ti sei ridotto in queste condizioni per recapitarmelo».

«Infatti,» rispose il tribuno «e per fortuna ti raggiungo in tempo.» Girò lo sguardo a destra e a sinistra, stupito di tutto quell'apparato nel cuore della notte e aggiunse: «Mi sorprende trovarti sveglio a quest'ora, aspettavi forse una visita importante?».

«La tua» rispose secco il console entrando nella tenda e facendo cenno all'ufficiale di seguirlo. Gli porse una sedia e si lasciò andare egli stesso sulla sua sella curule: «Ti ascolto, tribuno» disse.

«Ho un ordine del senato» cominciò il tribuno con qualche imbarazzo «che ti impone di non attraversare la linea del Monte Tauro per nessuna ragione e ringrazio gli dei per essere arrivato appena in tempo, se non sbaglio...»

«Non sbagli, infatti,» rispose il console «il Tauro sta proprio di fronte a noi a meno di un giorno di marcia, oltre il fiume che scorre dietro il nostro accampamento. E per essere sincero era mia ferma intenzione passare il fiume domani stesso e raggiungere Syllion prima di notte.»

Il tribuno estrasse il papiro con l'ordine del senato e lo porse al console. «Qui c'è scritto che non puoi farlo» gli disse duro. E cercava di scrutare il volto di Manlius Vulso mentre scorreva il documento. Il console girò la testa verso l'ingresso come se porgesse l'orecchio ai richiami delle sentinelle che si avvicendavano per il terzo turno di guardia, poi si volse nuovamente all'ospite: « Dice che non posso farlo, ma non dice il perché. Da quando in qua un console nel pieno dei suoi poteri è tenuto all'oscuro dei motivi di un ordine, per di più iniquo? Non sarà che dietro la maestà del senato si celino avversari politici e intriganti? Ne conosco parecchi e li temo come serpenti velenosi ».

Riavvolse il documento e il papiro crepitò nel gran silenzio che circondava l'accampamento. Lucius Fonteius si sentiva venir meno per la stanchezza e gli occhi gli bruciavano, ad ogni movimento delle palpebre, come fossero pieni di sabbia. Ma c'era ancora una parte del messaggio che aveva avuto ordine di comunicare soltanto a voce. Era il momento... poi avrebbe potuto riposare... dormire.

« Ascoltami, console, » disse « molti segni degli dei, contrari a questa tua impresa, hanno indotto il senato a consultare l'oracolo di Delfi che ha pronunciato un responso tremendo... »

« L'oracolo di Delfi? » chiese il console stupito.

« Sì, » rispose il tribuno « e queste sono le esatte parole del dio:

Exei gàr stratié polyfértatos obrymòthymos
Télothen èx Asìes hóthen anatolài helìou
Eisìn, kài diabàs steinòn pòron Hellèsponton
Tèn Ròmen kài Italìan porthèsei
Eàn tò Tàuron òron yperbàinete. »

Il console lo interruppe ironico: « Mi lusinghi, tribuno, il mio greco non è tanto buono da consentirmi di intendere versi così difficili ed elaborati. Ti dispiace rendermeli in latino? ».

« L'oracolo minaccia rovina a Roma, un'armata immensa si rovescerà sull'occidente annientando l'Italia se i nostri eserciti varcheranno il confine del Tauro... »

Il console scattò in piedi troncandogli nuovamente la parola in bocca: « Mi prendi in giro? » gridò. « Chi può essere tanto stupido a Roma da non accorgersi che questa è una manovra del re Antioco di Siria per salvare quello che resta del suo impero e fermare le nostre legioni ai piedi del Tauro? E se poi non si tratta di credula stupidità» continuò misurando la tenda a grandi passi «allora è invidia dei miei successi, una manovra per togliermi l'onore di una grande vittoria che, non dimenticarlo, porterebbe a Roma nuovi territori, ampi domini, immense ricchezze!»

«Nessuno è tanto credulo» ribatté il tribuno «e dunque, sospettando che il re Antioco avesse potuto influenzare o corrompere l'oracolo, i senatori hanno chiesto al pontefice massimo di consultare i Libri sibillini...»

«Ebbene?»

«Hanno dato la stessa risposta: i nostri eserciti non possono attraversare il Tauro altrimenti si abbatterà sulla Città una catastrofe da cui non potrà risollevarsi mai più.»

Manlius Vulso si fermò improvvisamente, a quelle parole, e restò immobile in mezzo alla tenda: «Io non credo agli oracoli» disse. «Abbiamo sconfitto Annibale, umiliato Filippo di Macedonia, annientato il re di Siria. Dov'è oggi un esercito in tutto il mondo che possa minacciare la potenza di Roma? I deboli o i vinti cercano riparo dietro gli oracoli e agitano i simulacri degli dei sperando di incutere paura a chi non teme più nessuna forza umana.»

Il tribuno si alzò in piedi avvicinandosi al console, gli parlò ancora tentando di convincere quell'uomo orgoglioso ma dentro di sé sentiva già che il suo sforzo immenso era stato vano: «Ascolta, Cnaeus Manlius, altri prima di te hanno tenuto in spregio i segni degli dei e hanno pagato duramente... il console Flaminius, ucciso con tutti i suoi al lago Trasimeno...».

«Flaminius era un incapace!»

«Forse... ma credi che la nostra potenza possa durare per sempre? Ti guardi intorno ai quattro angoli della terra e non vedi un esercito che possa sfidare le nostre legioni... Ti credi più grande di Ciro e di Alessandro? Anch'essi si credettero padroni del mondo e oggi sono polvere. E sorsero dal nulla, improvvisamente per la rovina dei loro nemici...» Manlius Vulso fissò con una espressione intenta il suo interlocutore: «Hai gli occhi vitrei,» disse gelido «sei fuori di te per la stanchezza e dunque farò conto di non aver udito le tue parole insolenti. Hai compiuto la tua missione e mi hai consegnato il messaggio del senato: tanto basta. Ora va' a dormire, l'alba non è lontana». Chiamò una guardia e fece accompagnare l'ufficiale al suo alloggio, una tenda presso il quartiere della cavalleria pergamena. Svuotato di ogni energia, Lucius Fonteius si lasciò andare sul lettuccio da campo e piombò subito in un sonno profondo come la morte.

Al centro dell'accampamento la luce si era spenta nella tenda pretoria, ma il console Vulso non si coricava ancora. Deposto il paludamento su di uno sgabello, era uscito dalla tenda rivestito solo della corta tunica militare.

A passi lenti percorse tutto l'asse decumano fino all'ingresso orientale del campo: davanti a lui si ergeva il bastione possente del Tauro e dal fondo della valle si udiva lo sciabordio del fiume che scorreva tra dense macchie di salici.

Improvvisamente balenarono dei lampi sulle cime della montagna, come incubi sulla fronte del gigante. Il console alzò lo sguardo: "Lampi di calore," pensò "non pioverà".

Lucius Fonteius si svegliò a giorno inoltrato perché la sua tenda era al riparo di un grande pioppo che l'aveva protetta dai raggi del sole e vi aveva mantenuto a lungo la frescura della notte. Porse l'orecchio, nei primi attimi del risveglio, al frinire delle cicale e al cinguettare dei passeri: dall'esterno non veniva altro rumore. Eppure non aveva dormito in un luogo solitario ma nel mezzo d'un accampamento dell'esercito romano! Si strinse ai fianchi la cintura e si precipitò fuori dalla tenda: il campo era deserto. Non era possibile! Ventimila uomini e mille cavalli si erano mossi senza svegliarlo... Eppure lo sterco dei cavalli e dei muli cominciava a seccarsi: il console aveva mosso l'esercito senza squilli di tromba e senza rumore, nel momento in cui il suo sonno era più profondo. Corse ai bordi della spianata e vide le tracce dell'esercito che scendevano al guado perdendosi presto nel tremolio dell'aria già fortemente riscaldata dai raggi del sole. Cadde sulle ginocchia comprimendosi la fronte coi pugni.

A pochi passi di distanza il suo cavallo brucava indolente un cespuglio di lentisco e si cacciava le mosche con il moto continuo della coda. Si alzò in piedi e gli si avvicinò accarezzandogli il muso e la fronte.

Roma lontana... oltre i monti di Licaonia, oltre le steppe bruciate della desolata Axylon, oltre il grande lago amaro, oltre il deserto di candido sale... Roma aspettava la parola sprezzante del console, il suo verdetto di condanna.

Si inerpicò per i monti aspri e brulli della catena settentrionale, su per valli anguste, ormai insensibile alla fatica e alla fame. Avanzò per l'altopiano come un fantasma tra i vortici di polvere, lentamente, portato dal suo cavallo che sembrava seguire una traccia invisibile. Raggiunse Synnada, Fontes Alandri, e là riprese a seguire il corso del sole verso occidente. I soldati romani di guardia alle mura di Kallatebos lo salutarono "ave tribuno" ma egli non li sentì perché le sue orecchie risuonavano solo dell'incessante, monotono scalpiccio degli zoccoli del suo cavallo. Giunse in vista della costa quattro giorni dopo e una nave che salpava da Smirne lo prese a bordo. Il comandante, un greco di Patara, tentò più volte di parlargli durante il viaggio ma non gli riuscì mai di indurlo a una conversazione e di notte lo osservava passeggiare avanti e indietro sul ponte, per ore. Si sentì come sollevato da un peso quando lo sbarcò, dopo tredici giorni, sul far della sera, al molo meridionale di Ostia.

C'era ancora luce sufficiente per raggiungere Roma e così il tribuno chiamò un barcaiolo e gli chiese di portarlo in città.

Un buon vento di ponente gonfiava la vela e la barca risaliva senza troppa difficoltà le acque del Tevere.

Man mano che le mura e i tetti della Città si profilavano più nitidamente contro il cielo Lucius Fonteius sentiva più opprimenti i pensieri che aveva confinato in fondo all'animo in quegli ultimi giorni: che cosa avrebbero detto i senatori, che cosa il pontefice massimo, che cosa sarebbe accaduto alla Città su cui incombeva l'oscuro vaticinio?

Il sole era già tramontato quando la barca toccò la riva nei pressi dell'ara di Ercole; il tribuno cavò dalla borsa il denaro e pagò il barcaiolo restando qualche tempo a guardarlo mentre ammainava la vela e girava la prua nel senso della corrente. Era un vecchio asciutto e con la barba bianca e nell'oscurità che avvolgeva ogni cosa le acque del fiume gli parvero nere come quelle dell'Acheronte.

Si incamminò per il vicus Jugarius verso il Campidoglio dove i templi degli dei erano illuminati dalla luce delle torce. Si rivolse a uno degli inservienti che stavano chiudendo le porte del tempio di Giove e gli chiese di avvertire il pontefice massimo che Lucius Fonteius Hemina era giunto dall'Asia e aveva urgenza di parlargli, poi si sedette ad aspettare sui gradini del podio. Erano tiepidi: doveva aver fatto molto caldo durante il giorno; la brezza, odorosa di pino e di alloro, muoveva appena le chiome degli alberi che coprivano la base del colle e la luna piena sorgeva lentamente dal Quirinale illuminando le colonne e le statue del Foro. Un rumore di passi lo avvertì che qualcuno stava arrivando: il pontefice e un piccolo gruppo di senatori salivano dalla via Sacra e sbucavano in quel momento da dietro i rostri.

«Salve, tribuno,» lo salutò il pontefice appena lo riconobbe «quando ho saputo del tuo arrivo ho fatto avvertire anche i membri del senato che sono al corrente della tua missione; vieni ora, entriamo nel tempio, là potremo parlare tranquillamente.»

Così detto il pontefice spinse il portone ed entrò, seguito dagli altri senatori.

«Ti siamo grati per la sollecitudine con cui ci hai fatto avvertire e impazienti di ascoltarti. Dunque, hai visto il console? Gli hai riferito il nostro messaggio?»

«L'ho visto: si trovava in Pisidia, oltre Termessos.»

«Ebbene?» chiese il pontefice con una certa apprensione.

«Non ha voluto darmi ascolto. Cnaeus Manlius Vulso ha condotto il suo esercito contro Syllion, oltre il fiume che segna il confine con la Cilicia. Devo presumere che abbia imboccato la strada del valico.»

«Vuoi dire che non ne sei certo?»

«Quando ebbe ascoltato il mio messaggio il console mi congedò. Ero così stanco che non mi reggevo in piedi: non dormivo da giorni e così sprofondai nel sonno appena mi fui coricato. Quando mi svegliai era giorno fatto e l'esercito era partito, in silenzio, certo per ordine del console. Vidi le tracce che portavano al guado, in direzione di Syllion. Non ebbi la forza né il coraggio di inseguirlo io stesso oltre quel confine per cui mi rimisi subito in viaggio per riferirvi l'esito infelice della mia missione. Vi prego di credermi, padri coscritti,» aggiunse rivolto ai senatori che lo ascoltavano costernati «non ho lasciato nulla di intentato né ho risparmiato le forze per compiere ciò che dovevo. Ora sapete. A voi tocca prendere le decisioni più opportune affinché non accada alcun male alla Città e al Popolo.»

Tacque, alzandosi in piedi. Il pontefice lo guardò: era smagrito e aveva la pelle secca e tirata; il bagliore delle lampade che ardevano nel tempio conferiva al suo sguardo un'espressione attonita, a tratti quasi sinistra.

«Puoi andare, tribuno,» gli disse «hai fatto quello che dovevi e ti siamo grati. Ora tocca a noi provvedere... va' e che gli dei ti concedano una notte tranquilla: la nostra non lo sarà di certo.»

Per alcuni attimi vi fu un gran silenzio fra le colonne del santuario: i sei anziani erano assorti nei loro pensieri e non udirono neppure i passi lenti e pesanti di Lucius Fonteius Hemina che usciva dal tempio, scendeva le gradinate e s'incamminava per la via Sacra presto inghiottito dalle tenebre perché una nube nera aveva oscurato la faccia della luna.

Roma, l'anno DLXXV *dalla fondazione di Roma, l'ora seconda delle idi di febbraio*

«La conferma è giunta in questo momento» disse il questore Furius Labeo «e dunque non vi sono dubbi: l'esercito di Cnaeus Manlius Vulso è stato attaccato in Tracia sulla via del ritorno e ha subito gravi perdite. È incredibile che le nostre legioni, vittoriose di Antioco di Siria e dei Galati abbiano subito un colpo tanto duro da una banda di ladroni traci.»

«Dov'è avvenuto il fatto?» chiese il pontefice massimo.

«In un luogo detto Steinoporìa, nel Chersoneso.»

Il pontefice impallidì e anche i cinque senatori che si erano riuniti di primo mattino nella sua casa si guardarono l'un l'altro costernati.

«Oh, dei, dei del cielo,» mormorò il pontefice «questo è certamente il segno, l'avvertimento che l'oracolo si compirà; il vaticinio diceva: "...kài diabàs steinòn pòron Hellèsponton..." e l'esercito di Vulso è stato sconfitto presso l'Ellesponto in un luogo detto Steinoporìa; è un segno, non c'è dubbio, che gli dei sono stati stoltamente sfidati. Questo non è che l'inizio, venerabili padri, dobbiamo prepararci a ben più terribili sventure.»

«Anche se ciò che dici è vero,» intervenne il questore «non mi sembra che dobbiamo abbatterci in questo modo... Ci sarà pure qualcosa che possiamo fare. E inoltre non potremo essere del tutto certi che Manlius Vulso abbia veramente varcato il Tauro finché non avremo interrogato i commissari del senato al seguito dell'esercito d'Asia.»

«Per parte mia non ho dubbi, purtroppo,» ribatté il pontefice «e dunque penso che non ci sia tempo da perdere. Da tempo ormai circolavano profezie spaventose...»

«Da quando il console Acilius Glabrio devastò le terre del tempio di Athena in Beozia, tre anni fa» precisò uno dei senatori.

«È così,» disse il pontefice «e abbiamo pur considerato la possibilità che quelle profezie fossero dettate dall'odio di Greci e Asiatici contro di noi. Ma lo sapete bene, sono state confermate dall'Oracolo Sibillino: la minaccia resta. Perciò si deve compiere un atto di espiazione prima che si diffonda lo scoramento o, peggio, il panico... Da tempi immemorabili la città onora i Penati che il padre Enea condusse da Troia e la sacra immagine della dea, il Palladio, nel tempio di Lavinium...»

«L'oracolo di Apollo Sminteo» aggiunse il più anziano dei senatori «vaticinò che i Romani avrebbero conservato la loro città finché avessero custodito il simulacro della dea caduto dal cielo...»

«Per questo, padri coscritti, è necessario celebrare quanto prima riti espiatori al tempio di Lavinium e prendere anche provvedimenti per la sicurezza del tempio e dello stesso Palladio... finché la statua non sarà stata trasferita in Campidoglio... Non dimentichiamo che la malvagità degli uomini può nuocerci non meno dell'ira degli dei. La nave "Aquila" che inviammo in Asia Minore alla prima notizia della sconfitta del console per soddisfare la volontà della dea dovrebbe ormai far ritorno col suo prezioso carico. Che cosa accadrebbe se in un momento come questo qualcuno sottraesse il Palladio dal tempio?»

«Ma è impossibile,» obiettò uno dei senatori «le immagini della dea sono sette e nessuno, tranne il sacerdote del tempio, sa quale sia il vero Palladio.»

«Nulla è impossibile quando la posta in gioco è così alta» rispose il pontefice. «Ho pensato dunque di inviare al più presto il tribuno Hemina a Lavinium per avvisare il sacerdote che custodisce il santuario e per predisporre un valido presidio in tutta l'area sacra. Intanto preparerò io stesso i riti necessari per l'espiazione e per la solenne cerimonia che avrà luogo non appena l'"Aquila" avrà fatto ritorno. L'Oracolo Sibillino non può mentire e la sconfitta del nostro esercito in Tracia è quasi certamente la prova che Cnaeus Manlius Vulso ha violato il confine del Tauro.»

I cinque senatori si alzarono e uscirono in silenzio dopo aver reso omaggio al pontefice. Solo il questore Furius Labeo restò sulla porta come se volesse ancora parlare.

«Volevi dirmi qualcosa, questore?» chiese il pontefice.

«Debbo essere sincero» riprese con voce dura il magistrato «a costo di sembrare empio. Non so se veramente l'ira di Athena minacci la città e in tal caso sarà giusto compiere riti espiatori, ma la mia impressione è che tutto ciò recherà comunque enorme danno al console Manlius Vulso facendolo apparire come colui che ha provocato l'ira divina.»

Il pontefice massimo sbiancò in volto ma il questore continuò senza batter ciglio: «Mi chiedo» proseguì «a chi conviene tutto ciò, a chi giova la rovina del console. A questa domanda conosco già la risposta e tu pure, credo, la sai, che sei tanto amico di Publius Cornelius Scipio detto l'Africano, la cui gloria, certo fulgida, avrebbe rischiato di essere offuscata dalle imprese del console in Asia. No, venerato pontefice, non sono un empio: credo nella potenza degli dei tanto quanto nella perfidia degli uomini. Sappi dunque che se il console Vulso ha molti e potenti nemici a Roma, ha pure molti amici... e decisi a tutto». Si gettò la toga sulle spalle e uscì, sbattendo la porta.

Lavinium, il giorno successivo alle idi di febbraio, l'ora quarta dopo il tramonto del sole

Il tribuno Hemina, legato il cavallo, attraversò il cortile deserto del tempio, salì la gradinata del podio e batté alla porta, ma nessuno venne ad aprire. Girò attorno alla parete di destra per raggiungere l'alloggio del sacerdote che si trovava in fondo al recinto sacro, dietro al tempio. Bussò e vide che era aperto. Insospettito, mise mano alla spada ed entrò: l'abitazione era immersa nell'oscurità ed era difficile orientarsi. Tese l'orecchio per captare ogni più piccolo rumore, ma udì solo il sibilo del vento che aveva cominciato a soffiare, gelido, da settentrione ed entrava dalla porta lasciata aperta.

Chiamò allora, ma non ottenne risposta. Percorse l'ingresso e poi l'atrio appena rischiarato da una lucerna. Era tutto in ordine: mobili, sedie, arredi.

Imboccò il corridoio che dava verso il lato posteriore del tempio e vide che in fondo a quello una porta socchiusa lasciava filtrare il lieve chiarore delle lampade che ardevano all'interno. Spinse la porticina ed entrò, ma fatti pochi passi verso il centro del santuario restò impietrito: c'era un uomo lungo disteso sul pavimento. Gli si inginocchiò accanto e lo rivoltò: era il sacerdote del tempio!

Gli occhi sbarrati, le membra rigide, indicavano che era morto da qualche ora. Il tribuno guardò a lungo quelle labbra livide che serravano per sempre un segreto tremendo; poi si riscosse pensando all'idolo potente da cui pareva dipendere la salvezza di Roma e dell'Italia in quell'ora cruciale. Levò d'istinto lo sguardo alle sette nicchie come sperando in un segno che gli indicasse quale fra quei sette volti di pietra era il vero simulacro e allibì: erano vuote. Si appoggiò ansando ad una colonna cercando di mettere ordine nei pensieri che facevano ressa nella sua mente poi, colto da una improvvisa ispirazione, accese una torcia e cominciò a ispezionare il pavimento palmo a palmo, a partire dal basamento che reggeva le sette nicchie e notò delle tracce di sabbia giallastra. Le seguì percorrendo a ritroso il cammino che aveva fatto entrando e si ritrovò nel cortile posteriore. Guardò attentamente, avvicinando la torcia al terreno: senza dubbio qualcuno aveva scavato in quel luogo una fossa e aveva poi cercato di nascondere accuratamente ogni traccia.

Cominciò a cadere una pioggerella gelata che fece sfrigolare la torcia fin quasi a spegnerla e in quel momento sentì uno scalpiccio all'interno del tempio e, subito dopo, un cigolio di cardini: qualcuno fuggiva dalla porta anteriore. Si slanciò di corsa sul fianco destro del santuario, appena in tempo per vedere un'ombra sbucare a cavallo da dietro il recinto del cortile e gettarsi giù per la strada che conduceva a Roma. Corse al suo cavallo e gli balzò in groppa piantandogli i calcagni nel ventre. L'animale nitrì scalpitando sul selciato del podio poi si lanciò al galoppo per la strada buia.

Lucius Fonteius Hemina, proteso sul collo della sua cavalcatura, cercava di scrutare davanti a sé i bordi della strada mentre l'oscurità si faceva più fitta e il vento rinforzava. La pioggia si mutò presto in nevischio, ma il tribuno non rallentò la corsa deciso a raggiungere lo sconosciuto che lo precedeva.

La strada piegava a destra davanti a lui, dopo di che tornava rettilinea scorrendo tra due rive alte e ripide che impedivano la fuga sui lati, in mezzo ai boschi. Là lo avrebbe raggiunto. Spronò ancora l'animale e arrivò sulla curva troppo veloce: il cavallo scivolò malamente e cadde sulle ginocchia.

Si rialzò con un nitrito di dolore, incespicò e cadde nuovamente trascinando il suo cavaliere nella scarpata sottostante. Per lunghe ore, nei casolari d'intorno, i contadini udirono grida, invocazioni, lamenti soffocati, ma nessuno ebbe il coraggio di avventurarsi nella campagna al buio con quel tempo perché era una notte infausta, popolata di ombre malefiche.

PARTE SECONDA

Ho passato un giorno
e una notte sull'abisso...

Paolo di Tarso

II

Monastero di San Nilo di Grottaferrata: l'anno di Nostro Signore 1071, l'ora settima del 4 febbraio

Theodoros di Focea alzò la testa dallo scrittoio e si voltò verso la finestra guardando le nubi grigie che trascorrevano basse sui colli Albani... Oh, il cielo di Costantinopoli, superba e lontana, cielo di smeraldo, cielo di fiamma sul Corno d'Oro, sulla cupola di Santa Sofia, grande come un firmamento... non l'avrebbe rivisto, mai più... Città meravigliosa e perversa, città crudele, brulicante di ogni follia, irretita nell'intrigo e nella menzogna, trono splendente degli ultimi Cesari... mostro sanguinario. Roma era stata umiliata sotto il tallone dei barbari, ma non per questo il Regno del Signore si era affermato sulla terra. Le aquile avevano abbandonato il Campidoglio e il Tevere per volare sul Bosforo ma non avevano trovato ove posarsi: gli eredi di Costantino il Grande erano tiranni spietati e corrotti, non migliori di Nerone e Caligola. Avevano innalzato la croce di Cristo per codardia, non per fede, sperando con essa di ammansire i bellicosi nemici. Feroci coi deboli, vili coi forti, non avevano altre armi che l'oro per corrompere, sterco di Satana... No, non avrebbe più rivisto Costantinopoli dalle cupole d'oro, macchiata del sangue dei suoi... di suo padre, accecato con un ferro rovente, dei suoi fratelli pugnalati nel sonno. Traditori, li avevano chiamati, amici del papa di Roma.

Il patriarca Cerulario aveva staccato la Chiesa d'oriente dall'autorità del pontefice romano, l'aveva fatta ribelle al soglio di Pietro e aveva irriso alla scomunica, all'anatema e all'interdetto. A stento egli stesso aveva salvato la vita e ora, per l'aiuto del legato pontificio, il cardinale di Silvacandida, era stato accolto tra quelle sacre mura. Il silenzio del monastero, il lavoro e la preghiera, lo studio, gli avrebbero mai restituito il sonno e la pace? Sarebbero svaniti i fantasmi, si sarebbe dissolta l'oscurità in cui si dibattevano i suoi pensieri?

Un volo di corvi attraversò l'angusta luce della finestra e il cielo cinerino risuonò delle loro strida. Si guardò intorno smarrito: eppure c'era tanta pace in quel santo luogo e i suoi confratelli attendevano sereni al loro ufficio: Igino da Celano a trascrivere le storie di Procopio di Cesarea, Aniceto da Kerkyra a miniare in oro e porpora le omelie di Gregorio Nazianzeno, Arnaldo da Vetralla a rappresentare, sulla Geografia di Strabone, la forma del mondo, dei golfi, delle isole e penisole del Mediterraneo e dell'Oceano Esterno e Niceforo da Ioannina... egli stava ritto dall'altra parte del grapheion davanti a un leggio e lo guardava con un'espressione intensa ed accorata. Niceforo da Ioannina...: a lui aveva scelto di confidare i segreti più riposti della sua anima. Con lui era più facile... sembrava già conoscere tante cose.

Il vecchio monaco lasciò il suo posto, attraversò la sala e venne a sedersi accanto a lui.

«Hai interrotto il tuo lavoro, Theodoros, qualcosa non va?»

«La mia anima è triste, padre, e il cielo è così grigio...»

Niceforo guardò i due incunaboli aperti sullo scrittoio come se non avesse sentito: «La storia romana di Polibio, libro XXII. Hai fatto una trascrizione molto bella; ma perché tieni sotto anche Tito Livio?».

Theodoros volse ancora alla finestra gli occhi umidi. «Nevica» disse.

Scendevano lenti e radi i grandi fiocchi candidi imbiancando la pietra del davanzale.

«Abbandonerà le città, le campagne, i villaggi, le fortezze al di qua del Monte Tauro...» lesse Niceforo sul testo di Tito Livio. «Sono i termini della pace di Apamea tra il re Antioco di Siria e il console Manlius Vulso. Non è così?»

«Quel testo è corrotto» disse Theodoros senza distogliere

lo sguardo dalla finestra. «Leggi la glossa scritta sul bordo della pagina.»

Niceforo si riscosse sorpreso da quella risposta a tono e scrutò il punto indicato.

«Non mi riesce di leggere,» disse «la scrittura è troppo minuta e i miei occhi non sono più quelli di un tempo.»

«È un'annotazione del copista: "So che questo testo è corrotto e lacunoso"» recitò Theodoros in latino «"per aver visto una volta le storie di Polibio nel monastero di Subiaco sotto il titolo dei re".»

«Sono parole strane. Che cosa significano secondo te?»

Theodoros sollevò una pagina dell'incunabolo di Polibio che aveva davanti in modo che la luce della finestra l'attraversasse:

«Vedi questa pergamena?» disse. «È stata raschiata e riscritta e il testo è sicuramente corrotto. Siccome in questo passo Livio riproduce fedelmente Polibio ho pensato di poter trovare nell'autore latino la versione completa dei fatti che manca nella pagina corrispondente dello scrittore greco; ma anche il testo di Livio è corrotto, come dice quella glossa.»

«È strano, infatti... Che cosa ne deduci?»

«Il problema non ha alcuna soluzione se non supponiamo che il testo di Polibio a cui accenna la glossa sia diverso da quello che sto ricopiando...» La voce di Theodoros si rinfrancava man mano che impostava i suoi argomenti come se riprendesse ad ogni parola il controllo dei suoi sentimenti e il contatto con la realtà.

«Un foglio abraso e riscritto di per sé non significa molto. Tu sai che questo accade di frequente, specie nei periodi in cui non è facile procurarsi del materiale per scrivere. Si prendono delle pergamene già usate per trascrizioni di scarsa importanza, si raschiano e si riutilizzano inserendole in qualche buon codice che rimarrebbe altrimenti incompiuto.»

«Ma osserva bene,» insistette Theodoros «il foglio abraso è uguale agli altri e dunque ha sempre fatto parte di questo codice: qualcuno è intervenuto per cancellare il testo e riscriverlo.»

Niceforo osservò a lungo le pagine del libro esaminandole una a una in silenzio. Alla fine scosse la testa: «Se ho ben capito tu ritieni che il tuo codice contenesse il testo esatto di Polibio e che qualcuno lo abbia raschiato riscrivendolo a suo modo. È così?».

«Certamente. E penso anche che a Subiaco potrei trovare la versione originale e ripristinare il nostro testo corrotto e probabilmente incompleto, restituendo alla nostra biblioteca un'opera importante nella sua forma autentica.»

«Il tuo ragionamento sarebbe giusto se non partisse da un presupposto immaginario» obiettò Niceforo. «Costruire una menzogna o un falso richiede una ragione valida, un motivo... e quale motivo avrebbe mai avuto il tuo ipotetico falsario per modificare un testo che narra fatti così lontani da noi e riguarda le ragioni politiche di potenze scomparse da molti secoli? Chi ha raschiato quelle pergamene è vissuto tra queste mura non molto tempo fa e lo ha fatto probabilmente per il più futile dei motivi: forse aveva macchiato i fogli o forse l'inchiostro era cattivo e s'era troppo sbiadito. Quanto alla glossa, si riferisce forse a leggere discrepanze... La tua ipotesi avrebbe un senso se il falso fosse stato costruito non molto tempo dopo la morte dello stesso autore.»

«Può essere vero, ma resta pure il fatto strano che due testi di autori diversi siano corrotti nel punto in cui narrano gli stessi avvenimenti. Abbiamo la possibilità, forse, di consultare l'originale più antico, dopo di che potremmo scoprire se esisteva un motivo valido per costruire un falso o se tutto è semplicemente il frutto di un caso, o di un errore, o di ignoranza... ammesso che valga la pena darsi pensiero per tutto ciò.»

«Certamente» disse Niceforo. «Lo studio e l'impegno ti giovano, ti aiutano a dimenticare ciò che hai sofferto, rafforzano la tua mente. Ma dimmi, come pensi di poter ritrovare quel testo, ammesso che esista? Mi lascia molto dubbioso quell'espressione strana alla fine della glossa, "sub titulo regum".»

«"Sotto il titolo dei re"; evidentemente un promemoria che aveva un significato chiarissimo per chi ha scritto la glossa e che a noi rimane invece oscuro. Forse l'amanuense pensava di tornare a vedere quel codice e di riportarlo a Grottaferrata e non si è preoccupato di lasciare una indicazione più chiara.

Anche questa sarebbe una buona ragione per recarsi a Subiaco.»

«Forse hai ragione,» disse Niceforo «consentimi però di metterti in guardia dal pericolo di attribuire un'importanza eccessiva a questa cosa; di tanti scrittori pagani non ci è rimasto che il nome e certo le loro opere non sarebbero andate perdute se così Dio non avesse voluto. Il sapere dei pagani ha avuto un senso e un valore in quanto era pur sempre una scintilla dell'intelletto divino in un mondo di tenebre ma poi venne la Luce vera a illuminare il mondo e di essa sola il nostro animo ha bisogno. Ti voglio raccontare un episodio: una notte, dieci anni or sono, il nostro monastero fu saccheggiato da bande di armati che poi se ne andarono lasciando ovunque rovina e distruzione. Un nostro anziano confratello si aggirava per le stanze buie del monastero, cercando una via di uscita per mettersi in salvo: vide improvvisamente una luce in fondo a un corridoio e corse verso di essa. Purtroppo il corridoio era interrotto a metà da un crollo: con gli occhi fissi a quella luce ingannevole egli non vide la voragine che si spalancava sotto i suoi piedi e precipitò di sotto spezzandosi le gambe. Lo trovammo al mattino che respirava ancora ma non c'era più nulla da fare per lui... Intendi cosa voglio dire?»

«Ho avuto il compito di ricopiare il testo di Polibio,» rispose Theodoros volgendo di nuovo lo sguardo alla finestra «ed è ciò che voglio fare... nient'altro.»

Giungeva in quel momento il suono della campana che chiamava al vespro; i monaci si alzarono avviandosi alla porta uno dopo l'altro. La luce pian piano si spegneva e la breve giornata invernale volgeva al termine. La tramontana agitava attorno alle mura dell'abbazia le fiamme nere dei cipressi.

Monastero di Subiaco, il giorno 15 di febbraio, verso l'ora di compieta

Sicuro che il testo di Polibio si nascondesse sotto un falso titolo, Theodoros aveva cercato nella biblioteca e nel catalogo tutti i titoli che trattavano in qualche modo di re né aveva trascurato le "Vitae duodecim Caesarum" di Svetonio benché di imperatori si trattasse e non di re e stava ormai per abbandonare deluso la sua ricerca e tornarsene a Grottaferrata.

Scese nella chiesa con gli altri monaci per recitare l'ufficio e per giustificare l'insuccesso della sua ricerca pensava all'ignoranza di tanti amanuensi che copiano senza sapere cosa scrivono, ma non riusciva a liberarsi dal pensiero che il codice originale di Polibio dovesse comunque trovarsi tra quelle mura. Quando mai avrebbe potuto farvi ritorno? E l'archimandrita di San Nilo gli avrebbe nuovamente concesso di lasciare il monastero?

Intanto l'abate aveva intonato il responsorio "Domine in adiutorium meum intende!", "Domine ad adiuvandum me festina", rispondevano in coro i monaci. Quindi l'abate assegnò il salmo XXII e le profonde voci virili intonarono dagli stalli "Deus meus, Deus meus, quare dereliquisti me?".

Theodoros si riscosse dai suoi pensieri e aprì il breviario cercando il segno per seguire il canto che conosceva a memoria in greco ma che doveva invece leggere in latino. Lesse dunque "salmo XXII, salmo di David" ... David, il re! Ecco l'unica opera che non aveva controllato: la Bibbia.

Attese con impazienza che terminasse l'ufficio di compieta poi prese una lucerna e tornò in biblioteca. C'erano molte Bibbie in due grandi armadi di frassino alcune delle quali splendidamente miniate. Prese una scala e cercò negli scaffali più alti e più difficili da raggiungere, là dove la polvere accumulata sui volumi indicava che assai raramente venivano consultati e finalmente, aperta la copertina di una Vulgata di San Girolamo del libro dei re, lesse "Polibiou Historiai" su un gran foglio di lino. E anche il resto del codice era fatto di lino: un liber linteus sicuramente antichissimo e macchiato qua e là di muffa.

Rimise al suo posto la copertina assicurandola con la sua fascia di cuoio e scese con il codice; poco dopo, nella sua cella, lo avvolse in un panno di lana e lo nascose nella sua bisaccia. L'indomani si presentò dopo il mattutino all'abate, lo ringraziò per l'ospitalità e per l'aiuto che aveva ricevuto in una ricerca che purtroppo si era rivelata infruttuosa poi, ottenuto il congedo e una lettera di saluto per l'archimandrita Demetrios, si mise in viaggio.

Era ancora buio e ogni volta che passava davanti a un casolare i cani si mettevano a latrare furiosamente; poi, le stelle cominciarono a spegnersi una a una, e quando Lucifero restò sola e splendida come un diamante sui monti Sabini un gallo innalzò il suo canto che echeggiò sui colli ormai rivestiti di una luce tenue, dolcissima. Un altro gli rispose e un altro ancora e Theodoros vide a un tratto davanti a sé sul terreno la sua ombra, netta e lunghissima. Si volse allora al sole che si affacciava dietro ai monti e fece il segno della croce mormorando un'orazione. Poi si girò e riprese la sua strada a passo svelto.

Monastero di San Nilo di Grottaferrata, il 17 di febbraio, dopo i vespri

L'antichissimo codice di Polibio appariva nel complesso leggibile e solo dove la muffa aveva intaccato la trama del lino la minuta grafia protobizantina si distingueva malamente.

Arrivò finalmente al punto cruciale e cominciò a leggere:

Giunta dunque a Roma la notizia della sconfitta del console in Tracia, si diffuse grande panico perché si temeva che stesse ormai per avverarsi l'oracolo che minacciava la rovina dell'Italia e di Roma se l'esercito di Cnaeus Vulso avesse varcato il confine del Tauro. Si decise allora di interrogare l'oracolo di Delfi per conoscere la volontà degli dei su questi fatti e tale fu il responso:

> *"Un giorno, quando l'orgogliosa Città*
> *sul fiume distesa, di gelido sudore inondata*
> *tremerà di spavento, immensa infatti una forza*
> *la minaccerà dall'oriente, collocate allora,*
> *o sciagurati, sull'alta rocca il sacro Palladio*
> *vigilato dagli eroi che la dea predilige:*
> *Ulisse, maestro di frodi, e il divino Tidìde."*

L'oracolo gettò i senatori in grave costernazione e si decise pertanto di non rivelarlo al popolo affinché non alimentasse la paura; al tempo stesso si cercava di interpretare il significato del vaticinio. Dicono che allora un tale Quintilius Rufus che era stato legato in Asia durante la guerra con Antioco di Siria, affermasse di aver visto sull'isola... e...s in un ... le statue di Ulisse e Diomede cui si attribuivano meravigliosi prodigi e che forse ad esse poteva riferirsi l'oracolo.

Fu allora deciso di inviare una nave... riportare a Roma quelle statue. E invero a questo proposito udii una storia che... incredibile, ma non potendo io ... la veridicità, la riferirò come l'appresi. La nave giunse nel luogo stabilito e i marinai, penetrati nottetempo nel santuario, portarono via i due simulacri. Affinché non si danneggiassero durante il viaggio tolsero loro le lance che impugnavano e gli scudi... momento le armi... incandescenti nelle loro mani... terrore, le lasciarono cadere in mare proprio là dove il promontorio... si... verso... giunti in vista dell'Italia... furiosa inabissò la nave. Il nome poi della nave era "Aquila". ...solo due marinai... narrarono questi fatti.

Il pontefice massimo e alcuni senatori si erano recati intanto al tempio di Lavinium dove il simulacro era custodito, celato fra sei altre immagini della dea così che nessuno sapesse quale era il vero Palladio (tale stratagemma fu adottato dai romani anche per lo scudo sacro caduto dal cielo ai tempi del re Numa imitato in dodici esemplari che furono detti ancili). Da allora si disse che il vero simulacro era stato collocato nei penetrali del tempio di Vesta, nel foro.

Altri fatti terribili accaddero in seguito: si disse che l'immagine di Jupiter Anxur a Terracina trasudasse sangue e che improvvisamente un terremoto abbattesse molte case sui colli Tiburtini e nella stessa città di Tibur. In questa sciagura perì anche il console Cnaeus Manlius Vulso, dopo aver ottenuto, pur con violenta opposizione da parte di molti senatori e dei tribuni della plebe, il trionfo sui Galati. Lo accusavano infatti di aver disobbedito all'oracolo sibillino mettendo a repentaglio la salvezza del popolo romano...

Theodoros dormì un sonno agitato e si svegliò più volte nel cuore della notte. Gli pesava il segreto che aveva tenuto celato a tutti, si sentiva colpevole per aver mentito all'abate di Subiaco e ai suoi superiori. Gli risuonavano nella mente, incessanti, le parole minacciose dell'oracolo... Era questo che si era voluto tener nascosto? I libri antichi erano pieni di favole di quel genere, di prodigi e di magie, eppure qualcuno aveva voluto che proprio quel racconto fosse cancellato.

Il suo pensiero tornava con insistenza all'idolo favoloso a cui si attribuiva il presidio dell'Italia e di Roma. Dove era finito realmente? Se l'oracolo aveva prescritto che fosse collocato sul Campidoglio (che cos'altro poteva essere "l'alta rocca"?) perché Polibio non ne parlava? Che cosa avevano trovato a Lavinium i senatori e il pontefice massimo?

Nei giorni seguenti non fece che cercare nella grande biblioteca del monastero ogni notizia che potesse riguardare la misteriosa divinità e annotava ogni particolare, ogni riflessione sul suo diario. La vide emergere come uno spettro dalle pagine di Servio: ..."*septem fuerunt pignora quae imperium Romanum tenent: aius matris deum, quadriga fictilis Veientanorum, cineres Orestis, sceptrum Priami, velum Iliae, ancilia, PALLADIUM...*" e poi ancora in Strabone, Dionigi, Licofrone, Apollodoro, Virgilio... "*Guarda, sull'alta rocca Pallade si pone / con la Gorgone orrenda in luce accecante*".

Intanto continuava a studiare il suo codice, spesso fingendosi malato per non scendere nelle ore canoniche in coro a pregare con gli altri monaci. Un giorno l'archimandrita Demetrios annunciò alla comunità l'arrivo di un confratello dalla lontana Smirne dove si era recato per acquistare stoffe per i sacri paramenti, necessari alla liturgia del cenobio. Era grande la curiosità di tutti per quello che il nuovo venuto avrebbe raccontato del suo viaggio. L'archimandrita consentì dunque che egli parlasse, durante la refezione serale, del viaggio, e rispondesse anche alle domande che i confratelli gli avessero rivolto.

Il monaco riferì che in quelle terre, ormai perdute per l'autorità del pontefice romano da quando il patriarca Cerulario aveva proclamato il distacco della Chiesa di Bisanzio da Roma, l'ostilità verso i veri credenti e i fedeli della Chiesa romana era accanita tanto che a volte aveva persino stentato ad acquistare il cibo. Fortunatamente però la conoscenza della lingua greca gli aveva consentito di passare spesso inosservato e di adempiere così al suo ufficio senza difficoltà.

«Vedrete, fratelli,» aggiunse poi «la meraviglia di quelle stoffe: samici in filo d'oro e d'argento quali solo i telai di Trebisonda sanno ancora produrre, lini delicatissimi ricamati a Rodi, bisso di Antiochia, autentiche meraviglie.»

Chiese a quel punto di parlare Arnaldo da Vetralla, uno dei monaci più anziani della comunità: «Vedrò molto volentieri le meraviglie di cui parli, fratello, ma vorrei ora sapere da te se lo scisma di Cerulario non ha incontrato alcuna opposizione nelle terre dell'imperatore di Costantinopoli. Se insomma non è rimasta alcuna comunità di cristiani fedele alla cattedra di Pietro».

«Purtroppo no, a quanto ho potuto constatare» rispose l'interrogato «ma certo io non mi sono spinto nell'interno e quindi non posso sapere se in qualche luogo vi sia una comunità che si sia mantenuta unita, almeno in spirito, alla Chiesa romana. In ogni caso la punizione divina per questo scisma non si è fatta attendere a lungo: al momento di partire udii la notizia che l'imperatore Romano IV Diogene era stato sconfitto e fatto prigioniero dai turchi in un luogo dell'Armenia detto Manzicerta o Malazgirta, non ricordo bene. Posso dirvi però che tutti erano nella più profonda costernazione.»

Theodoros rabbrividì: "Dio misericordioso, l'Impero romano d'oriente sconfitto! L'ultimo baluardo della romanità crolla sotto i colpi dei barbari e questo vecchio stolto viene a parlarci di stoffe e di ricami!". Si chiuse in se stesso, sconvolto: l'imperatore dei Romani prigioniero! E l'orda marciava inarrestabile verso occidente...

Un giorno, quando l'orgogliosa Città
sul fiume distesa, di gelido sudore
inondata, tremerà di spavento, immensa
infatti una forza la minaccerà dall'oriente...

Le parole dell'oracolo gli si pararono dinnanzi improvvisamente, come avesse davanti agli occhi la pagina del codice di Subiaco; tornò nella sua cella e rilesse la profezia:

Collocate allora, o sciagurati,
sull'alta rocca il sacro Palladio...

Ma quali pensieri lo assalivano... stava forse smarrendo la ragione? Gli dei pagani erano finiti, per sempre. Cercò di dormire ma non riusciva a trovare pace come se un demone maligno si fosse impadronito della sua mente. Si rese conto che tutto era incominciato il giorno in cui aveva scoperto quelle pagine, quel testo maledetto... Non poteva più tenere soltanto per sé quel segreto, doveva confidarlo a qualcuno, abbandonare le pericolose curiosità che non gli davano requie, ritrovare la consolazione della preghiera che ormai aveva perduto... da quanto tempo?

Si alzò e andò a bussare alla porta della cella di Niceforo. Il vecchio, inginocchiato davanti a un'icona della Vergine, si volse verso di lui alzando una lucerna che ardeva davanti all'immagine:

«Theodoros,» gli disse «a quest'ora?»

«Padre, accogli la mia confessione perché ho peccato» disse Theodoros inginocchiandosi sul pavimento ai suoi piedi.

«Una colpa ben gravosa deve essere quella che ti spinge a cercare conforto nel cuore della notte e che non ti lascia dormire.»

Tracciò il triplice segno di croce e si sedette su uno sgabello dicendo: «Nel nome del Padre del Figlio e dello Spirito Santo. Ti ascolto, cosa ti opprime?».

«Ho mentito a molti e a te medesimo quando tornai da Subiaco: il codice indicato dall'amanuense esiste: si trovava nascosto sotto il titolo dei Re, in una Bibbia latina. L'ho preso, l'ho portato con me.»

«Hai speso la tua fatica per ripristinare una grande opera storica» rispose Niceforo «ma hai fatto male a sottrarre quel testo ai nostri confratelli di Subiaco. Dunque chiedi il permesso di tornare laggiù, parla sinceramente della tua scoperta all'abate e chiedigli licenza di portare il codice nella nostra biblioteca per il tempo necessario alla sua trascrizione. Il tuo è piuttosto un peccato di ambizione: possedere tu solo quel testo ti ha dato la sensazione di essere l'unico al mondo, in questo momento, a conoscere qualcosa che a tutti è ignoto, o celato. D'altra parte la tua è solo una illusione perché non c'è impedimento alla ricerca che tu hai effettuato e dunque potrei dirti che hai peccato senza un vero motivo...»

Il vecchio lasciò in sospeso il discorso come se volesse provocare una risposta: era evidente che desiderava sapere cosa ci fosse scritto in quel testo nascosto. E Theodoros glielo disse; come se stesse leggendo, gli recitò il brano perduto, le parole dell'oracolo. Il confessore restò a lungo assorto in meditazione.

«Io non capisco» disse poi «che cosa ti tormenta. Hai dimestichezza coi testi degli autori pagani e hai sicuramente letto molte volte pagine simili a queste. Nemmeno l'ambizione giustifica ciò che hai fatto, a ben pensarci: in quelle pagine non c'è materia che lusinghi le potenze dell'intelletto, come può accadere a volte a chi legga di medicina o di alchimia cadendo nella tentazione di poter mutare le leggi che governano la vita dell'uomo e della natura. E se questo può giovarti, io mi umilierò di fronte a te e ti confesserò a mia volta di aver provato quella tentazione leggendo, tanti anni or sono, gli scritti di Maria la Giudea e di Zosimo di Panopoli.»

«Anch'io,» disse Theodoros «anch'io me lo sono ripetuto mille volte, invano. Ma allora, perché non faccio altro che pensare a quell'idolo e all'immensa potenza che gli antichi gli attribuivano; perché questa sera, quando ho appreso da quel monaco che l'esercito dell'imperatore era stato distrutto dai turchi le parole di quell'oracolo mi sono apparse d'improvviso nella mente? Perché quelle parole sono ricomparse dal buio di secoli di oblio proprio in questo momento, proprio ora che un'orda di barbari senza fede e senza pietà marcia inesorabile dall'oriente verso l'occidente travolgendo l'ultima reliquia della potenza di Roma? E quale potere si nasconde in quelle pagine se già qualcuno ha tentato di liberarsi dall'ossessione, cancellandole, raschiandole dalla pergamena? E perché qualcun altro le ha nascoste affinché nessuno più le trovasse pur senza osare di distruggerle?»

Man mano che le parole gli uscivano di bocca Theodoros si trasformava, gli occhi si dilatavano e le pupille, enormi, sembravano finestre spalancate su un'anima piena di tenebre. Gli tremavano le mani, e la fronte, imperlata di sudore, si corrugava dolorosamente. Niceforo, fortemente turbato, si coprì la faccia con le mani: « Dio onnipotente abbia pietà di te, » disse « perché hai smarrito la ragione e perché la tua fede vacilla o si è dissolta. Roma crollò per il peso dei suoi peccati e perché il sangue dei martiri ricadde su di lei, come il sangue di Cristo sui Giudei perfidi. La Babilonia terrestre fu annientata affinché nascesse la Città di Dio. Forse che i capi e i re barbari non piegarono la testa davanti ai successori di Pietro? E non sai vedere nella rovina del despota di Costantinopoli la punizione del Dio degli eserciti per chi ha rinnegato l'autorità del suo vicario? Alle molte, folli domande che mi poni potrei risponderti che il caso ha messo davanti ai tuoi occhi quelle pagine, ma poiché la tua mente è tanto sconvolta ti dirò che la potenza del Maligno è grande. Egli regnò sul mondo per millenni mascherando il suo volto ripugnante dietro le immagini dei falsi dei, e Dio permise che compisse prodigi per confondere l'umanità ottenebrata dal peccato. Così un giorno il Figlio, innalzato come uno stendardo insanguinato sul colle della vergogna, sul patibolo dei malfattori, avrebbe confuso Satana, rovesciando l'ordine del mondo, innalzando gli umili e abbattendo i superbi, infrangendo le catene della morte, Egli, il Logos che era nel principio, che era presso Dio, che era Dio! Per i ciechi che vissero nelle tenebre e non lo riconobbero ci sarà forse pietà: per essi Egli chiese pietà esalando lo spirito, ma non ci sarà pietà per chi lo ha conosciuto e lo ha rinnegato, per chi ha prestato ascolto alle lusinghe di Satana. Attento! Il demone che si annidava come un serpente velenoso tra quelle pagine ti ha morso e tu vaneggi in preda al delirio. Attento perché la tua anima si perde! Non ti avverte forse l'Apostolo di stare in guardia perché il Maligno si aggira tra di noi "sicut leo rugens quaerens quem devoret"? ».

Theodoros aveva abbassato gli occhi, pieni di lacrime. « Ma l'Altissimo non ti ha abbandonato » riprese Niceforo alzando l'icona che gli pendeva dal collo « e ti ha spinto a cercare il suo perdono e forse... forse Egli vuole farti strumento della sua misericordia. Va', figlio, va' e distruggi quel libro. Brucialo, affinché non sia cagione di inciampo per altri e poi parti, vai a Roma a pregare sulle tombe dei martiri, dei Santi Apostoli

Pietro e Paolo, prostrati davanti alle loro tombe e chiedi perdono e luce. Quando avrai fatto ciò, torna da me e io ti assolverò dei tuoi peccati. »

Detto questo tracciò un segno di croce sulla fronte e sul petto del penitente, poi gli volse le spalle e tornò a inginocchiarsi davanti all'immagine della Vergine raccogliendosi in preghiera.

Theodoros si alzò, immobile per qualche attimo: i suoi occhi erano asciutti ora, ma fissi e freddi come quelli dei santi o dei demoni nei mosaici della chiesa.

Niceforo si voltò verso di lui ed egli si riscosse allora con un lieve sussulto e uscì nel buio del corridoio.

Per due giorni continuò a lavorare nel grapheion con i suoi confratelli, al terzo partì incamminandosi per la via Tuscolana. Era un mattino limpido e si vedeva in lontananza la Città dominata dai ruderi immani dell'antica potenza, vigilata dalle torri delle sue basiliche; il grande fiume, come un diadema d'argento, le cingeva la fronte. Ma egli abbandonò ben presto la via su cui si era incamminato e prese per i campi alla sua sinistra verso la via Appia.

Non erano le tombe dei martiri e degli apostoli che lo chiamavano, seguiva un'altra traccia, seguiva ormai senza resistere la forza maligna che gli aveva tolto il sonno e la pace.

C'era un luogo, oltre la via Appia, verso il mare, di cui aveva letto nelle pagine di Dionigi di Alicarnasso e nelle pagine perdute di Polibio... là voleva dirigersi...

Tornò al monastero tre giorni dopo, febbricitante, smagrito, con una luce folle nelle occhiaie scavate: disse che si sentiva male e chiese il permesso di ritirarsi nella sua cella.

All'alba del giorno successivo non scese in chiesa per il canto del mattutino e Niceforo tenne a lungo gli occhi fissi sul suo stallo vuoto. Al termine dell'ufficio salì nella cella di Theodoros e bussò ma senza ottenere risposta; aprì la porta allora, e se lo vide davanti seduto a terra con la schiena appoggiata al muro, gli occhi sbarrati, morto.

Niceforo si inginocchiò giungendo le mani e piegando la

testa canuta; pregava: «Signore, oh, Signore, abbi pietà del tuo figlio Theodoros che è morto nelle mani del diavolo e abbi pietà di noi...».

Poi si avvicinò al cadavere e gli chiuse, a fatica, le palpebre irrigidite.

Si guardò intorno cercando ciò che certamente era la causa di quella morte, ma non vide nulla nella camera spoglia. Cercò dovunque, affannosamente, facendosi luce con la lampada che ancora ardeva sull'inginocchiatoio, guardò anche sotto il letto ma non trovò nulla. L'unico posto in cui non guardò fu dietro il cadavere e là, sul muro, i suoi confratelli notarono poi uno strano segno quando vennero a rimuovere il corpo per le esequie e sotto di esso molte gocce di cera rappresa; ma Niceforo era già uscito da quel luogo né mai più vi avrebbe rimesso piede.

Quella notte stessa egli si rese conto con orrore di aver mancato, senza avvedersene, al segreto della confessione: aveva perquisito quella cella perché sapeva, e sapeva perché il suo sventurato confratello gli aveva confidato il suo segreto sotto il vincolo sacramentale. Trascorse la notte piangendo prosternato sul pavimento della sua cella e il giorno dopo confessò la sua colpa all'archimandrita Demetrios.

Da quel momento cominciò a deperire, giorno per giorno, consumato dalla pena e si spense, piangendo amaramente, la notte tra il giovedì e il venerdì santo, tra le braccia di Demetrios. Il vecchio patriarca restò così solo a custodire il segreto che già aveva ucciso due suoi confratelli. Fece vuotare la cella di Theodoros, la settima sul primo corridoio e mentre i conversi si accingevano a bruciare il saccone notò, fra la stoppa dell'imbottitura, un fascicolo di fogli. Lo aprì e lesse: "Theodoros di Focea scrisse queste pagine perché non fosse dimenticato il suo nome e la vicenda che lo condusse alla fine..." un diario in cui Theodoros aveva fissato gli ultimi giorni della sua follia.

Lo sottrasse al fuoco e lo chiuse nell'archivio segreto dell'abbazia, nascosto e inaccessibile.

PARTE TERZA

Il sesto angelo versò il suo calice
nel gran fiume Eufrate
per preparare l'invasione dei re
che sarebbero venuti dall'Oriente,
e il fiume inaridì.

Apocalisse XVI, 12

III

Torre Rossa, nei dintorni di Roma, 10 giugno, ore 16

«Professore, venga fuori, ci sono quelli della televisione, del tigiuno, che le vogliono fare l'intervista» disse un assistente sporgendosi dall'orlo dello scavo.

«Ci volevano anche quelli... dove stanno, accidenti...»

L'archeologo emerse dalla trincea con una sigaretta tra i denti, e un frammento di argilla figulina nella mano destra, guardando dalla parte sbagliata. Alle sue spalle, poco distante dall'area di scavo, attendeva un gruppetto di persone munite di telecamere portatili, cavalletti, lampade e registratore. Li guidava un signore sulla cinquantina con spessissime lenti ed espressione vagamente stralunata.

«Di qua, professore, dove guarda!» insistette il giovanotto.

Paolo Emilio Quintavalle, quarant'anni rampanti, folti baffi e folta capigliatura nera, si girò abbottonandosi la camicia e saltò fuori dalla fossa. Il capo della troupe si fece avanti con un largo sorriso tendendogli la mano: «Molto piacere, professore, mi chiamo Biagini, Giorgio Biagini, della prima rete nazionale. Come le ho detto ieri al telefono son qua per intervistarla sulla sua recente scoperta».

«Il piacere è mio» fece Quintavalle buttando la cicca dell'Emmeesse. «Allora, se vogliamo cominciare... perché poi avrei da fare.»

«Come no, professore, siamo già pronti.» Il regista fece un cenno e i due operatori si piazzarono con le telecamere mentre l'addetto alle luci, carico di lampade, si dava da fare per schiarire le ombre violente del pomeriggio estivo.

Quintavalle ammiccò all'impatto dei duemila watts dei riflettori mentre l'obiettivo andava a fuoco sul suo profilo proconsolare.

« Gentili telespettatori, » esordì fuori campo la voce dell'intervistatore « ci troviamo con la nostra troupe nei pressi dell'antica Lavinium. Qui una leggenda dice che sbarcò Enea profugo da Troia e fondò questa città dando origine alla nazione latina. Il professor Quintavalle dell'Università di Roma è l'autore di una scoperta sensazionale: sulla base di antichi documenti egli ha individuato non solo il punto esatto dello sbarco, » il secondo operatore si buttò con tutto lo zoom di cui disponeva sulla spiaggia di Torvaianica devastata dalla speculazione edilizia « ma ha individuato e portato alla luce la tomba stessa dell'eroe. Ora, professore, » continuò Biagini offrendosi alla seconda telecamera « vorrebbe spiegare ai nostri spettatori come è riuscito in questa eccezionale impresa? »

« Veramente... » prese a dire Quintavalle accendendosi un'altra sigaretta e sbuffando una larga nube di fumo verso l'obiettivo. « Veramente questa non è la tomba di Enea ma una sepoltura del bronzo inferiore o dell'inizio dell'età del ferro. Si tratta di una tomba a tumulo che gli antichi Romani identificarono con quella di Enea aggiungendovi nel quarto secolo un avancorpo per conferirle dignità monumentale. In realtà non sappiamo chi fosse il guerriero, il capo, sepolto nel cassone di tufo all'interno del tumulo... »

« Stop! Stop! Ferma tutto! » gridò Biagini volgendosi spiritato ai suoi uomini poi, rivolto a Quintavalle: « Ma professore, come sarebbe a dire? Questa non è la tomba di Enea? Ma io credevo... »

« Vede, caro Biagetti... »

« Biagini. »

« Scusi. Dunque dicevo, signor Biagini, che questa non è la tomba di Enea ma quella che gli antichi Romani credevano fosse la tomba di Enea. »

« C'è un bel cavolo di differenza... » disse Biagini quasi tra sé « ma allora... »

«È una fregatura, dice lei.»

«Non proprio ma...»

«Amico mio,» cercò di spiegare Quintavalle al suo desolato interlocutore «ammesso che Enea sia esistito veramente, sul che sussistono dei dubbi, le probabilità che i suoi resti si trovino in quella tomba sono quasi nulle. Vede, noi siamo partiti da una testimonianza di Dionigi di Alicarnasso che descriveva l'heroon di Enea, ossia il suo monumento funebre. Su quella base lo abbiamo localizzato e ora stiamo completando l'analisi del complesso: l'importanza della scoperta sta nel fatto che una testimonianza antica si è rivelata attendibile e oltre a ciò, se vuole, l'aver messo in luce un monumento che per gli antichi Romani ebbe un valore simbolico enorme e un'importanza fondamentale per la loro cultura e per la loro tradizione religiosa. Il resto conta ben poco.»

«Insomma Enea non c'entra per niente» disse Biagini ormai indisponente.

«Cristo,» sbottò Quintavalle che stava perdendo le staffe «i Romani hanno considerato per secoli questo luogo come il sacrario dell'origine della loro nazione. Non le basta?»

«I suoi ragionamenti non fanno una grinza, professore, ma vede, a me avevano detto...»

«Ho capito, ho capito: le avevano detto che era stata trovata la sepoltura di Enea e in un certo senso è vero. Guardi, nessuno ha mai dimostrato che il Santo Sepolcro sia stato veramente il sepolcro di Gesù Cristo, eppure milioni di pellegrini lo hanno visitato nel corso dei secoli e decine di migliaia di uomini si sono scannati durante le crociate per impadronirsene. A questo punto non ha importanza se in quella tomba è stato veramente deposto il corpo di Cristo, ha importanza ciò che milioni e milioni di persone hanno creduto, ha importanza la loro volontà di identificare in un oggetto materiale, concreto, una reliquia della loro storia religiosa e spirituale... non so se mi spiego» concluse aspirando un'ultima boccata di fumo dal mozzicone esausto.

«Lei ha tutte le ragioni,» riprese mellifluo Biagini «e

afferro i suoi argomenti. Lei però deve essere così gentile da venirmi incontro. Vede, i telespettatori non apprezzerebbero una distinzione, perdoni, tanto sottile. Se lei potesse dire... »

« Spiacente, Biagini. Guardi, al mondo tutto è possibile e quindi è possibile che sia esistito Enea, che sia sbarcato da queste parti e che le sue ossa siano state trasferite da un posto all'altro nei secoli fino a trovarsi in questa tomba, ma francamente le possibilità mi sembrano scarse. Davvero, non posso dirle più di quello che ho detto. » Poi, vedendo l'espressione sempre più sconsolata del regista: « Senta, le giuro che anche a me piacerebbe credere che là dentro c'era il corpo di Enea » aggiunse. « Anche gli archeologi hanno un cuore, cosa crede. Ma non posso. Sia bravo, si accontenti. »

Finalmente domato, il regista si rassegnò alla dolorosa mutilazione di quello che gli pareva il pezzo forte del suo servizio e si accontentò di un'intervista non troppo tecnica, di qualche ripresa degli scavi, di una descrizione del piccolo heroon. Poi, concluso senza molta convinzione il suo lavoro, se ne andò. Quintavalle ritornò sullo scavo ma ormai si era fatto tardi: « Ragazzi, » disse agli studenti « per oggi ormai possiamo chiudere. Domani completerete la numerazione degli ultimi reperti e i rilievi fotografici della stratigrafia; lunedì faremo un ultimo tentativo sulla collina prima di chiudere la campagna, che ormai abbiamo anche finito i soldi. Vi auguro un buon fine settimana. Dimenticavo: lunedì dovrebbe arrivare anche quell'archeologa americana, Elizabeth Allen; ripassatevi un po' d'inglese ».

« Professore, dicono che è uno schianto » disse l'assistente che aveva annunciato la troupe della televisione.

« Il che non guasta, » disse l'archeologo strizzando l'occhio « non guasta affatto. »

Raggiunse l'auto parcheggiata nel cortile di una fattoria e si avviò in direzione di Roma. C'era ancora una bella luce dorata e la strada si snodava in ampie curve tra i colli boscosi. La percorreva ormai da settimane tornando dagli scavi e gli sembrava che avrebbe potuto guidare a occhi bendati. Arrivò sul raccordo anulare che erano ormai le sette e accese la radio per ascoltare il giornale della sera. Lo speaker annunciava in quel momento le notizie dall'estero: massicce manovre navali nel Mediterraneo meridionale, duelli di artiglieria sul fiume Litani, battaglia di carri armati sul fiume Charun.

"Il Charun... è l'antico Choaspes, se non sbaglio" pensò fra sé "l'idronimo originale è andato perduto..."

Parcheggiò sotto casa alle sette e mezzo, un record con quel traffico.

Roma, 12 giugno, ore 23,15

Paolo Quintavalle non riusciva a prendere sonno; si rigirava nel letto pensando a ciò che aveva scoperto nella sua campagna di scavo. In poco più di un mese di lavoro era giunto ad un risultato eccezionale e doveva fermarsi proprio ora che stava raccogliendo i frutti di uno studio di anni. Non c'erano ormai più soldi nella dotazione del suo Istituto e il principale obiettivo della sua ricerca, forse a portata di mano, avrebbe potuto sfuggirgli. Gli ultimi saggi avevano rivelato la presenza di oggetti votivi: doveva esserci il santuario nelle vicinanze, forse il santuario dei penati di Troia, il più venerato sacrario della nazione latina. Sì, perbacco, se il piccolo heroon segnava il punto in cui gli antichi Romani ponevano la tomba di Enea, il santuario non poteva essere lontano...

E tutta quella maledetta pubblicità della televisione! I tombaroli non avevano certo problemi di fondi né di tempo. Appena avesse chiuso il cantiere quelli si sarebbero fatti vivi trapanando il suolo con le loro fottutissime sonde meccaniche.

Si alzò badando a non svegliare la moglie e andò a sedersi nel suo studio accendendo una sigaretta. Eppure aveva notato qualcosa di strano quel pomeriggio sul cantiere prima che arrivassero quelli della Tv a distrarlo... Ma che cos'era, accidenti... era qualcosa che non quadrava con la stratigrafia... era... ma sì, quella sabbia gialla! C'era un'area di qualche metro quadro tutta di sabbia gialla, mentre tutto attorno c'era solo terra rossa o tufo. Che fosse il terreno di riporto delle fondazioni del santuario? O forse di una fossa sacra?

Frugò fra le sue carte, trovò i disegni, le foto aeree... Cristo, il posto era adatto, non poteva essere altrimenti... C'era qualcosa là sotto, c'era qualcosa sotto quella sabbia gialla!

La pendola del corridoio batté la mezza. E chi riusciva a tornare a letto adesso? Prese il telefono e chiamò il guardiano notturno a Torre Rossa. Il campanello squillava ma nessuno veniva a rispondere; quando stava ormai per riattaccare sentì la voce del guardiano.

«Nino, sono Quintavalle. Scusa, sono in pensiero per il cantiere e volevo sentire se tutto è in ordine... ma dove ti eri cacciato?»

«A professo', me deve scusare, ma qui è mancata la luce, semo tutti ar buio... me so' anche inciampato pevveni' arrisponne... Sì, sì, è tutto tranquillo, 'un se preoccupi che ce so' qua io...»

«Va bene, Nino, ma mi raccomando, sta' in campana... è molto importante.»

"Maledizione" pensò "ci voleva anche questa." Chiamò la centrale dell'Enel: «Scusi, vorrei sapere se a Torre Rossa la corrente mancherà ancora per molto... sa, ho un freezer con della carne laggiù...».

«Torre Rossa?» rispose il tecnico di turno. «È il distretto di Pomezia... aspetti un momento che controllo... Ecco, Pomezia... Ma non c'è nessun guasto su quella rete, signore, è tutto in ordine, non ci sono guasti. Ma scusi, lei da dove chiama?»

Grottaferrata, abbazia di San Nilo, ore 23,45

L'archimandrita Demetrios XII era molto stanco. Aveva lavorato fino a tardi per mettere a punto il suo intervento per il sinodo del giorno 14 e poi aveva dovuto sbrigare della corrispondenza urgente. Terminate le sue orazioni si alzò dall'inginocchiatoio e fece per coricarsi ma si fermò a un tratto tendendo l'orecchio. Aveva sentito un rumore, il cigolio di un cancello e poi dei passi. Andò alla finestra e guardò nel cortile: era deserto e il cancello che dava sull'esterno era chiuso. Eppure non si era sbagliato, in quel gran silenzio aveva sentito bene il cigolio di un cancello... ma non c'erano altri cancelli, oltre a quello del cortile... se non quello della cripta che si estendeva in parte anche sotto la sua camera.

Ma chi poteva essere sceso nella cripta a quell'ora? Il sagrestano se ne era andato dopo i vespri e i monaci erano già da tempo nelle loro celle. Appoggiò l'orecchio al tavolino da notte e attraverso il pavimento percepì il rumore di un passo. Gesù, che fosse un ladro? Andò nel suo studio, attiguo alla camera da letto, per telefonare alla polizia... Ma no, quale ladro avrebbe camminato a quel modo, facendosi sentire così distintamente? Tornò al tavolino da notte e vi appoggiò di nuovo l'orecchio: non si sentiva più nulla; forse gli era sembrato...

Fece per tornare a letto ma lo trattenne il rumore distintissimo di una porta che si apriva e si richiudeva con uno scatto secco. Signore Iddio, non c'era che una porta nella cripta... quella dell'archivio riservato!

Si gettò lo spolverino sulle spalle, prese un mazzo di chiavi da un cassetto della scrivania e uscì sul pianerottolo premendo l'interruttore della lampada delle scale ma non si accese nessuna luce. Tornò nel suo studio ma anche lì era buio: era venuta a mancare la corrente. Prese allora un lume che ardeva davanti all'icona della Madonna e scese nella cripta che trovò deserta. Si diresse verso l'ingresso dell'archivio riservato, una paratia abilmente mascherata nel muro che chiudeva parte dell'abside, dietro l'altare. Non si era sbagliato: nell'oscurità appena diradata dalla lampada del Santissimo e dalla candela che teneva in mano si vedeva una luce filtrare da sotto la porta. «Chi è là?» chiese con voce ferma. «Chi c'è là? Rispondete!» Si avvicinò con precauzione alla porta e vi appoggiò l'orecchio: dall'interno non veniva il minimo rumore.

Si rese conto che la porta cedeva sotto la pressione lieve della sua guancia, la spinse con la mano ed entrò.

L'archivio, disposto ad emiciclo sugli scaffali che seguivano la struttura curva della parete absidale, era deserto: i libri e i documenti erano in perfetto ordine sulle scansie, solo, sul tavolo di lettura al centro della sala c'era un candeliere con una candela accesa e vicino un fascicolo di pergamena aperto alla prima pagina.

L'archimandrita si sedette e lo prese tra le mani: era un documento molto antico, scritto in una fitta grafia protobizantina. Cominciò a leggere le prime righe che dicevano:

> *Theodoros di Focea scrisse queste pagine affinché non fosse dimenticato il suo nome e la vicenda che lo condusse alla fine...*

Il vecchio monaco sentì come un brivido di gelo corrergli in quel momento lungo la spina dorsale; si girò verso la porta che aveva lasciata aperta e gettò uno sguardo verso l'altare: era buio, la lampada del Santissimo si era spenta.

Lavinium, 13 giugno, ore 9,30

I saggi di scavo avevano messo in luce, lungo il pendio di un colle, un muro di grossi blocchi a secco e avevano evidenziato, dietro di esso, due strati, uno di tufelli battuti, forse di riporto, e il secondo di sabbia giallastra. In un punto poi gli strati parevano invertiti e si potevano riconoscere i bordi di un invaso che partivano dal piano di campagna quale doveva essere agli inizi del II secolo a.C.

Si trattava di una fossa, scavata probabilmente in fretta e subito colmata. Era ormai questione di pochi minuti e poi le pale degli operai ne avrebbero raggiunto il fondo.

Quintavalle, seduto sui talloni, con le braccia appoggiate sulle ginocchia, fissava immobile il punto in cui gli studenti, individuati alcuni frammenti ceramici, cominciavano a rimuovere l'ultimo velo di sabbia con le spatole e gli scopetti. Stringeva tra i denti la sigaretta fradicia e ammiccava di tanto in tanto per le gocce di sudore che gli calavano sugli occhi. Puntava, come un segugio, la preda da tempo braccata. A un tratto indicò un punto davanti a sé: «Là,» disse a uno degli studenti «pulisci là, sulla tua sinistra». Il giovane cominciò a lavorare di cazzuola e a poco a poco prese forma una fronte ampia, levigata, incorniciata da un giro di riccioli uguali divisa a mezzo da un diaframma rilevato: il paranaso di un elmo. Poi apparvero gli occhi, immensi e sbarrati, il naso dritto e appuntito, severo ma pur femminile, poi la bocca, dura, contratta, piegata in basso agli angoli in un atteggiamento corrucciato, e quindi il mento forte, volitivo, quasi virile.

«Dai a me» disse Quintavalle quasi strappando di mano la cazzuola allo studente. Si buttò in ginocchio chinandosi faccia a faccia sull'immagine apparsa dalla terra, rimosse il terriccio dalla parte superiore e apparve l'elmo attico con il cimiero crestato. L'archeologo stava praticamente a cavalcioni su quello che doveva essere il corpo della statua quasi volesse impedirle di sollevarsi. Le liberò lentamente il petto ampio, coperto di scaglie e apparve la maschera cadaverica della Gorgone e poi un serpente enorme, tricipite, avvinghiato alla mano che stringeva l'elsa di una spada. A lato pullulavano altri serpenti intrecciati al bordo di uno scudo spezzato.

Quintavalle si alzò in piedi grondante di sudore: «Vieni, Elizabeth!» gridò «vieni!». Una bella ragazza bruna che lavorava in una trincea di saggio poco distante arrivò di corsa sul bordo dello scavo, saltò agilmente sul fondo e si avvicinò all'archeologo.

«Guarda,» disse chinandosi di nuovo sul simulacro ancora in parte prigioniero della terra «guarda: è Pallade... Pallade Athena.» La ragazza guardò attonita la formidabile apparizione: «Incredible... just incredible» disse chinandosi a terra e sfiorando con le dita sottili la terribile fronte galeata.

S'era fatto silenzio tutto intorno: gli studenti avevano appoggiato in terra i loro strumenti di lavoro e uno alla volta avevano fatto cerchio attorno al gran corpo fittile disteso nella rena. E l'aria era immobile anch'essa e ardente sulla campagna assolata. Quintavalle si guardò intorno come riprendendosi da uno stordimento poi, agitando le mani, sbottò: «Be'? Che fate tutti lì incantati? Non avete mai visto una statua? Avanti che stavolta ci siamo, su, svelti, piantate i picchetti e tirate i fili che dobbiamo reticolare tutta la fossa».

I giovani si dispersero raccattando i loro strumenti e cominciarono a piantare i picchetti tutto intorno allo scavo a livello dell'ultimo strato disponendoli in fila a intervalli uguali sui lati di un quadrilatero. Poi tirarono i fili in modo da creare un reticolo ortogonale che inscriveva il suolo in una serie di riquadri contrassegnati su un lato da una lettera e sull'altro da un numero.

La fossa misteriosa era ormai prigioniera nella rete della scienza.

Quintavalle, riguadagnato il bordo dello scavo, si attaccò a una bottiglia di acqua minerale poi sedette su un blocco di tufo accendendosi un'Emmeesse; Elizabeth Allen lo raggiunse e sedette vicino a lui sul prato.

« Paolo, » gli disse « what do you think? Io ho l'impressione che l'hanno seppellita: hai visto gli strati invertiti all'interno della buca? Am I right? »

« Eh sì, » rispose Quintavalle lisciandosi i baffi « credo proprio che tu abbia ragione. L'hanno seppellita loro, gli antichi... e non solo quella, chissà cos'altro c'è là in fondo. In ogni caso un giudizio è prematuro: dobbiamo tirar fuori gli altri reperti se ci sono, studiare le tipologie, analizzare gli influssi stilistici. Certo però che è strano... forse ci troviamo di fronte a un santuario che è stato chiuso, sconsacrato... chissà perché. »

« Very unusual per quanto so » disse Elizabeth nel suo italiano approssimativo. « Le statue dell'acropoli in Atene furono seppellite dopo le guerre persiane per una... how do you say? »

« Profanazione. »

« Right, profanazione, perché i Persiani avevano invaso il luogo sacro. »

« A Gigi! » gridò Quintavalle che teneva sempre un occhio ai lavori. « Vedi un po' di esporre giusto stavolta che le ultime foto eran bone pe' n'archeologo cecato tant'eran buie. Va bene? »

« Occhèi professo' » ribatté il fotografo da dietro il mirino « ve faccio 'n capolavoro che manco David Hammiltòn! »

« È vero » riprese Quintavalle rivolto nuovamente alla ragazza «ma qui siamo all'inizio del secondo secolo avanti Cristo, second century» precisò alzando indice e medio. «Understand?»

«Ma forse Hannibal...»

«No, cara, Annibale era già passato da un pezzo e comunque non di qua... No, il motivo deve essere stato un altro.»

«Professore, può venire per piacere?» chiese una ragazza piena di lentiggini facendo capolino dal bordo dello scavo con tono di leggero rimprovero per il maestro che le pareva perdesse troppo tempo con quella smorfiosa di americana. «Guardi che sta venendo fuori dell'altro.»

«Che ti dicevo?» disse l'archeologo ad Elizabeth dirigendosi verso la fossa.

Lo spettacolo che gli si presentò gli mozzò la parola in bocca: a pochi metri dal luogo in cui era emersa la statua di Atena, un'altra squadra aveva rimosso il leggero strato di sabbia ed apparivano dovunque membra sparse di statue: qua una testa dall'ovale dolcissimo incorniciato di morbidi riccioli, là una mano delicata che stringeva una melagrana; il braccio muscoloso di un atleta sporgeva poco oltre in mezzo ai frammenti del suo corpo infranto e ancora altri corpi spezzati, mutilati, proni o supini... come relitti abbandonati sulla spiaggia del mare cronologico.

In tutta la sua vita di ricercatore Paolo Emilio Quintavalle non aveva mai visto una cosa simile. Appariva evidente la fretta con cui quelle statue erano state condotte in quel luogo e gettate alla rinfusa per essere subito ricoperte di terra. Gli venne quasi la tentazione di estrarle subito, tutte, da quel luogo in cui erano rimaste per ventidue secoli, ma fu un attimo. Organizzò diverse squadre, ciascuna alle dipendenze di uno degli assistenti e iniziò il rilievo particolareggiato per avere il riferimento fotografico della situazione ogni volta che uno dei tanti reperti veniva rimosso e numerato per essere portato in magazzino. Il lavoro andò avanti per tutta la giornata e nessuno sembrava stanco benché il caldo fosse torrido. Quando mancava ormai poco a staccare, Quintavalle andò al bar del paese per telefonare alla moglie.

«La signora Silvia non è ancora rientrata dalla Soprintendenza» rispose la donna di servizio. «Ha detto che farà tardi perché ha avuto una segnalazione che hanno trovato qualcosa sulla via Salaria. Ho fatto dell'insalata di riso e c'è anche del pollo freddo, professore. Vuole lasciar detto qualcosa per la signora?»

«No, Matilde, non importa, non credo che farò tardi.» Riattaccò.

«Il solito, professore?» chiese il barista da dietro il banco.

«Il solito, Sergio.» Sorseggiò lentamente un calice di Frascati gelato, poi si diresse verso l'auto.

«Professore, aspetti, per favore» gli disse uno studente che arrivava di corsa.

«Che c'è, vuoi un passaggio a Roma?»

«No, professore, abbiamo trovato un'altra cosa... ci pare molto importante. Può venire per piacere?» Si incamminarono lungo il sentiero che portava allo scavo. Erano già quasi le sette e il sole cominciava a declinare verso il mare. In pochi minuti l'archeologo si trovò al bordo della fossa e guardò in fondo: l'avevano rizzata in piedi, proprio in mezzo alla trincea e la luce radente la illuminava frontalmente rivestendola di un riverbero sanguigno. Era ancora un simulacro di Pallade Athena, un idolo arcaico, rigido, completamente avvolto nell'egida che scendeva fino ai piedi, percorsa da strane nervature oblique, cinto in vita da un serpente. Portava sul petto la testa mozza della Gorgone che sembrava fissarlo con occhi sbalorditi. Il volto della dea, sormontato dall'elmo crestato, era quasi senile e gli occhi spalancati, rivolti verso l'alto, avevano la strana fissità dello sguardo dei ciechi. Il sibilo leggero del vento che si levava dal mare sembrò per un attimo uscire dalla bocca semiaperta dell'inquietante feticcio.

Elizabeth Allen si avvicinò: «Si direbbe un antico xoanon... I mean, la riproduzione in argilla di un antico originale di legno... don't you think so?».

«Uno xoanon, dici?» rispose Quintavalle come assente e senza distogliere lo sguardo dalla statua.

«Tu hai considerato la possibilità che i Romani venerassero qui il santuario di Enea, il tempio dei penati di Troia.

L'heroon di Enea non è molto distante e quella statua è certamente arcaica.»

«Sì, certo... quasi tutti gli autori antichi lo localizzavano da queste parti: Licofrone, Dionigi...»

«So... it could be...» disse Elizabeth puntando il dito verso la statua «... the legendary Palladion... or the last remake of it.» Quintavalle la guardò con un sorrisetto ironico: «Il Palladio? Andiamo, Elizabeth, non essere ingenua». Gettò ancora uno sguardo alla statua poi si infilò la giacca.

«Allora, mi raccomando,» disse a uno degli assistenti «si assicuri che il custode faccia il suo dovere... e che sia sobrio, altrimenti telefoni ai carabinieri. Anzi, telefoni senz'altro, siamo intesi?»

«Intesi, professore, stia tranquillo» rispose l'assistente.

«Ciao, Elizabeth, ci vediamo domani.»

«Of course» rispose la ragazza.

L'archeologo raggiunse l'auto, un Alfa GT vetusto ma ancora ringhioso, mise in moto e accese la radio. C'era una vecchia canzone di Mina:

Non ho futuro né presente
e vivo adesso eternamente,
il mio passato è ormai per me
distante...

"Figura rigida e sproporzionata... ginocchia basse e divaricate, piedi troppo grandi... è l'opera di un modesto coroplasta locale" pensò. Innestò la prima e partì sgommando sul sentiero polveroso.

Roma, km 4 della via Salaria, ore 19,30

Silvia Quintavalle scese dalla sua auto in una piazzola di sosta e salutò l'impiegato di Soprintendenza che l'attendeva sul marciapiede assieme ad un operaio del comune.

«Buona sera, Stefano, di che si tratta?»

«Buona sera, dottoressa. Ecco, guardi, quelli dell'azienda del gas stavano scavando una condotta e hanno trovato una tomba. Ho pensato bene di non muovermi di qui finché lei non fosse arrivata. Ho portato anche Giuseppe con il furgoncino, casomai volesse rimuovere i reperti.»

«Perché, c'è un corredo?»

«No. La sepoltura è stata violata da molto tempo, sono rimaste solo una moneta e l'iscrizione funebre: la lapide è spezzata ma il testo si legge abbastanza bene. Venga che gliela mostro.»

La trincea aperta dalla società del gas aveva intercettato la crepidine della Salaria antica e poi la scavatrice aveva divelto la pietra tombale che ora giaceva spezzata su un mucchio di terra. Silvia Quintavalle si chinò a leggere l'iscrizione: «È abbastanza interessante,» disse «è un personaggio di rango senatorio che ha servito nell'esercito come tribuno militare ma è morto prima di poter iniziare il cursus honorum. Non è citata nessuna magistratura».

«Allora, la carichiamo sul furgone?» chiese l'impiegato.

«Sarebbe la cosa migliore, se ce la fate a sollevarla. Domattina potrebbe non esserci più.»

«Non si preoccupi, dottoressa, ci pensiamo noi.»

«Ha guardato bene che non sia rimasto niente nella tomba?»

«Be', io non ho trovato altro, ma se vuole controlli anche lei così stiamo più tranquilli. Intanto noi carichiamo l'epigrafe.»

«D'accordo, Stefano, fate così, scaricatela in magazzino di restauro e poi andate pure a casa che ormai è tardi. Io resto ancora un po' a dare un'occhiata.»

Partito il furgone Silvia Quintavalle prese la sua trowel dalla macchina e scese nella fossa per un'ultima ispezione finché c'era un po' di luce. Sondò il fondo della sepoltura per qualche centimetro attorno alla sede dell'urna e subito la punta della trowel urtò un piccolo oggetto metallico: un anello, di bronzo, di non grande valore.

"Per fortuna che avevano controllato bene" pensò. Lo pulì accuratamente e vi scoprì, nel castone, il sigillo di famiglia e il nome del defunto: "L. FONTEIUS C.F. HEMINA".

Non trovò altro. Ripose l'anello nella borsetta e si rimise in strada per tornare a casa. Non valeva la pena passare subito dalla Soprintendenza per depositare un oggetto tanto piccolo e modesto...

Il traffico in uscita dalla città era, al solito, congestionato ma quello in entrata era abbastanza scorrevole e Silvia Quintavalle guidava spedita considerando fra sé il testo dell'iscrizione che aveva appena recuperato. A uno stop la luce intermittente di un semaforo le fece scattare in mente un pensiero improvviso: l'iscrizione funebre sulla lapide era dedicata dal padre; ma allora perché il figlio, il tribuno Hemina, aveva con sé nella tomba il sigillo, attributo dei paterfamilias? Una strombettata isterica dell'automobilista che aveva dietro la riscosse, ingranò la marcia e partì continuando a rimuginare fra sé. Frugò con la mano destra nella borsetta finché non trovò l'anello. "Tu mi nascondi qualcosa" pensava rigirandolo fra le dita "tribuno Hemina, tu mi nascondi qualcosa..."

Pavia, Dipartimento di antichità classiche e storia antica dell'Università San Carlo Borromeo, 27 giugno, ore 16,30

Il professor Duilio Cassini, preside della facoltà di Lettere e Filosofia, direttore del Dipartimento, si tolse gli occhiali e volse lo sguardo intorno al tavolo semicircolare a cui sedevano i componenti della sua équipe di ricerca: Giovanni Spalletti di Albinea, aristocratico toscano, barba curatissima, capelli brizzolati, specialista di colonizzazione, agrimensura, centuriazione, toponomastica, valente studioso, un po' pieno di sé; Antonio Alfieri, diafano, ascetico, papirologo di buona fama, rigoroso, pignolo, un po' pedante; Raffaella Licasi, "Lella" per gli intimi, di ottima famiglia siciliana, ricca, elegante, estrosa, esperta di religioni antiche, di cabala, culti misterici, oracolistica, eternamente divisa tra la vocazione alla scienza e la mondanità.

Era invece vuoto il posto di Fabio Ottaviani. Quel ragazzo avrebbe potuto essere un buon orientalista se si fosse applicato con più metodo e costanza e invece era distratto, negligente, dispersivo.

« Si può sapere dov'è Ottaviani? » chiese con stizza l'illustre studioso. « Si sarà dimenticato anche questa volta che c'era il seminario! »

« Veramente, professore, » intervenne rispettosamente Lella Licasi « il dottor Ottaviani ha telefonato ieri pomeriggio da Belgrado. »

« Da Belgrado? O che caspita ci fa a Belgrado? »

« Ecco, vede, siccome si era detto che lui avrebbe dovuto studiare la spedizione del console Manlio Vulso in Asia Minore, è partito per esplorare i luoghi... ma ha detto che torna subito... » Spalletti non riuscì a trattenere una risatina.

« Via, Licasi, » ribatté il direttore « non diciamo corbellerie... Torna subito... non è mica andato dal tabaccaio. E poi, non c'è la guerra da quelle parti? »

« Stia tranquillo, professore, » intervenne rassicurante Antonio Alfieri « per ora si segnalano movimenti di truppe al confine orientale dove la situazione iraniana è sempre molto confusa, ma sembra si tratti solo di manovre militari. »

« Con quello non si sa mai... non è mica la prima volta che si caccia nei pasticci. Certo che, in fin dei conti, se tornasse davvero con una buona relazione... Mah... intanto proseguiamo noi, almeno. Vi ho riuniti, come sapete, per esporvi il nostro nuovo programma di ricerca. Avrete forse seguito alla televisione l'eccezionale scoperta del professor Quintavalle a Lavinium: egli ha localizzato nei pressi di un antico santuario una fossa in cui erano state seppellite decine di statue fittili fra cui almeno cinque, fra quelle recuperate finora, rappresentano, fatto veramente singolare, la dea Athena. Ma non è questa la cosa più strana: le statue sono state seppellite dagli stessi Romani agli inizi del secondo secolo avanti Cristo. Su questo Quintavalle non ha dubbi. Ora, a prescindere dall'immenso valore archeologico, artistico e documentale della scoperta, si pone, a mio avviso, un grosso problema, sintetizzabile in una sola domanda: perché? Con tutta probabilità le statue appartenevano al santuario di Lavinium di cui parlano parecchie fonti dal IV al II secolo avanti Cristo, quello stesso che si credeva custodisse i penati portati da Enea da Troia e, addirittura, il favoloso Palladio, immagine di Athena venuta dal cielo, magico talismano capace di rendere imprendibile la città che l'ospitava sulla sua rocca. Quella che vi sottopongo è per ora soltanto un'ipotesi, ma il gran numero di repliche dell'immagine di Athena lascia supporre che fra esse si volesse celare quello che gli antichi Romani ritenevano il vero Palladio. Se però la mia ipotesi dovesse rispondere a verità, allora sarebbe doppiamente problematico spiegarsi il motivo per cui il culto fu interrotto e le statue interrate.» Il direttore frugò nel fascio di fogli che aveva sul tavolo pescandone un foglietto con un appunto e riprese: «Ho parlato al telefono con Quintavalle per ringraziarlo delle fotografie dei reperti che mi ha mandato e per sottoporgli il quesito che vi ho appena esposto. Ebbene, la sua spiegazione è che il santuario, caduto in disuso per il declinare del culto, sia stato sconsacrato e le immagini seppellite. Ora, con tutto il rispetto per l'illustre collega, io penso che ci sia un'altra spiegazione... una spiegazione da cercare lontano... in Asia Minore» tutti gli occhi si volsero al posto vuoto di Ottaviani «negli anni o, meglio, nei mesi immediatamente successivi alla pace di Apamea e durante la spedizione del console Cneo Manlio Vulso. Il vostro precipitoso collega, a quanto sento,» proseguì l'oratore con tono ironico «è già al lavoro con zelo encomiabile. A voi propongo di prendere parte a questa indagine i cui termini generali vi sono già noti dall'ultima nostra riunione».

«Mi scusi, professore,» intervenne Spalletti «i brani delle fonti che lei ci ha proposto, Polibio XXII e Livio XXXVIII sono noti per aver subito interpolazioni e per essere certamente lacunosi. A me sembra rischioso avanzare un'ipotesi di lavoro su un terreno tanto infido...»

«Abbia la compiacenza di lasciarmi continuare prima di muovere delle critiche,» ribatté infastidito Cassini «ci sono ben altri argomenti su cui fondare la ricerca. Dottoressa Licasi, vuole esporre i risultati della sua indagine?»

Lella Licasi si alzò in piedi con i suoi appunti in mano: «Si tratta di questo: proprio nel periodo in cui il console Manlio Vulso si trovava in Asia un oracolo delfico minacciò l'ira di

Pallade Athena se i Romani avessero varcato il confine del Tauro. Ecco il testo preciso, conservatoci da Phlegon di Tralles» disse passando in giro delle fotocopie «"Un esercito immenso muoverà dall'Asia, di là donde sorge il sole e devasterà Roma e l'Occidente varcando lo stretto passaggio dell'Ellesponto, se oserete passare il confine del Tauro." Quel vaticinio fu poi stranamente confermato da un oracolo dei Libri sibillini prontamente consultati dai sacerdoti. Ora, è vero che Livio XXXVIII è lacunoso o interpolato» proseguì rivolgendosi al collega che aveva sollevato l'obiezione «ma ci conserva comunque una testimonianza preziosa: al suo ritorno il console Vulso fu violentemente attaccato in senato per aver messo a repentaglio la salute del popolo romano oltrepassando la linea proibita del Tauro».

«Grazie, Licasi» disse il professor Cassini riprendendo la parola. «A questo punto è chiaro che la dea Athena era apertamente ostile al console Vulso ed è proprio in questo periodo che il Palladio e le altre repliche furono seppellite a Lavinium. Non è una strana coincidenza? Tanto più che a partire da quel momento fu diffusa la voce che la statua si trovava nei penetrali del tempio di Vesta nel foro romano.»

«Lei ritiene che l'oracolo citato dalla dottoressa Licasi sia divenuto di pubblico dominio?» chiese Antonio Alfieri. «Perché in tal caso si può pensare che la notizia della sconfitta del console in Tracia abbia seminato il panico nella città e qualcuno, per rassicurare il popolo abbia pensato di trasportare la statua di Lavinium a Roma.»

«Oppure di nasconderla, di seppellirla con le sue repliche e poi spargere la voce che si trovava a Roma in un luogo peraltro inaccessibile, che poi è la stessa cosa» disse Cassini. «Ma è una spiegazione che non mi convince del tutto. Io credo che non dovremmo trascurare la componente politica: dietro al culto di Athena stavano gli Scipioni, la più potente famiglia di Roma in quel tempo, avversari dichiarati del console Vulso. Per conto mio sto già seguendo una traccia interessante di cui spero di potervi fornire maggiori ragguagli alla ripresa del nostro lavoro in ottobre. Per ora è importante che ognuno di voi approfondisca la ricerca nel proprio settore.»

Discusse con ciascuno il programma di lavoro nei particolari indicando la direttrice di partenza. «Quanto al dottor Ottaviani» concluse riponendo nella cartella di cuoio nero il suo fascio di appunti «pare sia già al lavoro e così mi piace credere. Suo compito è di stabilire in reali termini geografici la posizione della linea invalicabile della catena taurica che, come sapete, ha uno sviluppo di oltre mille chilometri. Speriamo che ci porti dei risultati proporzionati alla fretta con cui è sparito dalla circolazione. Con questo vi auguro buon lavoro e buone vacanze.» Si alzò per raggiungere il suo studio e fece cenno a Lella Licasi di seguirlo.

«Ma è andato solo?» le chiese appena si fu seduto.

«Oh, no, professore; mi pare che siano in quattro: c'è Dino Rasetti, un geologo, credo, e poi un fotografo, che fa anche da meccanico... lo chiamano... lo chiamano Biscùt.»

«Biscùt?!»

«Be', il nome vero non lo so... ecco... e poi c'è Claudio Rocca. Era assistente del professor Barresi a storia greca ma ora fa il giornalista... credo.»

«Tutti studiosi ad alto livello» commentò sarcastico il direttore. «Ma secondo lei, a quest'ora, dov'è?»

La ragazza allargò le braccia: «Mah... a Istanbul forse... o anche più in là... Chi lo sa?».

IV

Eber Göl, Turchia, 7 luglio, ore 19

Con l'occhio al potente teleobiettivo della sua Olympus che brandeggiava come un cannocchiale da marina, Biscùt, in realtà Alfredo Settembrini, esplorava la superficie scintillante del lago salato, completamente asciutto in quella stagione, cercando traccia di Fabio Ottaviani, da tempo scomparso in direzione nord-est in sella a una piccola Gilera da cross. Era ormai in ritardo di un'ora all'appuntamento fissato e Biscùt si preoccupava non poco anche per la motocicletta, un mezzo che aveva assemblato con le sue mani profondendovi tutta la sua sapienza tecnica e meccanica.

«Mi mangio un rospo se quel disgraziato non s'è cacciato nei pasticci» brontolò senza togliere l'occhio dal mirino. «Glielo avevo detto che da quella parte ci possono essere delle pozzanghere di pantano... e per giunta tra mezz'ora non si vedrà più neanche a bestemmiare.»

«Vediamo un po',» disse Claudio Rocca sciorinando in terra una mappa Usaf e fissandola con due grossi pezzi di sale «ha detto che a trentacinque gradi nord dal punto-tappa di ieri avrebbe dovuto trovare la pista per Suhut-Emirdag, vale a dire Synnada-Fontes Alandri, secondo la sua ricostruzione.»

Dino Rasetti prese il sacchetto coi campioni di terreno che aveva raccolto e venne a inginocchiarsi anche lui vicino alla carta: «Perciò, calcolando che abbia percorso in media venti chilometri l'ora...».

«Cala!» interloquì Biscùt sempre con l'occhio all'obiettivo.

«Diciamo quindici. Allora dovrebbe essersi perso tornando indietro perché le ruote della moto lasciano una traccia come nella neve... Cristo, guarda qua!»

«Che c'è?» chiese Rocca cercando con lo sguardo nell'intrico di segni sulla mappa.

«Restricted area! Vuoi vedere che è finito in zona militare?»

«Siamo fatti» disse Rocca appoggiando sconsolato le mani sulle ginocchia.

«Calma,» ribatté Dino Rasetti «possiamo sempre ripescarlo. Torniamo indietro con la jeep cinque chilometri fino a trovare le tracce delle sue ruote e poi gli andiamo dietro. Finiremo di sicuro per trovarlo.»

«Bravo,» intervenne nuovamente Biscùt «così ci piantiamo anche noi come cretini. Guarda che noi pesiamo più di una tonnellata, carichi come siamo.»

«E allora andremo a piedi!» ribatté innervosito Rasetti.

«Eccolo!» gridò improvvisamente Biscùt. «Lo vedo! Vicino all'orlo destro del sole, laggiù, sotto quella cresta.»

I due amici alzarono gli occhi dalla carta e li fissarono nel punto indicato. Si vedeva infatti una nuvoletta iridescente; qualcuno o qualcosa avanzava velocemente sollevando un fitto polverio di sale.

«Sei sicuro che sia lui?» chiese Rocca.

«Per la miseria, ci ho un "mille" a specchio qua sopra, mica un culo di bottiglia... vi dico che è lui... ma va come una schioppettata quel disgraziato... povere le mie forcelle nuove, ne farà due cavatappi!»

«Bene, ragazzi,» disse soddisfatto Rocca alzandosi «prendiamo su i nostri stracci e mettiamo in moto che ormai è tardi e stanotte voglio fare il bagno nel Sangario. Dai, Biscùt, smonta quel cannone che andiamo!»

«Merda,» ringhiò Biscùt «è in compagnia!»

«Chi è?» chiese Rocca.

«Una camionetta dell'esercito... e gli dà dietro a tutta birra. Dai, tirate fuori i fornelli e facciamo finta di niente. Se non lo prendono sappiamo dove trovarlo.» Smontò in fretta e furia macchina e obiettivo ficcandoli nel sacco a pelo, tirò fuori un'instamatic dalla valigetta e se la mise al collo. Dieci minuti dopo Fabio Ottaviani sfrecciava come un bolide a duecento metri di distanza. La camionetta dell'esercito invece, che aveva un distacco di sei-settecento metri, si arenò poco dopo con una balestra rotta.

«Quel catorcio deve aver conosciuto tempi migliori» ironizzò Biscùt gettando uno sguardo di compatimento alla vecchia Fiat Campagnola che affondava lentamente nel sale a venti metri di distanza. Intanto Rocca aveva acceso il fornello e messo su la pentola come un innocente campeggiatore e Dino Rasetti aveva preso la tanica dell'acqua per riempirla. Uno dei soldati, un tenente della polizia militare, si avvicinò con l'aria di chi vuol piantar grane.

«Mamma li turchi» disse a mezza voce Rocca con discutibile spirito.

«Dino,» sibilò Biscùt «va' in macchina come per prendere il sale, nascondi il mio passaporto che c'è segnata la moto di Fabio e prendimi la carta d'identità che va bene lo stesso.»

«Askeryie Muhafaza Müdürlügü» si presentò l'ufficiale.

«Niente capire, niente capire» mentì Rocca che invece se la cavava discretamente in turco. «Turist, turist.» E Biscùt teneva bene in mostra l'instamatic dimenticando che ormai era troppo buio per fare fotografie con quel giocattolo.

«Ah, siete Italiani» disse allora l'ufficiale con leggero accento veneto. «Io ho studiato Scienze politiche a Padova.»

«Ma che bello» disse Rocca con un sorriso di circostanza.

«Mica tanto,» rispose l'ufficiale «c'era sempre un gran casino: dimostrazioni, scioperi, bombe, cariche della polizia...»

«Cosa vuole...» disse Rocca allargando le braccia.

«Bene,» riprese l'ufficiale «ero venuto per chiedervi se avete visto quel tale in motocicletta poco fa.»

«E come» disse Biscùt.

«Non era per caso uno dei vostri?»

«Chi, quello?» fece Rocca indicando col pollice verso

oriente. «Mai visto.» E anche gli altri scuotevano la testa come per confermare.

«Quello che cos'è?» chiese l'ufficiale indicando il pacco che teneva in mano Dino Rasetti.

«Sale.»

«Perché, non ce n'è abbastanza in giro?» disse il turco scrollandosi i panni completamente imbiancati.

«Ma sa, questo è raffinato...» disse Rasetti con aria compunta.

«Bene, allora io vado. Buona notte.»

«Se vuole favorire... due spaghetti alla buona» disse Rocca.

«No, grazie, ho altro da fare. Ci vorrà almeno un'ora a sostituire quella balestra» rispose l'ufficiale indicando avvilito la sagoma appruata della Campagnola.

«Senta,» disse allora Biscùt «se vuole posso trainarvi fuori con la mia macchina; a tre chilometri da qui c'è la strada per Philomelion...»

«Prego?»

«Volevo dire, per Akshehir; e pian pianino, in un paio di orette ce la potete fare.»

«Mi farebbe un grosso piacere.»

«Ma le pare?» disse Biscùt. Saltò sulla jeep, mise in moto e arretrò fino alla Campagnola, la agganciò e la rimorchiò fino alla strada. L'ufficiale che era salito a bordo con lui lo ringraziò e poi, al momento di scendere:

«Un'altra volta dite al vostro amico motociclista di stare più attento: entrare in zone militari può essere molto pericoloso.»

"Merda" pensò Biscùt ma disse invece: «Scusi, ma non capisco...».

«I ganci di attacco che avete dietro alla macchina, non servono per appenderci una moto?» disse l'ufficiale saltando a terra «Allahsmarladik, arkadash!».

«Güle Güle» rispose Biscùt con un sorrisetto ebete. Girò la macchina e tornò all'accampamento in tempo per un piatto di spaghetti.

«Bene» disse alla fine pulendosi i baffi. «E adesso andiamo a recuperare la pecorella smarrita.»

«Perché, dov'è secondo te?» chiese Rocca.

«Qual è l'unico posto in questi paraggi dove potrebbe trovare rifugio? Dico, un posto che anche noi conosciamo?»

«Il villaggio di Jakup!»

«Bravo. E allora muoviamoci.»

Salirono in macchina e per un pezzo seguirono le tracce della moto, poi imboccarono la strada di Bolvadin e la seguirono fino a trovare la piccola pista che portava al villaggio di Çugu. Ci arrivarono in piena notte spegnendo il motore e i fari per non svegliare nessuno. Nel cortile di Jakup, il capo del villaggio, c'era la Gilera di Ottaviani, coperta di sale e di polvere, appoggiata al muretto di cinta. Quatti, estrassero i sacchi a pelo e si misero a dormire al riparo del muro che dava verso oriente per non essere svegliati dal primo sole. Li svegliò invece, all'alba, una voce ben nota:

«Ehilà, gentaglia, è così che ci si introduce nottetempo in casa altrui?»

«Che ti venga il vermocane» brontolò Biscùt che era uomo di buone letture.

«Su sveglia, che Jakup ha già preparato un çay al fulmicotone.»

Il pensiero di un ottimo tè turco bollente fece schizzare tutti fuori dai sacchi a pelo. Ne valeva la pena: Jakup si trattava bene col tè e usava sempre il Kamelya di prima qualità nel suo samovar. Per l'occasione aveva fatto preparare dalle sue donne anche del baklavà col miele. Finita la colazione Fabio Ottaviani si alzò dicendo che doveva raggiungere il telefono allo spaccio.

«Telefòn kapùtt» disse Jakup che aveva lavorato in Germania.

«Pazienza,» rispose Ottaviani «telefonerò da Emirdağ. Allora, ragazzi, ci muoviamo?» Si alzarono salutando Jakup che li baciò accuratamente uno per uno e partirono lasciandogli una stecca delle nazionali comuni di Biscùt e un paio di toscani. La sera stessa erano a Emirdağ. Ottaviani chiamò il centralino dell'Università Borromeo e si fece passare la dottoressa Licasi:

«Ciao, sono Fabio.»

«Fabio!» cinguettò la voce dall'altra parte. «Dove sei?»
«A Fontes Alandri, mia cara, domani attraverseremo la desolata Axylon per raggiungere Kallatebos che sarebbe poi Killik e quindi Smirne. Insomma, ho quasi finito.»
«Quando torni?»
«Presto, fra una settimana sono là.»
«Sarà meglio, caro. Il capo ha le lune di traverso perché non eri presente al seminario.»
«Il capo ce l'ha sempre su con me,» si lamentò Ottaviani «mi sono quasi rotto l'osso del collo per finire il mio lavoro...»
«Andiamo, Fabio, lo sai che non ce l'ha con te, ma potresti bene avvertirlo qualche volta di quello che vuoi fare... tocca poi sempre a me coprire le tue scappate.»
«Scappate un corno. Guarda che torno con del materiale interessante.»
«Sul serio?» chiese la ragazza. «E io che credevo fosse tutta una scusa per farti una vacanza con i tuoi amici. Quand'è così il capo sarà contento. Tu però sbrigati perché sta nascendo un lavoro di grande interesse... dovresti proprio venire.»
«Volo. Tu intanto tienmi da parte tutti gli appunti e i programmi della ricerca, okay?»
«Si capisce.»
«Bene, allora ti saluto perché non ho più gettoni.»
«Perché, ci sono i gettoni anche in Turchia?» chiese ingenuamente Lella Licasi.

Istanbul, terrazza dell'Osmanly Hotel, 10 luglio, ore 20

«Sono anni che veniamo da queste parti e finiamo sempre in questo cesso di albergo. Si poteva andare al Pirlanta, almeno: il servizio è quasi civile e c'è un minimo di pulizia.»
«Rocca, tu fai un sacco di storie» disse Biscùt «e poi non prendertela con me, l'idea è di Fabio. Gli piace il panorama.»
«Ah, sul panorama non discuto, ma dico, c'era un gatto morto stamattina sulla terrazza, mica no, l'hai visto anche tu. E poi il cameriere ha dei vizi: cerca sempre di palparmi.»
«Capirai...»

«No, guarda, non c'è senso comune. Te lo dico io perché finiamo sempre in questo buco: Ottaviani è un sentimentale. Siccome da studenti venivamo sempre qui perché non costava quasi niente, ecco che lui ci deve sempre tornare per rivivere i tempi eroici.»

«Sarà così» disse Biscùt che non aveva voglia di discutere. Se ne stava affacciato al parapetto della terrazza a guardare la distesa dei tetti scuri della città vecchia e la mole imponente di Sultan Ahmet Çamy, una montagna di pietra irta di pinnacoli che si stagliavano contro l'azzurro cupo del Bosforo, appena increspato di bianco. I battelli con le luci di bordo accese sembravano volare come lucciole tra i minareti della moschea.

A sinistra si protendevano verso il mare i cento padiglioni di Topkapi Saray e l'immensa cupola di Santa Sofia campeggiava contro il cielo viola di Galata. Il rumore del traffico cominciava ad attenuarsi, era l'ora della preghiera.

Biscùt si accese una Bafra mentre nell'aria si spandeva la voce dei muezzin diffusa dagli altoparlanti: «Allahuekber...».

Anche Claudio Rocca venne ad appoggiarsi al parapetto: «Mah, a me pare un paesaggio da cartolina... Fabio e Dino dove sono?».

«A far la spesa; dovrebbero tornare da un momento all'altro.»

«Altra mania. Non potevamo andare al ristorante? Nossignore, spaghetti e pomodori pelati, seduti per terra. Siamo i lupi della steppa, noi...»

«Dai, che sono andati al Pudding shop a comprare salsicce, uva, e magari anche dei budini al cioccolato.»

«E birra gelata?»

«Anche quella, credo.»

«E non potevamo andarci anche noi a mangiare al Pudding shop?»

«Quel posto ormai è infrequentabile, lo sai. È diventato di moda. Ci sono perfino dei "commenda" milanesi travestiti da ragazzini con al seguito delle cretine addobbate da punk, sai che gusto. I bei tempi sono finiti, amico mio; per me ha ragione Fabio: meglio due spaghetti seduti in terra, all'Osmanly, on the roof. Almeno di quassù Istanbul sembra sempre quella di una volta.»

«Ho capito,» disse Rocca rassegnato «anche l'impassibile Biscùt ha in fondo un cuore sensibile e poetico. Chi l'avrebbe mai detto... Comunque, insisto, questo posto è abominevole, in quell'angolo, questa mattina c'era...»

«La pianti, Claudio? È pronto da mangiare, possiamo cambiare argomento, no?» Fabio Ottaviani spuntava dalle scale in quel momento con in mano la sporta di plastica dei viveri.

«E Dino dov'è?» gli chiese Biscùt vedendolo solo.

«In giro. Ha rimorchiato una tedesca spacciandosi per una guida turca, possiamo mangiare, ha detto di non aspettarlo.»

Dino Rasetti rientrò verso le tre di notte e cominciò a cercare a tastoni al buio il suo sacco a pelo.

«Be', com'è andata?» gli chiese sottovoce Ottaviani che si era svegliato.

«Non male. Però mi è successa una cosa strana. Domani te la racconto.»

«Ma no, dimmela adesso, tanto mi sono svegliato.»

«Allora vieni, che ti mostro una cosa» disse Rasetti accostandosi al parapetto. Ottaviani cercò il pacchetto delle Bafra nel sacco di Biscùt, si accese una sigaretta e ne offrì una all'amico. Dino Rasetti indicò un punto verso nord a una distanza di trecento metri in linea d'aria: «Vedi quella sagoma scura, cilindrica, tra la Nuruosmanye e il Bazar?».

«Si capisce, è la colonna bruciata.»

«Bene. Avevo appena mollato la ragazza e stavo per tornarmene quando ho visto un pulmino con targa tedesca di dogana e dietro a quello una macchina grossa, di lusso, una Bentley o una Jaguar, non saprei. Dalla macchina è sceso un tizio alto, ben messo, giovane direi, con una ragazza. Hanno guardato per un po' la colonna parlottando tra di loro e poi hanno fatto un cenno verso il pulmino e se ne sono andati in macchina girando per Divan Yollu. Quelli del pulmino hanno fatto per uscire ma in quel momento è arrivato un taxi-dolmus che ha scaricato un po' di gente e allora hanno richiuso la portiera. Quando tutti se ne sono andati sono usciti fuori in due. Uno si è sdraiato sotto il pulmino e si è calato in un tombino delle fogne. L'altro gli ha allungato un sacco poi è sceso anche lui. Che te ne pare?»

«Bello. Sembra una storia classica di spie, ambientata per di più a Istanbul...»

«Macché spie,» disse Biscùt alle loro spalle «c'è la Banca Yapi ve Kredi a due passi. Quelli facevano un colpo.»

«Per rubare delle lire turche?» fece Rasetti.

«Macché lire turche. È piena stagione turistica e siamo in centro. Quella banca è piena di ogni grazia di Dio: marchi, dollari, e anche lire turche. Perché a te fanno schifo le lire turche?»

«Ma allora dovremmo avvertire la polizia...»

«Come no. Così non usciamo più da questo paese. Lasciala perdere la polizia turca che è meglio. Domani compriamo il giornale e vediamo come sono andate le cose.»

«Biscùt ha ragione, Dino» disse Ottaviani. «Andiamo a letto adesso che domani dobbiamo metterci in viaggio.»

Lasciò cadere il mozzicone della Bafra che si perse nel buio del vicolo sottostante come una piccola meteora e diede un'ultima occhiata alla massa scura della Nuruosmanye Çamy. L'alone fluorescente che la contornava dalla parte del Corno d'Oro la rendeva spettrale, come un ragno enorme annidato sui tetti della città.

Lavinium, 19 luglio, ore 16

«Vieni, Fabio, vieni, ti faccio vedere quello che abbiamo tirato fuori finora» disse Quintavalle incamminandosi verso il magazzino. «C'è l'iradiddio di roba in quella fossa. Le statue di Athena sono già cinque: le abbiamo chiamate A,B,C,D,E.»

«Sempre fantasiosi voi archeologi, eh?»

«E tu sei sempre più matto, che te possino... È solo un

contrassegno provvisorio in attesa del numero di catalogo, no?... Allora, che mi dici, com'è andata laggiù?»

«Dove, in Turchia? Non male. Ho fatto il mio lavoro, penso di aver conseguito qualche buon risultato.»

«E la situazione politica?»

«Sembra tranquilla, se non altro. Ci sono comunque segni di nervosismo. Non sono stato nelle province orientali ma ho sentito parlare di grossi concentramenti di truppe dall'altra parte del confine armeno, tra Djoul'fa e Sadarak...»

«Comunque la tua indagine l'hai potuta concludere.»

«Sì, sono abbastanza soddisfatto. Come ti ho detto, per questa mia ultima ricerca ho dovuto partire da fonti lacunose o corrotte e tu sai meglio di me quanto sia difficile impostare un lavoro di ricostruzione geo-topografica su basi filologiche incerte. E tu, hai sentito l'ipotesi del mio capo riguardo a questo scavo?»

«Sì, vagamente.»

«Che te ne pare?»

«Mah, certo è molto interessante, suggestiva.»

«Più che suggestiva, direi; in fin dei conti non potrebbe essere la spiegazione di tutta questa faccenda? Tu stesso hai notato, nel seppellimento di quelle statue, i segni della fretta e della confusione.»

«Sì, ma vedi, ci sono altri esempi documentati di questo genere. Voglio dire, di santuari sconsacrati perché il culto era cessato.»

«Ma Paolo, se ho ben capito questo santuario custodiva probabilmente le memorie più sacre della nazione romana... forse addirittura il leggendario Palladio...»

«Hai voglia di scherzare.»

«Voglio dire che se i Romani erano convinti che in questo tempio fosse custodito il Palladio, per loro era proprio come possedere l'autentico simulacro portato da Enea. Ora, riusciresti a immaginare i Polacchi che seppelliscono da un giorno all'altro la Madonna Nera di Czestochowa con ex voto e reliquie o i Portoghesi la statua della Vergine di Fatima o che so, i Sauditi che nascondono la Ka'aba e chiudono la moschea della Mecca?»

«D'accordo, Fabio, ma qui parliamo di ventidue secoli fa, non è così semplice ricostruire la situazione culturale e religiosa, stabilire quale fosse realmente l'importanza di questo centro di culto. Non so che dire... per ora mi attengo a quello che vedo: faccio uno scavo, metto in luce dei reperti, cerco di descrivere decentemente e correttamente l'uno e gli altri... Insomma, faccio il mio mestiere. È vero che le pietre parlano, caro mio, ma a volte c'è il pericolo di farle parlare un po' troppo. No, non fraintendermi: quell'ipotesi di Cassini è interessantissima e non chiedo di meglio che vederne le conclusioni definitive... Ah, eccoci qua, vieni, entra e non badare al casino: purtroppo non abbiamo un posto dove sistemare i reperti e dobbiamo accontentarci di questo vecchio granaio... meglio di niente comunque.»

«Ma è protetto almeno?» chiese Ottaviani sull'uscio.

«C'è l'allarme elettronico, un custode notturno e una gazzella dei carabinieri che passa un paio di volte per notte.»

«Credevo di peggio.»

«Non mi lamento... certo, si vedono in giro strane facce. Sai com'è, si è diffusa la voce, se n'è parlato alla radio e alla Tv e qui dentro c'è un valore inestimabile... guarda tu stesso.»

Ottaviani spinse la porta del magazzino e si trovò in un grande ambiente coperto da una capriata. Vi erano stati disposti dei tavolati su dei cavalletti di legno e su di essi, numerati accuratamente, tutti i reperti emersi dallo scavo. Le statue ricomposte erano invece in piedi: qua una fanciulla forse quindicenne porgeva il suo dono alla dea: un coniglietto, certo il compagno dei suoi giochi infantili. Là un'altra teneva in mano una melagrana, simbolo di fecondità per invocare una prole numerosa al suo ventre ancora acerbo. I capelli, divisi da una scriminatura, le scendevano morbidi ai lati del volto, lo sguardo, ingenuo e mite, era rivolto in alto e la bocca, semiaperta, sembrava mormorare un'invocazione sommessa. Appoggiata al muro di destra, una gran dama carica di gioielli sfoggiava una superba acconciatura appena coperta dal velo che le ricadeva sulla schiena. Accanto a lei una possente figura virile, ammantata in una veste leggera, aperta sul fianco sinistro e sul torace, spiccava per l'acceso colorito rosso con cui l'artista aveva voluto rendere la tonalità della sua pelle abbronzata.

Molte erano anche le parti staccate in attesa di essere ricongiunte: braccia, piccole dita affusolate, torsi muscolosi di guerrieri, su cui erano ancora evidenti le tracce del colore.

Sul fondo dello stanzone, appoggiate alla parete, le cinque statue di Athena emerse fino a quel momento dallo scavo. Ottaviani si diresse subito da quella parte e restò a lungo a contemplare in silenzio i tremendi simulacri armati, le Gorgoni, i grovigli di aspidi. In particolare attirò la sua attenzione la statua che sembrava più rigida e primitiva, statica, quasi fosse la riproduzione di un idolo scolpito in un tronco d'albero. L'egida che le scendeva fino ai piedi sembrava un manto di corteccia: i piedi, rozzi e divaricati, parevano due radici nodose che affondano nel terreno. Si avvicinò e rimase per lunghi attimi a fissarne l'espressione enigmatica.

«Ha gli occhi chiusi...» mormorò a un tratto.

«Come, scusa?»

«Questa ha gli occhi chiusi...»

«Che dici, Fabio, dai i numeri? Non vedi il segno delle palpebre rilevato a stecca?» disse Quintavalle toccando la fronte dell'idolo.

«È vero, hai ragione... m'era parso...»

«Vieni,» disse l'archeologo «osserva alcuni particolari delle decorazioni: questo torso, per esempio... ecco, guarda questo pettorale: al centro il Palladio, a destra Aiace Oileo che si getta su Cassandra per violentarla e quest'altro ancora: una divinità armata al centro, ancora Athena Palladion, suppongo, affiancata da due nudi maschili in armi, forse due dèi, o due eroi... E questo ancora... Abbiamo motivo di credere, dalla sproporzione delle dimensioni, che questi gioielli rappresentati sulle statue siano calchi degli originali.»

«E hanno seppellito tutto, in fretta e furia, ventidue secoli fa...»

«Così sembra... Be', allora che te ne pare?»

«Che posso dire, Paolo, sono senza parole. Hai fatto una scoperta di importanza enorme... una scoperta che non è stata ancora valutata a pieno per ciò che è veramente... Tutto questo ha dell'incredibile; senti, per come la vedo io, questa scoperta è più importante di quella della tomba di Tutenchamun.»

«Dài, non scherzare.»

«Dico davvero invece. Il corredo del faraone era preziosissimo, ma da un punto di vista storico, che valore ha? Chi era Tutenchamun? Un ragazzino diciottenne che ebbe l'unico merito di cingere la corona rossa e bianca. Ma qui... qui ci troviamo di fronte al mito delle origini della nazione latina e dell'impero romano.»

Ottaviani si era voltato verso la parete di fondo per guardare ancora le statue di Athena quando la porta del magazzino si aprì.

«Ah, Lizzy, sei tu» disse Quintavalle. «Vieni che ti presento un mio caro amico.» La ragazza si avvicinò passando tra i banchi e le statue. Indossava un paio di jeans di cotone leggero incollati sulla linea perfetta dei fianchi e una T shirt azzurra con la scritta "Property of the University of Michigan".

«Hai visto che roba che ci hanno in dotazione le università americane?» disse l'archeologo ridendo.

Ottaviani la guardò, e in un attimo le statue che lo circondavano si dissolsero come fantasmi; impallidirono le testimonianze dell'archeologia e della storia e si sentì annegare nel verde iridescente di quegli occhi, avvolgere, come in un vortice, dalla chioma nerissima, lucida di riflessi azzurrini. Non udì nemmeno le parole di Quintavalle che diceva «Ho il piacere di presentarti il dottor Fabio Ottaviani, un collega, ma soprattutto un carissimo amico. Fabio, questa è Elizabeth Allen, archeologa, allieva del professor Morrison che ha una borsa di studio di un anno nel nostro Dipartimento.» Mormorò soltanto: «Iòplok'agna mellikomèide...».

«What's he sayin'?» chiese la ragazza con un sorriso divertito.

«È lirica, mia cara» rispose Quintavalle. «"Oh divina, dal dolce sorriso, dalle chiome di viola..." Alceo in onore di Saffo, se non sbaglio.»

Gli avventori nell'osteria di Sergio erano pochi quella sera e Quintavalle, prima di tornare a Roma, aveva raccomandato all'oste di trattargli bene la coppia seduta al tavolo presso la finestra.

Sergio portò in tavola delle fettuccine al ragù e una bella caraffa rugiadosa di Frascati della casa, poi andò a custodire le costoline di abbacchio perché si rosolassero a puntino.

« Sono rimasta sorpresa quando Paolo ti ha presentato a me, » disse Elizabeth « non hai per niente l'aspetto di uno studioso. »

« Che è, un complimento o una provocazione? »

« Come preferisci, » rispose la ragazza « it's up to you. »

« Forse ho capito, » disse Ottaviani « ti riferisci al mio aspetto fisico un po' atipico per un uomo di lettere. »

« Right. »

« Ho sempre lavorato, Lizzy. Da ragazzo, prima di mettermi sui libri dovevo aiutare mio padre nei campi. Reggevo l'aratro per settimane quando era la stagione e lo faccio ancora, quando posso. Mio padre è solo nella sua fattoria. » Si fece serio per un momento ma riprese subito, sorridendo: « Spero non sarai di quelle persone che associano l'attitudine al lavoro manuale con la scarsa intelligenza o con le modeste capacità di studio ».

« E perché mai? »

« È un pregiudizio abbastanza diffuso fra voi Americani che avete specializzato tutto e tutti. »

« Come on, Fabio, non è vero! »

« Altro se è vero, ma non solo da voi, bada. Ce n'ho anch'io dei colleghi tutto cervello con certi braccini come le gambe dei merli, understand? »

Elizabeth si mise a ridere.

« Che sorriso stupendo » disse ammirato Ottaviani. « Se ne vedono così solo nella pubblicità dei dentifrici. »

« Cos'è, un complimento o una provocazione? » rise la ragazza rifacendogli il verso. Ottaviani le prese la mano: « Sinceramente non credo che esista una donna più bella di te. Lo so che è banale ma ti giuro che quando ti ho vista oggi al magazzino non potevo credere ai miei occhi ».

Sergio che era intanto arrivato con le costolette se ne stava impalato senza sapere che pesci pigliare rendendosi conto che poteva rompere con il suo abbacchio un incantesimo appassionatamente tramato. Elizabeth lo salvò: «Thank you, Sergio... Oh, that's great! Fantastico! E deve essere anche buono».

Ottaviani gettò uno sguardo carico d'odio sul piatto delle costolette, responsabile di una interruzione tanto inopportuna. Elizabeth si accorse della sua espressione contrariata e cercò di consolarlo: «Come on, Fabio, taste it, è buono». Poi, visto che il suo invito non aveva esito, tagliò un pezzetto di carne, lo infilò con la forchetta e glielo porse. Ottaviani sorrise: «Questa scena mi ricorda qualcosa,» disse «solo che al posto di un pezzo di abbacchio c'era una mela». E trangugiò la carne: era buona.

Quando uscirono il casolare era completamente deserto: ci abitavano solo dei contadini ormai che si coricavano presto. Soltanto da una finestra aperta si intravvedeva il pallido riflesso di un televisore acceso.

«Facciamo due passi?» chiese Ottaviani.

«Volentieri, da che parte andiamo?»

«Be', direi di seguire il sentiero, non vorrei finire in qualche buca scavata proditoriamente da Quintavalle. Ormai questa collina è ridotta peggio di un gruviera. Avevi mai scavato in Italia prima d'ora?»

«No, è la prima volta, ma ho scavato in Grecia, a Samos. E tu, è vero che stai studiando sulle scoperte di Paolo?»

«Diciamo che lavoro nell'équipe del professor Cassini, il direttore del mio Dipartimento. Sono tornato alcuni giorni fa da un viaggio in Asia Minore dove ho cercato di identificare la linea di confine tra il regno di Siria e i territori romani dopo la pace di Apamea, ma non è un lavoro semplice perché le mie fonti su quel punto presentano delle lacune e delle interpolazioni.»

«All of them? Le hai controllate tutte?»

«Le fondamentali, Polibio innanzitutto e poi Livio che da lui dipende. Conosci il greco?»

«Non tanto, riesco a capire appena i Vangeli.»

«Be', quello è un greco da poveracci... come il mio inglese.

Vedi, mi ha colpito il fatto che le fonti siano corrotte proprio là dove parlano di avvenimenti che, secondo le nostre ipotesi, sono in stretta relazione con il seppellimento delle statue di Lavinium, una circostanza indubbiamente misteriosa. Comunque la spiegazione che mi ha dato Paolo non mi convince.»

Erano ormai arrivati nei pressi dello scavo. Alla loro destra, in basso, brillavano sulla costa le luci di Torvaianica.

«Guarda,» disse Ottaviani «il lido dove sbarcò Enea... guarda come lo abbiamo ridotto.»

«In America c'è di peggio» disse Elizabeth.

«L'America se lo può permettere: è una grande potenza proiettata verso il futuro. Per noi è diverso: il nostro passato è la nostra eredità più preziosa, cancellarlo è come tagliare le nostre radici... non essere più nessuno.» Si girò verso l'area dello scavo che si estendeva a pochi passi sulla sinistra. «Ed eccoci qua di nuovo, come se non ci fossimo stati abbastanza.»

«È vero... but it's different now...»

«Sì, è diverso... certe voci si fanno sentire solo di notte, nel silenzio. Ricordo, due anni fa in Siria, a Dura Europos... Il sole era ormai tramontato dietro le rovine dell'antica città. Entrai dalla porta decumana mentre i miei compagni si aggiravano tra i ruderi. Lontano sorgeva dall'Eufrate la luna piena, immensa, rossa come il sangue. Sulle pareti del corpo di guardia i legionari romani avevano inciso, con la punta delle loro spade, delle scritte. Ce n'era una in particolare che invocava la salvezza per la città forse già assediata... condannata. Nel silenzio così totale, assoluto, quelle parole scritte avevano una tale forza che per un attimo mi parve che echeggiassero come un urlo di disperazione fra quelle mura sgretolate... Ecco, ventidue secoli fa, improvvisamente, forse in una notte come questa un gruppo di uomini arrivarono quassù, immobilizzarono o uccisero il custode o il sacerdote, scavarono una buca e vi seppellirono tutte le statue del tempio... No, non in una notte come questa, certo in una notte invernale, una notte di pioggia, forse, così nessuno li avrebbe visti; avrebbero avuto tutto il tempo di compiere la loro opera e poi l'acqua e la neve avrebbero cancellato ogni traccia.»

«Ma Fabio,» disse Elizabeth «c'erano decine di statue in quella fossa: non è un lavoro che si possa fare in poco tempo e senza dare nell'occhio... Non ti fai un po' prendere dalla fantasia?»

«Al contrario. Sei tu che ragioni come chi è sempre vissuto nella civiltà delle macchine e non sa nulla del lavoro manuale. Lo sai quanto impiegavo da ragazzo a scaricare un carro con cinquanta sacchi di grano da un quintale? Un'ora. Non più di un'ora. Con due o tre amici come dico io potrei vuotare nello stesso tempo il magazzino di Quintavalle, completamente. Quanto al dare nell'occhio: guarda,» disse indicando l'area dello scavo «tutta quella zona è a ridosso di questo colle, completamente nascosta per chi guardi da Torre Rossa, cioè da Lavinium. Te ne puoi convincere tu stessa se scendi ora con me nell'avvallamento.»

Elizabeth lo seguì abbandonando il sentiero che si snodava in cresta verso la provinciale di Latina.

«Vedi?» disse Ottaviani a un certo punto. «Ecco, se ci giriamo indietro non vediamo più le case di Torre Rossa e siamo scesi solo di pochi metri.»

«I don't know, Fabio. Il tempio non è stato localizzato ancora, non si può dire...»

«Il tempio non era lontano dalla fossa, ne sono certo. Doveva essere nelle immediate vicinanze... Forse su quella piccola spianata» disse indicando un punto nell'oscurità davanti a sé «o forse là, su quel dosso...»

«Come on, Fabio, ho scavato io là, ho fatto cinque sondaggi: non c'è niente.»

«Il tempio può essere stato molto antico già all'epoca in cui furono seppellite le statue e dunque fatto di legno con qualche ornamento in terracotta, giusto?»

«That could be.»

«Bene. Allora può darsi benissimo che non sia rimasto nulla o che i pochi resti siano stati spazzati via in lavori di sbancamento durante i vari periodi successivi. Comunque so che avete trovato delle terrecotte architettoniche, antefisse e così via, le ho viste io nel magazzino.»

«Sì, le ha trovate l'assistente di Paolo su quella costa» disse Elizabeth indicando la sponda opposta della piccola valle.

«La fossa invece è rimasta intatta perché sotto il livello del terreno.»

«Sei bene informato su questo scavo» disse Elizabeth. «Ti interessa molto, vero?»

Ottaviani si sedette sull'erba secca: «Sì,» disse «voi avete affondato il piccone in un luogo sacro... Qui c'è il cuore antico di questo Paese... Ma forse per te è diverso...».

Elizabeth si sedette accanto a lui.

«È strano» gli disse cercando i suoi occhi nell'oscurità.

«Che cosa?»

«Le tue parole... non sembrano quelle di uno studioso, di un ricercatore... È l'emozione che ti fa parlare così, non la scienza.»

Ottaviani le prese la mano: «Forse hai ragione, dovrei lasciare il pathos ai dilettanti di archeologia... È questo che intendi dire?» La ragazza non rispose. La mano del giovane era grande e forte e calda e il canto dei grilli saliva dalla campagna silenziosa. Ricambiò la sua stretta.

«No, Fabio» disse dopo un poco. «Non volevo dire questo... Volevo dire che l'emozione può rendere imprudenti... o esporre a delusioni...»

«Ti riferisci a qualcosa di particolare... forse Paolo ti ha detto della ricerca a cui sto partecipando.»

«Sì, ne abbiamo parlato insieme... Quell'ipotesi di Cassini è certamente impressionante... voi pensate alla presenza di un Palladio fra quelle statue, non è così? This is the crucial point, isn't it?»

«Sì. I Romani erano convinti di custodire in quel tempio il favoloso Palladio portato da Troia da Enea... forse una delle statue messe in luce da Quintavalle. Le repliche dovevano essere state fatte per confondere il vero simulacro...»

«E lo hanno seppellito. It doesn't make sense.»

«Apparentemente non c'è senso, ma deve pur esserci una ragione... Per ora ci muoviamo nel campo delle ipotesi... Un fatto certo, secondo me, è che chi ha seppellito le statue non sapeva quale di esse era il Palladio, per questo le ha seppellite tutte.»

«Non puoi dirlo... non sappiamo quante erano le repliche, e non sappiamo se ne manca qualcuna... o una in particolare.»

«Ho un'idea a questo proposito: il numero sacro della dea era il sette e sette dovevano essere le statue. Cinque sono già state trovate, altri frammenti fanno pensare a una sesta... Sono certo che ne uscirà ancora un'altra dallo scavo e sarà l'ultima.»

«E ora che hai finito il tuo lavoro in Asia Minore, che cosa farai?»

«Non so... Sono molto perplesso sul problema delle fonti... è così strano che tutti e due gli autori siano corrotti... ha quasi l'aria di una manomissione. Mi piacerebbe studiare i codici della biblioteca vaticana anche se non sono un filologo specialista.»

«Fabio, io credo che dovresti continuare... è una ricerca molto importante e tu hai tanto entusiasmo.»

«Tu credi? L'entusiasmo è come l'amore... il vient vite, il va vite... Ce ne stiamo qui a studiare vecchie pietre, vecchie carte... storie di gente ridotta in cenere da secoli e intanto il mondo in cui viviamo va a fuoco. Il Libano brucia, i cannoni sparano sul Tigri e sull'Eufrate, il maresciallo Rustov ammassa le sue divisioni nel Caucaso e il tuo presidente prova le nuove armi più micidiali nel cuore del Mediterraneo... in corpore vili. A volte ho l'impressione che la morsa stia per stringersi e mi si gela il sangue...»

«Non pensarci,» sussurrò Elizabeth «please, not now.»

Il coro dei grilli si era attenuato perché si era alzato un vento caldo di scirocco. Ottaviani si distese sull'erba ed Elizabeth si sdraiò accanto a lui. Il cielo brulicava di stelle e le più luminose palpitavano come se il vento potesse giungere fin lassù ad agitare il loro fuoco immortale.

«Vedi?» disse indicando un punto nella volta celeste. «Là c'è la mia stella... si chiama Betelgeuse.»

«Perché hai scelto proprio quella?» chiese Elizabeth.

«Per il nome... È bello, delicato come la carezza di una donna.»

«È bello avere una stella per sé» disse Elizabeth. «Sceglìne una anche per me...»

Ottaviani cercò con lo sguardo nello scintillio della volta infinita. Ora si sarebbe voltato verso di lei per incontrare quella bocca e affondare nella luce glauca di quegli occhi.

«Bellatrix» disse. «Ti piace Bellatrix?»

Elizabeth gli cinse il collo e lo baciò. Il calore delle sue labbra si comunicò a tutto il suo corpo, gli corse per la spina dorsale, gli invase il petto, gli confuse la mente.

Per un attimo soltanto avvertì come una fitta dolorosa nel cavo del torace... come se d'un tratto vi fosse caduto, per mettervi radici, il seme di un'oscura disperazione.

V

Roma, 25 luglio, ore 8,30

Il telefono squillò sul tavolino da notte ed Elizabeth alzò la cornetta:

«Sono Paolo Quintavalle, sei tu, Lizzy?»

«Sì, Paolo. Buon giorno.»

«Ti disturbo... stavi ancora dormendo?»

«Oh, no, stavo proprio per alzarmi in questo momento. Che c'è di nuovo?»

«Ho bisogno di Fabio Ottaviani; si è dimenticato di lasciarmi il suo indirizzo qui a Roma. Per caso sai come rintracciarlo?»

«Of course, dear. È qui, accanto a me.»

«Ah.»

«Te lo passo... Come on, Fabio, wake up, Paolo is on the phone.»

«Eccomi» disse Ottaviani afferrando la cornetta.

«Che te possino...» esordì Quintavalle «mica perdi tempo eh?»

«Maestro,» rispose Ottaviani «lo spirito è forte ma la carne è debole.»

«Debole un diavolo che ti si porti...» rispose Quintavalle.

«Bando alle cerimonie, amico mio, dimmi cosa ti assilla per estirparmi dal giaciglio nel cuore della notte.»

«Sei libero oggi pomeriggio?»

«Come l'aria.»

«Hanno terminato il restauro delle due statue pescate

tempo fa a Taormina e ci sarà l'esibizione delle medesime per gli addetti ai lavori. Ci vuoi venire?»

«Altro che. Chi altri ci sarà?»

«Be', Calabrese, Morrison, Johnson della Fondazione White, Barresi, Lefebvre dell'Accademia di Francia, la Balducci, mia moglie Silvia...»

«Affare fatto, ci sarò senz'altro.»

«Alle quattro e mezzo, davanti all'ingresso di Villa Giulia.»

«Lizzy può venire?»

«Che domande.»

«Allora intesi, ciao.»

Ottaviani uscì dal letto infilandosi sotto la doccia.

«Cosa vuoi per breakfast?» chiese Elizabeth che armeggiava sui fornelli.

«Si potrebbe avere una dozzina di pancakes con maple syrup e caffè nero?»

«Aunt Jemima va bene?»

«Be', non è proprio il meglio ma mi accontento.»

«È quello che si trova a Roma, caro.»

Ottaviani mangiò di buon appetito i pancakes: «Complimenti, sono ottimi».

«Thank you. Vedo che conosci bene la cucina americana.»

«Ho studiato per sei mesi con Wallace e Pierson a Stanford.»

«E chi ti faceva il breakfast?»

«Una bibliotecaria con un paio di...» ridacchiò Ottaviani atteggiando le mani a rappresentare gli attributi della bibliotecaria.

«You son of a bitch!» disse Elizabeth tirandogli i capelli. «E perché non sei rimasto là?»

«Non reggevo i vostri Martini: dopo il primo ero già sbronzo e ai parties facevo sempre la figura del deficiente. E poi l'aria condizionata mi fa venire il raffreddore.» Elizabeth scoppiò a ridere. «Ci vieni con me oggi pomeriggio?» le sussurrò Ottaviani all'orecchio attirandola a sé.

«In qualche posto... exciting?»

«Be', non saprei... A Villa Giulia c'è l'esposizione delle

due statue di bronzo di Taormina... solo per gli addetti ai lavori. Ci sarà anche il tuo maestro, Morrison. Ho un invito di Paolo.»

«Speravo di meglio.»

«Sono sempre due uomini nudi, no?»

«Okay per Villa Giulia.»

«Benissimo, passo a prenderti verso le quattro, fatti trovare pronta e... in tenuta professionale, mi raccomando.»

«Dove vai ora?»

«È un segreto.»

«Una donna?»

«Non proprio. Si chiama Polibio di Megalopoli, secondo secolo avanti Cristo.»

«Biblioteca Nazionale?»

«No, Vaticana.»

Si vestì e scese in strada. Poco dopo Elizabeth udì il rombo della sua Benelli che si lanciava nel traffico. Raggiunto l'ingresso della Vaticana, Ottaviani mostrò la tessera di docente universitario e fu introdotto nell'ufficio del direttore, un domenicano sulla sessantina con gli occhiali a pince-nez.

«Cosa posso fare per lei, dottore?» chiese il religioso con forte accento tedesco.

«Ecco, padre, vorrei consultare un vostro codice: il polibiano membranaceo 4731, se non sbaglio.»

«Un testo preziosissimo» disse il direttore «che teniamo in atmosfera controllata. Possiamo farle vedere il microfilm se vuole accomodarsi nella sala dei visori.»

«Vede, padre, conosco già il microfilm che fa parte della dotazione della nostra biblioteca su, alla Borromeo. Io desidero proprio prendere visione del codice: ho in corso una ricerca della massima importanza e sto mettendo a punto una ipotesi che ne implica la consultazione diretta.»

Il direttore lo guardò di sottecchi pensando fra sé "il pivello che vuole fare la grande scoperta... su Polibio poi,... ci vuol altro" e chiese: «Lei, dottore, è filologo?».

«Non esattamente.»

«Ma allora non capisco come le sia necessaria una consultazione diretta. Se non ha problemi testuali...»

«Ce li ho invece, per l'appunto.»

«Creda, sono veramente desolato ma lei capisce, il codice non viene estratto dalla sua teca dal 1949 quando furono effettuate le riprese fotografiche per il microfilm. Mi spiace.»

"Un accidente" pensò Ottaviani. Fece un inchino e salutò: «Dominus vobiscum».

«Et cum spiritu tuo» rispose meccanicamente il religioso.

Uscì in strada e si attaccò al primo telefono.

«Pronto?» rispose una delicata voce femminile.

«Pronto, sorella. Sono il dottor Ottaviani dell'Università Borromeo. C'è Sua Eminenza per cortesia?»

«Sì, dottore, ma adesso veramente è occupato.»

«Occupato come?» Seguì un attimo di perplesso silenzio, poi la voce angelica rispose:

«Sta parlando con il canonico Barigazzi di San Vito Terme.»

«Allora va bene; lo chiami e gli dica che il dottor Ottaviani gli vuole parlare. Vedrà che risponde, glielo garantisco.»

L'angelo con la voce di suora armeggiò un poco con la centralina mentre Ottaviani contava con angoscia i gettoni che gli restavano. Poco dopo rispose una robusta voce virile:

«Pronto.»

«Eminenza? Sono Fabio.»

«Professore! Come stai, canaglia, che non ti fai mai vedere.»

«Il lavoro, Eminenza, il lavoro. Ha ricevuto il mio ultimo estratto?»

«Certo che l'ho ricevuto, e l'ho anche letto con molto interesse. Bravo, bravo, lo so che sei un bravo ragazzo. Allora, quand'è che vieni a trovarmi?»

«Entro agosto senz'altro.»

«Allora vieni su a Villa Altobelli che sarò là per qualche giorno di riposo.»

«Senta, Eminenza, avrei bisogno di un piccolo favore.»

«Di' pure, figliolo.»

«Ecco, sto facendo una ricerca importantissima e ho assoluta necessità di consultare un codice della Vaticana ma il direttore mi lascia vedere solo il microfilm. Io non so cosa farmene del microfilm, debbo proprio vedere il codice.»

«Chi è questo direttore?»

«Padre Willendorf.»

«Ah, quel tedesco. Lo conosco, lo conosco... un gran testone, voglio dire, un eminente studioso, ma un po' duretto, in effetti.»

«Allora, Eminenza?»

«Ma caro, io non ho rapporti stretti con quell'uomo, non sono in confidenza.»

«Ma lei, scusi, non è intimo amico del segretario di stato?»

«Ragazzo mio, non è mica così semplice, e poi Gigi dev'essere in Polonia dal primate Maleski.»

«È tornato, c'è sul giornale di oggi.»

«Ah sì?»

«Eh, sì.»

«Sta bene, vedrò di accontentarti. Richiamami posdomani.»

«Non potrei richiamarla stasera?»

«Va bene, richiamami stasera» rispose rassegnato il cardinale.

«Eminenza, lei è un tesoro!»

«Va' là, va' là che ti conosco, brutta faccia; ti fai vivo solo quando hai bisogno.»

«Non è vero,» protestò Ottaviani «lei lo sa che le voglio bene.»

«Lo so, ragazzo, lo so. Facevo per scherzare. Ciao, ti benedico.»

«Arrivederla, e grazie di cuore.»

Poco dopo squillava il telefono nello studio del segretario di stato, Sua Eminenza Luigi Palazzeschi:

«Gigi? Sono io, Fabrizio. Come va?»

«Così, caro, così. Con tutti questi viaggi... sono stanco morto.»

«Eh, ti capisco... Senti, Gigi, ti chiamo per una certa faccenda: quel tuo bibliotecario lì, quel tedesco.»

«Monsignor Willendorf?»

«Ecco, proprio lui. Si rifiuta di mostrare uno dei suoi libri a un docente della Borromeo, il dottor Ottaviani, un caro ragazzo al quale voglio molto bene. Gliel'ho insegnato io il latino e anche il greco quando ero professore al "San Giuseppe da Copertino". »

« Ma vedi, Fabrizio, ci sono certi testi molto antichi e delicati... »

« Balle. Quel ragazzo mica se lo vuol mangiare quel libro. Ti assicuro che lo tratterà con ogni riguardo... ne rispondo io. »

« Ho già capito: quando ti ficchi in testa una cosa... Va bene, va bene, Fabrizio, vedrò di convincere monsignor Willendorf. »

« Grazie, Gigi, sei sempre un amico » disse il cardinale nel comune dialetto padano, sicuro di toccare il cuore del segretario di stato. « Quando capiti su ti faccio fare i cappelletti da suor Filomena che so che ti piacciono tanto. »

« D'acord, Fabrézi, » rispose a tono il cardinal Palazzeschi « ma bada che ti prendo in parola. »

Mancavano cinque minuti alle quattro quando Ottaviani suonò il campanello all'appartamento di Elizabeth. Aveva in mano un pacco della lavanderia.

« Che hai lì dentro? » chiese la ragazza.

« Il mio vestito buono. Devo pur travestirmi da professore, no? » Elizabeth era già pronta in gonna e camicetta e Ottaviani indossò rapidamente il suo completo di lino bianco su una camicia azzurra. Data l'occasione mise anche una cravatta di seta blu e l'Hasselblad a tracolla per buttar giù, casomai, qualche foto.

A Villa Giulia faceva gli onori di casa il direttore dell'Istituto centrale del restauro, professor Costantino Carani. In una saletta era stato allestito un rinfresco con salatini, patatine e con degli analcolici, sia rossi che decolorati. Bicchieri di carta. Quintavalle indossava un completo kaki di gabardine su una camicia di lino marrone; al suo fianco sua moglie Silvia, abbronzatissima dal natio sole di Puglia splendeva drappeggiata in una seta beige.

Arrivò Barresi con in mano un analcolico decolorato: « Ciao, Fabio, ciao, Paolo. Silvia, la tua bellezza oggi è abbagliante » disse infilandosi gli occhiali da sole.

« Sciocco » fece Silvia baciandolo sulla guancia.

«Ma anche questa fanciulla non scherza» aggiunse inchinandosi galantemente ad Elizabeth.

«È la dottoressa Allen dell'Università del Michigan, per gli amici, Lizzy» disse Ottaviani.

«Ciao, Lizzy» fece Barresi. «Allora, amici, andiamo a vedere questi famosi bronzi? Pare siano due pezzi di eccezionale interesse.»

Il professor Carani prendeva la parola in quel momento: «Illustri colleghi e cari amici, è con viva soddisfazione e anche con una certa emozione che sottopongo al vostro giudizio l'opera di restauro condotta dai nostri specialisti sui due bronzi recuperati dal mare di Taormina. Vi preannuncio inoltre un congresso di studi che avrà luogo a Palermo verso la fine dell'anno e le cui conclusioni appariranno a stampa negli Atti dell'Accademia dei Lincei. È poi nostra intenzione aprire al pubblico la sala della mostra e per questo attendiamo la risposta del soprintendente della IV Regione archeologica meridionale, il professor Giovanni Lanzi, al quale abbiamo già fatto pervenire la nostra richiesta. Vogliate ora seguirmi nella sala preparata per l'esposizione dove potrete ammirare i due bronzi che, in quanto reperti erratici, sono stati chiamati per ora statua A e statua B.»

«La fantasia continua a imperversare» bisbigliò Ottaviani all'orecchio di Quintavalle.

«Rappresentano due guerrieri» riprese il professor Carani facendo strada «nella nudità eroica. Ambedue imbracciavano scudo e lancia e la statua B calzava un elmo, presumibilmente corinzio. Tutte le armi mancano e per ora non sembra che se ne sia trovata traccia. La Soprintendenza competente sta comunque organizzando delle ricerche subacquee sui fondali di Taormina nella speranza di poter recuperare i preziosi reperti che potrebbero forse aiutarci a identificare i personaggi rappresentati nelle due statue.»

Il gruppo degli studiosi entrò nella sala dell'esposizione. Le pareti erano state ricoperte da pannelli di velluto marrone di dralon così da eliminare ogni elemento di disturbo. Su due cubi di legno torreggiavano le due statue, illuminate da alcuni faretti disposti sul soffitto e sulle pareti.

La prima rappresentava un giovane guerriero in atto di tenere nella destra la lancia con la punta rivolta verso terra e lo scudo al braccio sinistro. La testa eretta e fierissima era una cascata di riccioli voluminosi che sembravano ondeggiare sulle spalle muscolose. Il naso, sottile e diritto come una lama, prolungava la linea purissima della fronte, attraversata da un diadema annodato sulla nuca. Gli occhi fulminavano uno sguardo d'imperio e di sfida temeraria, spiravano una forza immensa, intrepida, spietata, e la bocca carnosa, semiaperta, ombreggiata da due folti baffi e incorniciata da una florida barba, scopriva una fila di denti scintillanti come le zanne di una fiera: un inquietante sorriso lupigno che pareva mutarsi a tratti in un ghigno crudele. La trionfale anatomia del torso erompeva con i vasti muscoli pettorali sul costato asciutto e coi forti bicipiti, appena tumescenti per il peso delle armi che dovevano reggere. Il ventre, piatto, quasi incavato, mostrava, sotto il velo setoso della pelle, il rilievo dei cordoni addominali e l'inguine, ombreggiato di peluria, ostentava il sesso, annidato fra le cosce formidabili.

L'altro guerriero era meno impressionante perché il suo corpo, pur splendido, mostrava i segni dell'età matura. Nulla c'era, nella sua massiccia complessione, della belluina energia dell'altro. La testa, leggermente rivolta a destra, era piegata in basso come se gravassero su quella fronte il ricordo di infinite traversie e la consapevolezza dell'inutilità dell'orrore bellico. C'era qualcosa di estenuato e struggente nel suo sguardo, come il presentimento della fine, ma le sue forti braccia, le sue mani corse da vene turgide sembravano poter dare ancora la morte. La barba fluente, ricciuta, conferiva maestà quasi regale al volto assorto e pensoso. Anch'egli reggeva una volta la lancia rivolta verso terra e portava il grande scudo al braccio sinistro. La testa, ora informe, aveva calzato un tempo un elmo corinzio e la celata, appoggiata sulla fronte, doveva sembrare la maschera impassibile della guerra, pronta a scendere sul volto per nascondervi ogni segno di pietà. Egli era più stanco, più provato, forse più temibile.

Elizabeth, che si era messa a parlare con il professor Morrison, lo salutò per raggiungere nuovamente Ottaviani:

«I've never seen anything like this» gli sussurrò all'orecchio.

«Nemmeno io,» rispose Ottaviani riscuotendosi «è al di là di ogni aspettativa.» Intorno a lui gli altri studiosi osservavano senza parole i due fantastici guerrieri. Il professor Carani richiamò tutti nell'atmosfera scientifica invitando i presenti ad osservare una serie di pannelli fotografici in cui si documentavano le varie fasi dell'eccezionale restauro. A un certo punto entrò l'usciere annunciando che il soprintendente Lanzi era al telefono e desiderava parlare subito con Carani. L'interessato si scusò con i colleghi e seguì l'usciere. Ritornò poco dopo, accigliato:

«Cari amici,» disse «c'è una notizia incresciosa che debbo comunicarvi: ho parlato poco fa al telefono col professor Lanzi. Mi ha detto che non intende affatto accordare il permesso per la mostra pubblica. Una presa di posizione, se debbo essere sincero, che mi pare alquanto discutibile. Personalmente ritengo che due capolavori di tanta bellezza non dovrebbero rimanere nascosti ai cittadini ai quali in fin dei conti appartengono e inoltre penso che il paziente lavoro dei miei valorosi collaboratori debba meritare un pubblico riconoscimento.»

«È giusto! Ma certo, è una presa di posizione inaccettabile!» si sentì dire da più parti.

Si fece avanti Vincenzo Barresi: «Professore,» disse «vuole che tenti io di parlare con Lanzi? Chissà che non riesca a smuoverlo o, almeno, a farmi spiegare le ragioni del suo diniego. Siamo sempre stati in ottimi rapporti».

«Magari, caro Barresi, magari,» disse Carani «perché, guardi, sono veramente sconvolto.» Barresi raggiunse a sua volta il telefono mentre in sala circolavano i più disparati commenti.

«Niente da fare» annunciò sconsolato Barresi rientrando poco dopo «è irremovibile. Dice che le statue non potranno essere esposte finché non saranno state pubblicate. Ho cercato di convincerlo in ogni modo, ma non c'è stato verso. Mi dispiace.»

«I don't understand,» disse Elizabeth «che cosa sta succedendo?»

«Il soprintendente della IV Regione meridionale non concede il permesso di esporre le statue in pubblico» le spiegò Quintavalle.

«But why?»

«Vedi, in questo paese, ogni ricerca archeologica e, di conseguenza, ogni reperto che da essa può emergere, è sottoposta all'autorità del soprintendente che è un funzionario dello stato e un archeologo al tempo stesso. Egli è responsabile anche della conservazione e della custodia di reperti casuali o erratici come le due statue di bronzo che vedi. Se dunque il soprintendente intravvede rischi o pericoli per le opere d'arte nel caso di una mostra o di una esibizione può negare il suo permesso. In altri termini Lanzi è nel suo pieno diritto anche se questo suo atteggiamento appare motivato più da pretesti che da solidi argomenti. Non vedo proprio quali rischi correrebbero queste statue nel caso di una mostra pubblica e, in ogni caso, egli potrebbe controllare di persona le misure di sicurezza ed aumentarle, eventualmente, a sua discrezione.»

«It's just crazy, siete matti voi Italiani» disse Elizabeth.

«Eh, non si sa come dire...» ammise Ottaviani.

«Professore,» intervenne nuovamente Barresi «a mio modo di vedere, una scappatoia ci sarebbe: lei potrebbe aprire l'esposizione non come mostra delle statue, ma come mostra del restauro delle medesime. In fondo avete fatto voi il lavoro e avete diritto di mostrarne i risultati.»

«Eccellente idea» disse Carani sollevato. «Mi sembra che così potremmo aggirare l'ostacolo. Stasera stessa telefonerò al ministro dei beni culturali: se Lanzi avrà qualcosa da ridire se la vedrà con lui.»

Verso le sei la sala cominciò a vuotarsi: Ottaviani gettò un ultimo sguardo alle sagome dei guerrieri mentre gli uscieri spegnevano le luci, poi raggiunse gli amici che lo attendevano sull'uscio.

«Che si fa?» chiese Quintavalle. «Andiamo a farci una pizza dalla Sora Nina a Trastevere?»

«Aggiudicato» rispose Ottaviani. «Voi, ragazze, che ne dite?»

«Great» rispose Elizabeth convincendo anche Silvia che avrebbe preferito la trattoria.

La pizza era in effetti ottima e discreto anche il Marino fresco di cantina. Il discorso tornò presto sui guerrieri di Taormina:

«Che cosa si sa di quei due pezzi oltre a quello che ci ha detto Carani?» chiese Ottaviani.

«Non un gran che: Lanzi è sempre stato molto abbottonato» disse Quintavalle. «Pare comunque che le due statue fossero a bordo di una nave di cui i sommozzatori avrebbero visto i resti sul fondo del mare: qualche residuo di legno...»

«Ecco spiegato perché mancano le armi» disse Ottaviani. «Al momento di caricarle le avranno imballate, supponiamo, in un paio di casse di legno. A quel punto le due lance e gli scudi uscivano troppo di sagoma per cui le avranno smontate.»

«E l'elmo?» chiese Elizabeth.

«È evidente che anche l'elmo usciva di sagoma e dunque doveva avere un gran cimiero a forma di cresta, ampiamente sporgente all'indietro che ne ha pure comportato la rimozione. Un'operazione comunque non difficile perché si trattava di una fusione a parte che l'artista aveva applicato alla statua con una saldatura a piombo, la stessa di cui si vede traccia nelle mani dei due guerrieri per il fissaggio delle lance.»

«È probabile» commentò Quintavalle.

«Tu, Silvia, che dici, dal punto di vista della tipologia?» chiese Ottaviani.

«A prima vista direi quinto avanti Cristo... prima metà del quinto... ci sono quei riccioli sulla fronte della statua A che richiamano certi aspetti dello stile severo. Roba greca, comunque.»

«E se fosse greco-siceliota? O magnogreca?» intervenne il marito.

«Non posso escluderlo,» disse Silvia «ma in linea di massima non mi pare possibile. Una tecnica tanto raffinata ed evoluta non mi risulta attestata in Magna Grecia a quel tempo. Pensiamo all'efebo di Selinunte, ancora sulla tipologia rigida dei kouroi.»

«Dunque sono stati portati dalla Grecia» disse Ottaviani.

«O, al limite, dalla Ionia» precisò Silvia. «Se da un lato sembrano essere di fabbricazione greca, non possiamo tuttavia sapere dove fossero collocate. Purtroppo non sappiamo nemmeno chi rappresentino... Due eroi, certo, ma quali?»

«Io un'idea ce l'avrei,» disse Ottaviani «ma non ha base scientifica; è solo un'intuizione per cui non vale neanche la pena che ne parli... Certo, se si potessero trovare gli scudi... Doveva esserci sopra qualche segno araldico, forse una dedica, un'iscrizione... Sentite» proseguì sfilando un'Emmeesse dal pacchetto di Quintavalle «se immaginiamo che l'equipaggio della nave abbia smontato le armi, certamente le avrà sistemate in un'altra cassa a parte. Al momento del naufragio le due casse con le statue, molto pesanti, saranno affondate praticamente sul posto, mentre la cassa con le armi, più leggera, può aver galleggiato per un poco affondando più tardi e più lontano. Studiando la forza delle correnti marine nella zona e rapportandola al peso ipotetico della cassa con le armi si potrebbe localizzare un'area in cui concentrare le ricerche...»

«Non è un'idea stupida» approvò Quintavalle. «Perché non ti metti all'opera, sai nuotare no?»

«Per ora ho altro per la testa» disse Ottaviani «e... accidenti, a momenti dimenticavo... Scusate, debbo fare una telefonata. Torno subito.» Raggiunse il telefono e formò il numero: «Pronto» rispose la voce del cardinal Montaguti.

«Eminenza, sono Fabio. Ha potuto fare quella telefonata?»

«L'ho fatta, l'ho fatta. Gigi mi ha detto che avrebbe cercato di convincere quel Willendorf. Sei contento?»

«Come una Pasqua, Eminenza. Grazie di cuore.»

«Senti, lasciagli almeno un po' di tempo, aspetta un paio di giorni prima di presentarti in biblioteca, d'accordo?»

«Si capisce, Eminenza. Farò come mi consiglia.»

«Allora in agosto ti aspetto.»

«Verrò senza dubbio, Eminenza» disse Ottaviani benché in cuor suo cominciasse a nutrire qualche dubbio. Mentre raggiungeva gli amici al tavolo gli parve che un tale, seduto a parte poco distante, guardasse con insistenza Elizabeth e le facesse dei cenni. Era grasso, e coi capelli unti.

«Ti dà fastidio quel tizio?» le chiese sedendosi accanto a lei.

«Quale tizio?»

«Questo, seduto al tavolo alle mie spalle.»

«Non credo, non mi sono accorta di niente.»

«Ahi! È diventato anche geloso» rise Quintavalle. «Ormai non c'è più rimedio.»

Città del Vaticano, 1 agosto, ore 16,30

Fabio Ottaviani alzò la testa dal banco di lettura lasciandosi andare all'indietro sullo schienale, deluso. In ore e ore di attenta lettura non era riuscito a trovare alcun indizio nel vaticano membranaceo 4731: era un codice stupendo, tanto perfetto da sembrare stampato, scritto a due colonne per pagina, perfettamente spaziato, esteso su fitte linee di guida ancora distinguibili sulla pergamena. Compatì la propria presunzione: come aveva potuto sperare di scoprire qualcosa di nuovo in un testo su cui si erano cimentati i più famosi filologi d'Europa e d'America? Bisognava rassegnarsi, gettare la spugna. Più per abitudine che per un'idea precisa estrasse dalla custodia l'Hasselblad carica con un rullino di high speed e inquadrò la pagina con l'inizio del capitolo XXII. Visto che l'inchiostro era piuttosto sbiadito montò sull'obiettivo macro un filtro di contrasto e accostò l'occhio al mirino per la messa a fuoco di precisione.

Scorse le righe una alla volta, affascinato dalla potenza della lente che gli rivelava i minimi particolari della minuta grafia e lo stato di conservazione o di danno della pergamena. Ma c'era qualcosa di strano... qualcosa che scompariva togliendo il filtro dall'obiettivo e ricompariva rimettendolo al suo posto. Alcune lettere, qua e là, acquistavano risalto, come se fossero state appena scritte con inchiostro fresco.

Per assicurarsi che il fenomeno non fosse dovuto a una qualche sorta di illusione ottica o a un qualche riflesso, stabilì di fare la prova decisiva: trascrivere tutte le lettere che avevano quel risalto e poi ripetere il controllo montando, davanti al filtro colorato, un polarizzatore. Terminata la trascrizione ripeté la prova con la lente polarizzante: il risultato era esattamente il medesimo. Gettò un'occhiata alla fila di lettere trascritte: un serpentello nero, informe, su un foglietto bianco di notes:

"t h e o d o r o s e g n o k e t e n a l e t h e i a n"

Guardò più attentamente, colto da un'intuizione improvvisa e il cuore gli balzò in gola: era una frase, quelle lettere formavano una frase!

Theodòros égnoke tèn alétheian

"Theodoros sapeva la verità."

Riprese in mano la macchina e scattò un rullino intero sulla pagina poi uscì dirigendosi allo studio del direttore.

« Monsignore, » gli chiese « potrebbe dirmi da dove proviene il membranaceo 4731? »

« Certo, dottore, » rispose monsignor Willendorf con fredda gentilezza. « Quel codice proviene dall'abbazia di San Nilo a Grottaferrata ed è entrato in dotazione alla Biblioteca Vaticana verso la fine del quindicesimo secolo, assieme ad altri preziosi testi. L'abbazia comunque ne conserva ancora un certo numero nella sua biblioteca, fra cui quello famosissimo di Strabone. »

« Lo conosco » disse Ottaviani, e aggiunse: « Volevo dirle, padre, che ho terminato il mio lavoro sul codice e ringraziarla... per la collaborazione ».

« Prego, dottore, prego » rispose il direttore e aggiunse poi con un sorrisetto ironico: « Mi auguro che abbia scoperto qualcosa di interessante ».

« Oh, sì, » rispose Ottaviani con noncuranza « una glossa criptica » e uscì con un inchino lasciando il religioso a bocca aperta e con gli occhiali in fondo al naso.

Ottaviani raggiunse l'ingresso, si accese una sigaretta e trasse di tasca il suo tesoro: ...tèn alétheian... "la verità", quale verità? L'antico copista aveva nascosto nella pagina mutila di Polibio un indizio per i posteri, la chiave di un mistero che egli era forse riuscito a decifrare ma che non aveva voluto o potuto rivelare. Quanti documenti dell'antichità si erano perduti per le distruzioni, le invasioni, gli incendi, la barbarie dei secoli oscuri, le purghe, la barbarie dell'intolleranza, il fanatismo, le ingiurie del tempo... eppure la voce di quell'uomo, nascosta, perduta in un testo troppo noto e famoso, era giunta fino a lui, come il messaggio di un naufrago in una bottiglia. E quel messaggio era ora nelle sue mani, mani di un umile manovale della storia...

Ma di quale verità parlava quella glossa? Una verità immaginaria, forse? O una verità relativa ad un tempo morto per sempre?

Si ricordò di una volta in cui, durante uno scavo, era sceso nella tomba di una nobile matrona romana e vi aveva trovato un vasetto di alabastro ancora sigillato. Aveva rimosso istintivamente il tappo di ceramica e l'ultima, esigua forza del prezioso unguento che conteneva si era dissolta nell'aria. Aveva potuto appena captare un vago sentore di aloe e la presenza di altre sconosciute essenze... per un attimo soltanto. Non restava, in fondo al vasetto, che un grumo nerastro senza più odore. E se fosse accaduto lo stesso per la verità dell'antico copista?

Piegò il foglietto e lo mise in mezzo al portafoglio incamminandosi per la strada piena di sole e di automobili. Avrebbe voluto telefonare subito a Quintavalle e raccontargli la sua scoperta ma si rese conto che per il momento aveva solo decifrato un curioso enigma. Doveva proseguire nella ricerca per sapere se il messaggio dell'amanuense lo avrebbe condotto a un risultato o se tutto si sarebbe risolto in una strana beffa filologica. Si fermò a un'edicola per prendere il giornale ed entrò in un bar per un caffè. Diede una rapida scorsa alla pagina degli esteri: il Libano era in fiamme, bruciavano Tiro e Sidone; il Tigri e l'Eufrate scorrevano in un uragano di ferro e di fuoco e c'erano movimenti di truppe ai confini della Turchia, della Persia, della Siria. Chiuse il giornale e uscì dirigendosi verso un negozio di fotografia per lasciare il rullino da sviluppare.

Un uomo lo seguì dal bar ed entrò nel negozio di articoli fotografici dopo che egli ne fu uscito. Chiese al commesso l'indirizzo del laboratorio di sviluppo dicendo che aveva una grossa produzione industriale da inoltrare per il trattamento e, ottenutolo, l'annotò su di un'agenda e uscì in strada.

In quel momento Ottaviani, sulla sua motocicletta, stava già attraversando la cinta delle mura Leonine in direzione di Castel Sant'Angelo. Elizabeth gli aveva dato appuntamento davanti a un negozio di abbigliamento.

«Com'è andata oggi?» gli chiese.

«Ti racconterò poi. E tu? Hai fatto spese?»

«Qualcosa. Hai letto il giornale?»

«Gli ho dato una scorsa; perché?»

«È successa una strana cosa: il professor Lanzi è scomparso.»

«Lanzi? Il soprintendente?»

«Proprio lui. La polizia ha trovato la sua auto in piena campagna, vuota. Di lui non hanno trovato traccia.»

«Dov'è successo il fatto?»

«Around the Torre Rossa.»

«A Lavinium?»

«Right. Paolo Quintavalle ha telefonato verso le quattro, ti cercava. You should call him back.»

«Allora andiamo subito, chiamerò dal tuo appartamento. Sali con me?»

«Sorry, dear, ho la macchina qui vicino e anche in sosta vietata.»

«Allora ci vediamo a casa.»

Roma, ore 17

«Pronto, Paolo, Lizzy mi ha detto che mi hai cercato. Cos'è questa storia del professor Lanzi? Ho dato un'occhiata al giornale ma c'è giusto un trafiletto di poche righe.»

«Be', io ti posso fornire un po' di retroscena» rispose l'archeologo. «Quando Carani decise di aprire quella mostra, Lanzi gli telefonò la sera stessa; tu sai come volano le notizie nel nostro ambiente. Era fuori dai gangheri: minacciò tuoni e fulmini, disse che sarebbe andato personalmente dal ministro per far chiudere tutto, imballare i suoi guerrieri e riportarseli in Sicilia.»

«È una parola: ho sentito che ormai quella mostra ha un successo travolgente. Pare sia presa d'assalto da migliaia di persone.»

«Infatti, un fenomeno singolare. Ma senti qua: ieri hanno trovato la macchina di Lanzi a Torre Rossa, vuota, con le chiavi nel cruscotto, ma di lui neanche l'ombra, e tuttora, a quanto risulta, non se ne sa niente di niente.»

«Sì, questo lo dice anche il giornale. Ma secondo te cosa ci andava a fare Lanzi a Torre Rossa... cioè a Lavinium?»

«Ci ho pensato tutta la notte ma non riesco proprio a farmi un'idea. Ho avuto il sospetto che venisse a cercarmi sullo scavo dato che l'auto è stata trovata nel pomeriggio, un orario in cui di solito io mi trovo laggiù, ma mi pare strano... Perché non telefonarmi, allora?»

«Può averlo fatto e non averti trovato... Metti che Silvia fosse al museo e i tuoi ragazzi al tennis o in piscina.»

«È possibile. Ma c'è dell'altro, comunque: è scomparso un pezzo dal magazzino.»

«Un pezzo di che?»

«Un torso fittile proveniente dallo scavo.»

«Non l'avrà mica preso Lanzi.»

«Dai, non scherzare.»

«D'accordo, però ci potrebbe sempre essere una connessione tra la scomparsa di Lanzi e quella del pezzo. La polizia cosa dice?»

«Mah, si è pensato un po' a tutto, anche al rapimento, ma a me pare molto strano: Lanzi non se la passa male ma non è certo ricco, per quello che ne so.»

«Lo dici tu. Lanzi è un soprintendente e cioè il custode di tesori di inestimabile valore. Ma dimmi del pezzo che ti hanno portato via: era importante?»

«Era un torso che portava un rilievo stilizzato: tre figure inscritte in un sacello: una divinità armata tra due nudi maschili.»

«Curioso... Hai una foto almeno?»
«Sì, credo di sì. Abbiamo fotografato tutto finora.»
«Meno male. Senti, Paolo, ti dispiacerebbe farmi vedere quella foto? Potrei venire adesso a casa tua.»
«Vediamoci piuttosto da Silvia al museo: è a metà strada tra casa mia e... diciamo, casa tua.»
«Fra venti minuti.»
«E chi arriva prima aspetta.»
Ottaviani prese casco e giubbotto e scese in strada, appena in tempo per incontrare Elizabeth che saliva con una borsa di plastica piena di pacchi.
«Ma dove vai?» gli chiese.
«Da Paolo, per una cosa urgente. Ci vediamo a cena.»
«Non potrei venire anch'io?»
«Se vuoi, ma fa' presto però.»
«Un attimo, il tempo di mettermi un paio di jeans.»
Poco dopo Ottaviani sfrecciava per via Etruria e via Gallia in direzione del Colosseo con Elizabeth avvinghiata alla cintura. Raggiunse la gradinata del Campidoglio in quindici minuti, parcheggiò la Benelli e salì a piedi con lei alla direzione dei Musei. L'auto di Quintavalle non c'era ancora e così lasciò detto al portiere di avvertirlo, quando fosse arrivato, e di farlo salire.
«Dottor Ottaviani e dottoressa Allen,» disse all'impiegato che gli venne ad aprire «vorremmo entrare dalla soprintendente.»
«È nel gabinetto di restauro» disse l'impiegato. «Se volete seguirmi.»
Silvia Quintavalle era in quel momento alle prese con il cippo funerario che aveva recuperato qualche settimana prima sulla via Salaria.
«Ciao, Fabio, ciao, Lizzy. Paolo ha chiamato due minuti fa. Dice di aspettarlo un po' se non vi dispiace.»
«Figurati. Che hai lì di bello?»
«Un'iscrizione funebre che ho trovato sulla Salaria. Una ruspa dell'azienda del gas l'aveva spaccata in due. Ora è ricomposta, veditela un po'.»
Il cippo misurava circa un metro e venti di altezza per

ottanta centimetri di larghezza e lo specchio iscritto era sormontato da un piccolo timpano. Elizabeth prese un foglio di carta e cominciò a sviluppare l'iscrizione per esteso:

Dis Manibus
Lucio Fonteio Cai filio,
Heminae tribuno III *legionis*
Italicae, fato crudeli
XXXIV *annos defuncto*
Caius pater desolatus

«Poveretto,» commentò Ottaviani scorrendo l'iscrizione «aveva circa la mia età quando è morto. Di che periodo è secondo te?»

«Primi anni del II secolo avanti Cristo, I would say» disse Elizabeth.

«Sono d'accordo» approvò Silvia. «È un ufficiale, potrebbe essere morto nella seconda guerra macedonica con Flaminino.»

«O in Asia con Scipione Asiatico, o con Manlio Vulso» disse Ottaviani.

«Inutile lambiccarci il cervello, Fabio. Magari si è preso una coltellata da un marito geloso mentre se ne stava imboscato in qualche bella villa qui, nei dintorni.»

Ottaviani restò qualche momento assorto, passando la mano sulla lapide funebre del tribuno Hemina, rapito da un fato crudele a trentaquattro anni. Lo riscosse la voce di Silvia: «Comunque questo signore mi ha posto un problema, un piccolo mistero da risolvere».

«Chi, il personaggio dell'iscrizione?» disse Ottaviani. «Non vedo come, il testo è chiarissimo, direi anche molto comune.»

Silvia estrasse da un cassetto una scatoletta di plastica da diapositive e l'aprì: «Guarda un po' qua» disse. «Era nella tomba e appartiene al dedicatario dell'iscrizione.» Ottaviani osservò l'anello di bronzo e ne lesse la scritta sul castone.

«È vero,» disse «è il suo anello di famiglia, ma scusa, continuo a non capire.»

«È semplice,» disse Silvia «una delle due iscrizioni mente.»

Ottaviani scorse nuovamente l'iscrizione del cippo poi prese in mano l'anello e se lo infilò nell'anulare osservandolo attentamente. «Credo di capire,» disse «credo di capire...» Si lasciò andare su una sedia come se gli fossero mancate improvvisamente le forze. Silvia ed Elizabeth gli si fecero attorno allarmate: «Fabio, ti senti poco bene? Che ti prende?».

Ottaviani si passò una mano sulla fronte imperlata di sudore poi si appoggiò ai braccioli della sedia e si alzò in piedi: «Non so, non so cosa mi ha preso, ma è passata» disse sfilandosi l'anello dal dito e appoggiandolo sul tavolo. «Non vi preoccupate, sto benissimo adesso.» Entrò in quel momento Quintavalle. «Scusate, ragazze, devo fare due chiacchiere con Paolo, vi dispiace?» Raggiunse l'amico e tutti e due si sedettero ad un tavolo per metà ingombro di frammenti di ceramica.

«Allora, hai trovato la foto?» Quintavalle estrasse una stampa in bianco e nero di 13/18: «È tutto quello che ho, Fabio. Ero a corto di finanziamenti e aspettavo altri soldi per fare un servizio a colori di grande formato».

«Non è gran che» disse Ottaviani deluso. «È poco contrastata... meglio di niente comunque. Posso tenermela?»

«Sì, ho il negativo. Ma di' un po', hai qualche idea per la testa?»

«Niente di preciso, ti giuro, ma ho come l'impressione che la scomparsa di Lanzi sia in qualche modo in relazione con il furto di questo oggetto e così volevo studiarmelo con calma per vedere se non ci fosse, che so, qualche indizio...»

«Per me sei matto da legare: ti metti a fare anche il poliziotto adesso. Non ti interessa più la tua ricerca?»

«Al contrario. Credo di aver fatto una grossa scoperta.»

«Scherzi.»

«Però debbo andare avanti e seguire una certa pista.»

«E non vuoi dire a un vecchio amico di che si tratta? Mi tieni sulle spine.»

«Per ora è solo un indizio, Paolo, molto interessante, ma pur sempre un indizio e non vorrei andare incontro a una delusione. Abbi pazienza: appena avrò in mano dei risultati sarai il primo a saperlo. Volevo comunque dirti che lascio Roma. Mi trasferisco a Grottaferrata all'abbazia di San Nilo. »

« Santi del cielo » trasecolò Quintavalle. « Fabio Ottaviani che lascia le lusinghe del mondo e della carne per ritirarsi a vita contemplativa! Da non credere. »

« Be', non mi faccio mica frate. Ho solo intenzione di studiare, di mettere a punto qualche idea... Comunque, finché starò là dentro ti telefonerò io di tanto in tanto per sentire se per caso ci fosse qualche novità. »

« D'accordo » disse Quintavalle. « Fiat voluntas tua. » Elizabeth si avvicinò in quel momento:

« Would you guys stop plotting together? »

« Non complottiamo un bel nulla. Fabio mi confidava la sua intenzione di prendere i voti di castità » scherzò Quintavalle.

Uscirono dal museo verso sera e Ottaviani fece un giro per il centro con Elizabeth, prima di rientrare passando davanti a Villa Giulia. Le porte del museo erano aperte e c'era una lunga coda di persone che attendevano ancora di entrare. Una telecamera della televisione riprendeva la folla e c'erano i vigili urbani che facevano cordone intorno. Ottaviani si fermò vicino a uno di loro e chiese:

« Sa dirmi, per favore, quando chiuderà la mostra? »

« Mah, si era detto che sarebbe rimasta aperta per un mese, poi hanno detto tre mesi e adesso c'è chi parla di sei. Ieri ci sono stati duemila visitatori, oggi si parla di oltre tremila. È una cosa incredibile: in fondo non sono che due statue. »

« Ah sì? » disse Ottaviani con un sorriso strano.

VI

Frascati, 7 agosto, ore 8

Elizabeth alzò la veneziana e la luce del giorno inondò la camera da letto svegliando il suo compagno che si alzò a sedere.

«Il tuo amico Barresi è stato gentile a prestarci la sua casa per questo week-end. È un posto incantevole.»

Ottaviani la guardò come se la vedesse per la prima volta: il corpo perfetto si stagliava contro le tende di pizzo, nell'alone luminoso della mattinata estiva. Un corpo quale aveva immaginato solo nei primi, ingenui sogni della sua adolescenza e che mai aveva pensato potesse veramente esistere. La accarezzò lungamente con lo sguardo mentre camminava per la camera e prendeva l'accappatoio.

«Non coprirti, per favore» disse quasi con malinconia. «Voglio guardarti ancora.»

«Ma mi hai già visto tante volte, quando facciamo l'amore» disse la ragazza sorridendo.

«Quando facciamo l'amore è diverso: è come se fossi inghiottito da un gorgo. Tutto diventa buio, non ti vedo più.» Elizabeth lo guardò fisso negli occhi: «Che cosa vuoi dirmi?».

«Bene... fra non molto tempo te ne andrai e io rimpiangerò di non averti guardata abbastanza, di non essermi impresso nella mente ogni aspetto della tua persona.»

«Perché pensi a queste cose adesso?» disse la ragazza sedendosi di fronte a lui sul letto. «Io sono qui.»

«È strano,» le disse «sono così abituato a guardare il passato che il futuro mi confonde, mi spaventa. Quando ero ragazzo, nella fattoria di mio padre, scendevo spesso in fondo al pozzo a misurare il livello dell'acqua e non avevo paura. Invece mi prendevano le vertigini se dovevo salire in alto, sulle piante... Quando tornerai in America?»

Elizabeth non rispose, i suoi occhi si fecero umidi e bui. Gli si avvicinò, gli accarezzò a lungo i capelli.

«Mi diresti una cosa?» gli chiese a un tratto.

«Certo.»

«Quando andammo da Silvia al museo per incontrare Paolo, ricordi? E lei ti mostrò quell'epigrafe e quell'anello. Te lo mettesti al dito dicendo "credo di capire... credo di capire" e poi la tua faccia impallidì improvvisamente, le tue mani cominciarono a tremare, ti lasciasti andare sulla sedia... sembrava che stessi per perdere i sensi...»

«Mi sono sentito male, te l'ho detto.»

«Non ci credo. Sei forte, sanissimo. Non c'era motivo perché tu dovessi sentirti male. Dopo che ti sei tolto l'anello hai ripreso il tuo colore, come se nulla fosse stato. Ciò che ti ha ridotto in quello stato è connesso a quegli oggetti. Ma perché? Mi hai detto ora che il passato non ti fa paura.»

«Una cosa strana, non so come spiegarti. Appena ebbi infilato al dito quell'anello fui preso da un panico improvviso, come se la mia morte fosse imminente... Come se quella lapide fosse stata preparata per me...»

«È questo che intendevi allora con quelle parole "credo di capire"...» Ottaviani si fece improvvisamente cupo: «Per favore, Lizzy... non mi sento di parlarne».

«Scusami, caro, forget it... Adesso alzati, devi fare la doccia e prepararti. Ti aspettano oggi all'abbazia, non è vero?»

«Sì, oggi, ma non sono più tanto sicuro di volerci andare.»

«Come on, Fabio, non essere sciocco. Hai la possibilità di fare una scoperta eccezionale. Sei uno studioso, non devi essere così emotivo.»

«Già... la scienza prima di tutto, come direbbe il mio capo.»

«Allora via!» disse ridendo Elizabeth trascinandolo giù dal letto. «Avanti, a fare la doccia.»

Uscirono di casa verso le nove e trenta e salirono sull'auto di Elizabeth.

«Non capisco cosa sia successo alla mia moto» disse Ottaviani. «Andava benissimo e poi improvvisamente non è più ripartita.»

«Non sarà niente di importante» disse Elizabeth. «Domani telefonerò al garage. Mi chiamerai stasera?»

«Certo, verso le otto.»

La grossa auto affrontava la salita a velocità sostenuta: ormai appariva il centro antico del paese dominato dalla guglia del campanile romanico di San Nilo. Elizabeth entrò nella piazzetta antistante l'abbazia e parcheggiò. Ottaviani prese dal baule una piccola valigia.

«Are you okay, lover?» gli chiese la ragazza.

«In gran forma, amore mio.» Le diede un lungo bacio, poi si diresse a passo deciso verso il portone dell'abbazia.

L'archimandrita lo ricevette con grande cordialità e lo intrattenne qualche tempo in convenevoli. Era un bel vecchio, alto e imponente, con due occhi azzurri e profondi. Conosceva il latino, il greco, l'ebraico classico e l'aramaico e per lui la preziosa biblioteca dell'abbazia non aveva segreti. Intratteneva rapporti epistolari con il patriarca Porphirios III di Antiochia, con Maximos VIII di Alessandria, con Hakim II dei Maroniti e con il patriarca ecumenico di Costantinopoli che aveva ospitato un giorno, in occasione di una sua visita al pontefice.

Terminata la conversazione chiamò un novizio (ce n'erano quattro in tutto, per la scarsità delle vocazioni) e lo incaricò di accompagnare l'ospite a visitare l'abbazia. Il giovane condusse Ottaviani a vedere la più antica struttura del complesso in cui aveva trovato ricetto per la prima volta la comunità fondata da San Nilo: il corpo centrale di un edificio romano, il criptoportico di una villa, secondo alcuni, le cui finestre, chiuse da pesanti inferriate, avevano dato il nome al paese, "*Crypta ferrata*", ossia, Grottaferrata. Vide la chiesa con l'iconostasi splendente di ori e con l'abside ornata di mosaici. Al centro del vasto catino campeggiava la figura del Pantocrator, seduto sull'orbe terracqueo, paludato nella dalmatica purpurea. Su di lui la figura barbata di Dio Padre e la colomba ad ali aperte librata in uno sfavillio dorato.

Vide il giro delle mura difensive, i massicci torrioni rotondi di Giuliano da Sangallo e da ultimo, nel pomeriggio, la meraviglia e il vanto dell'illustre monastero: la biblioteca e il laboratorio di restauro dei libri antichi, famoso nel mondo.

Quella che gli si presentava davanti era una scena d'altri tempi. In una vasta sala con volte a crociera i monaci erano intenti al lavoro: chi a rimuovere con solventi le veline di protezione incollate su antiche pergamene, chi a ravvivare le miniature di un salterio, chi a rifare, con sottile filo di canapa, una rilegatura. Stesi sui tavoli, aperti, smembrati, vide i tesori delle più famose biblioteche d'Europa: codici cartacei, membranacei, papiracei, e dovunque gli strumenti più sofisticati della tecnica moderna: umidificatori, ingranditori, apparecchi ai raggi X, microscopi, lampade all'infrarosso e all'ultravioletto. Quei testi che avevano trasmesso la cultura antica attraverso il medioevo, esaurito il loro compito, venivano imbalsamati per l'eternità dai lontani epigoni di coloro che li avevano salvati dalla distruzione.

Si aggirava tra i tavoli osservando le miniature, i testi di canto gregoriano, i messali, le opere di famosi autori della classicità: Varrone, Eusebio, Ammiano Marcellino e uno stupendo evangeliario greco, aperto all'inizio del Vangelo di Giovanni, là dove diceva "In principio era il Verbo...".

Visitò la famosa biblioteca. Di là proveniva il testo della Vaticana, fra quelle mura era stata scritta la glossa criptica di cui avrebbe tentato di scoprire il significato.

Ripassò per l'ingresso a prendere la sua valigia e seguì il novizio nell'ala del monastero in cui si trovavano le celle dei monaci. Alla base della scala incontrarono l'archimandrita che usciva in quel momento dalla cappella.

« Allora, professore, » disse rivolto a Ottaviani « ha visitato la nostra abbazia? »

« Un complesso stupendo, padre, ma mi ripropongo di conoscerla meglio in questi giorni in cui approfitterò della vostra ospitalità. »

« Oh, lei non approfitta per nulla, è anzi il benvenuto in

questa nostra casa. Sua Eminenza Montaguti mi ha parlato molto bene di lei. Purtroppo dobbiamo accettare un modesto contributo alle spese per il suo vitto, professore: i tempi non ci consentono di largheggiare, come vorremmo, nell'ospitalità.»

«È chiaro: Vostra Paternità è stata anche troppo generosa ad accettarmi nel monastero.»

«Tu vai pure a prendere le lenzuola e le federe» disse l'archimandrita al novizio. «Accompagno io il nostro ospite su al primo piano.»

Salite le scale si trovarono all'inizio di un lungo corridoio su cui si affacciavano le porte di una dozzina di celle.

«Non mi ha ancora detto qual è l'argomento della sua ricerca» disse l'archimandrita «o sono indiscreto?»

«Affatto» rispose Ottaviani. «Ecco, vede, ho scoperto una glossa criptica nel Codice polibiano 4731 della Vaticana che, come Ella saprà, proviene da questa abbazia. Vorrei fare un'indagine di archivio per cercare di interpretarne il significato.»

Il vecchio corrugò la fronte.

«Ci sono difficoltà?»

«Oh, no» rispose l'archimandrita.

«Meno male... Allora, se vuole mostrarmi la mia cella...»

«Solo le ultime quattro sono occupate» disse l'archimandrita. «Scelga pure quella che vuole.»

Ottaviani si incamminò lentamente per il corridoio che risuonava, nel silenzio, ad ogni suo passo. Si fermò davanti alla settima porta:

«Questa andrà benissimo» disse voltandosi indietro.

«Come vuole, professore,» rispose il vecchio «le farò portare lì la biancheria.»

«Grazie ancora» disse Ottaviani inchinandosi. Aprì la porta ed entrò.

Il vegliardo rimase dritto in piedi in mezzo al corridoio con un'espressione di stupore nello sguardo.

«Dove debbo portare la biancheria, Vostra Paternità?» gli chiese il novizio che arrivava in quel momento.

«Ha scelto la settima cella...» disse come parlando fra sé. «La settima.»

Ariccia, Ristorante La Pergola, 7 agosto, ore 21,30

«La tua moto sarà pronta fra tre o quattro giorni» disse Elizabeth. «Sai che in questa stagione è tutto chiuso e non è facile trovare un'officina in servizio.»

«Va bene, pazienza,» rispose Ottaviani «vorrà dire che vivrò in monastico isolamento in questi giorni di lavoro. Mi spiace solo di non poterti raggiungere quando ne ho voglia.»

«Vengo io a trovarti, amore, magari alla sera, come oggi; di giorno sono sullo scavo con Quintavalle e gli altri dell'Istituto.»

«Ci sono novità?»

«Grosse. Avevi ragione tu: è venuta fuori la settima statua e pare che sia l'ultima; siamo ormai al fondo della fossa. E tu, hai scoperto qualcosa?»

«Per ora mi sono guardato un po' intorno e ho preso possesso della mia cella. Comincerò domani.»

«Come ti trovi?»

«Mah, non saprei... Certo sono molto preso dall'idea di arrivare a scoprire il significato di quella glossa che ho trovato sul codice vaticano ma mi dispiace separarmi da te. Dormire da solo in quella cella mi dà malinconia. E tu? Non ti senti sola?»

Entrava in quel momento un gruppo di ragazzi nel ristorante: parlavano e discutevano fra loro ad alta voce.

«Perché non usciamo?» chiese Elizabeth. Ottaviani chiamò il cameriere e pagò il conto. Uscirono sul viale e si misero a passeggiare sotto gli alberi.

«Anch'io mi sento sola» disse Elizabeth. «Non mi ero resa conto di quanto tu riempissi la mia vita. Stiamo insieme da così poco.»

«Vuoi dire che sono ingombrante?» disse Ottaviani ridendo.

«Parlo sul serio, Fabio. Anche se è per poco, mi sembra sprecato il tempo in cui stai lontano da me.»

«Lo dici per farmi piacere... Fra qualche mese te ne tornerai in America dove certamente hai tanti ammiratori,... amici.»

«Ti sbagli, Fabio. Io sono una donna sola.»

«Sei intelligente, bellissima, direi anche ricca da quello che posso capire... Che te ne fai di uno come me? Elizabeth, non pretendo di essere per te il grande amore. Oh sì, non mi ritengo stupido né antipatico e ti credo quando dici che stai bene con me, ma non mi aspetto che tu mi consideri più che un caro amico; come dite voi, un boy-friend che ti fa trascorrere l'estate piacevolmente...»

«Dici così perché hai paura di ammettere che mi ami veramente, profondamente.» Ottaviani la strinse a sé appoggiandosi al tronco di un tiglio secolare. «Ci sono tante parole d'amore dentro di me» disse.

«E non vuoi lasciarle uscire... please lover...»

«Per farle scivolare sul tuo viso, sul tuo corpo, come un bagno caldo... fra i tuoi capelli come un profumo?... No, io vorrei conoscere parole forti, capaci di penetrarti, di distruggere la tua perfezione olimpica, di farti piangere come un bambino che ha terrore del buio...» Si levava il vento e alla loro destra il lago di Nemi, sprofondato nella buia caldera vulcanica, s'increspava di onde nere. «Vorrei intorbidare i tuoi occhi sempre limpidi... Io non ho paura delle profondità...»

Elizabeth si sciolse dalla morsa delle sue braccia, arretrando di un passo e lo guardò... Lentamente il suo sguardo s'incupiva, un'ombra scura si addensava nei suoi occhi e le labbra le tremavano. Pianse davanti a lui con grosse lacrime, immobile e muta.

«Elizabeth... oh, mio dio, Elizabeth, perdonami... amore mio...» La strinse a sé, la baciò. Le sue labbra erano salse e amare.

Raggiunsero l'automobile e Ottaviani si sedette al posto di guida.

«Fabio.»

«Sì?»

«I'm sad... Don't do that to me... never again... never.»

«Non so perché ti ho detto quelle cose...»

«Lo credi ora che ti amo?»

«Sì.»
«Più della mia vita.»
«Sì, ti credo.»
«Fabio, c'è una cosa importante che voglio chiederti.»
«Tutto quello che vuoi.»
«Andiamo a Roma. Lascia quel posto, please. Non può esserci nulla che già non sia noto: tutti i libri dell'abbazia sono catalogati nei repertori bibliografici e li ho controllati io stessa. Vieni a casa con me... now.»
«Lizzy... che cosa mi stai dicendo...»
«Sto parlando seriamente, please, Fabio, andiamo a casa, voglio dormire vicino a te questa notte e anche domani e dopo...»
«Lizzy, ma io non ho intenzione di sprecare più tempo del minimo necessario a Grottaferrata. Forse è come dici tu e non troverò nulla, ma almeno lascia che provi... Per me è importante.»
«Più di me?»
«Lizzy, accidenti, non capisco più niente. Mi dici sempre che non devo farmi prendere dalle emozioni, che un uomo di scienza non si lascia prendere dalle emozioni e poi, tu stessa ti comporti così tutto a un tratto. Insomma, mi hai sempre incoraggiato e adesso invece ti tiri indietro.»
Elizabeth parve rassegnata: «Alright» disse. «Come vuoi.»
Ottaviani mise in moto e si diresse verso San Nilo. Fermò l'auto nella piazzetta della chiesa e spense il motore.
«Ci sono notizie del professor Lanzi?»
«No. La polizia escluderebbe l'ipotesi di un rapimento perché non è arrivata nessuna richiesta di riscatto, né alla famiglia, né ai giornali, né a nessun altro.»
«È strano,» disse Ottaviani «ma io resto comunque della mia idea. Per me lo hanno rapito e il furto di quel torso nel magazzino deve averci a che fare in qualche modo.»
«Lascia stare, Fabio, c'è la polizia per questo. Adesso occupati del tuo lavoro: voglio che tu torni con me presto.»
Ottaviani l'accarezzò a lungo senza parlare.
«A che pensi?» chiese Elizabeth.

«Il sentimento che provo per te sta cambiando la mia vita...»

«Quanto?»

«Molto... troppo, forse. Per questo ho paura.»

«Anch'io sono cambiata,» disse Elizabeth «ma non ho paura. È bello amarti, Fabio, e sapere che mi ami.» Lo baciò leggera sulla bocca: «Mi chiamerai domani?».

«Verso le sette?»

«Alright... Sei sicuro che non vuoi tornare a Roma con me?»

«Tornerò presto, cara. Ora lascia che vada.»

Scese dall'auto ed entrò nel monastero un attimo prima che il portiere chiudesse, raggiungendo la sua cella. Si affacciò alla finestra e guardò l'auto di Elizabeth che partiva. Ora sì che avrebbe voluto essere con lei, a casa, dormire stretto a lei dopo aver ascoltato a lungo il rumore del vento.

Un senso di solitudine e di paura lo colse all'improvviso: le luci della Città, i suoi rumori famigliari gli sembrarono lontani, come se non dovesse più uscire da quelle mura...

Il vento rinforzò ancora agitando le chiome dei lecci e dei cipressi contro il cielo nero, poi cominciò a piovere e dal giardino salì un odore di polvere spenta e il profumo intenso dei pini.

Chiuse la finestra, accese la lampada sul tavolo e si mise a leggere il giornale. Una folgore saettò sulla Città, trifida, come il serpente di Athena, e poco dopo il tuono esplose con fragore. La luce della lampada si attenuò, palpitò un attimo e si spense. Ottaviani tirò fuori i fiammiferi e accese la candela che stava sull'inginocchiatoio. Afferrò il manico della bugia e l'alzò per illuminare la camera. La fiamma tremolante diffuse il suo chiarore sul muro in cui si apriva la finestra e mise in rilievo ogni protuberanza delle pietre di cui era fatto.

In quel momento il suo sguardo si posò su uno strano segno tracciato su una delle pietre. Accostò ancora di più la candela al muro e poté distinguere nettamente, nel forte contrasto di luce e ombra, una specie di graffito inciso nel calcare. Pareva un ovale con un piccolo tratto trasversale al centro... come una "theta" maiuscola dell'alfabeto greco. Vi accostò la mano destra per rilevarne i bordi al tatto ma in quello stesso momento si sentì male: un senso di vertigine, un affanno strano e improvviso. Avvertì un forte senso di nausea mentre la fronte gli si imperlava di sudore gelato, e poi un conato di vomito. Si girò con gran fatica appoggiando la schiena contro il muro e mentre stava per scivolare sul pavimento raggiunse con la mano sinistra la maniglia della finestra e l'aprì. Lo investirono una folata di vento freddo e spruzzi di pioggia e si sentì rinascere. Respirò profondamente appoggiandosi con tutte e due le mani sul davanzale: era passata ormai.

Richiuse la finestra e cercò a tentoni il letto, si coricò cercando di rilassarsi e pian piano il battito del cuore rallentò, il respiro si fece regolare. Quando tornò la corrente e la lampada dell'abat-jour si riaccese sul tavolo, era già profondamente addormentato.

L'indomani, appena alzato, andò a bussare allo studio dell'archimandrita.

« Avanti » disse la voce dall'interno. Ottaviani entrò e vide che c'era già una persona seduta di fronte all'archimandrita. « Venga, professore, venga pure. Le presento un suo collega, il dottor Ioannidis, studioso di antichità bizantine: è interessato alla storia del nostro ordine e resterà con noi per qualche tempo anche lui. »

« Piacere » disse Ottaviani stringendogli la mano. Ioannidis s'inchinò e uscì dicendo: « La vedrò volentieri più tardi per qualche scambio di idee; so che anche lei è qui per motivi di studio ».

« Volentieri » disse Ottaviani. « Ma non è italiano » chiese poi all'archimandrita dopo che fu uscito.

« No, infatti. Penso sia di Creta. Allora, professore, mi dica. »

« Padre, ieri sera, quando è mancata la luce ho acceso una candela e ho notato sul muro esterno della cella un graffito, una specie di "theta" maiuscola. Volevo sapere se lei ne conosce l'esistenza e magari il significato. Non sono digiuno di epigrafia, ma è un segno che non avevo mai visto. Avrei voluto esaminarlo con maggiore attenzione ma mi sono sentito poco bene... forse il cibo del ristorante, un colpo d'aria, chissà... Poi stamattina ho pensato di chiedere a lei.»

«Sì, professore,» rispose il vecchio «conosco quel segno che è fra l'altro piuttosto antico. Di solito si ritiene che sia l'iniziale della parola greca "Theòs", Dio. Un monogramma forse come la famosa "chi" greca per "Christòs" sulle lapidi delle catacombe.»

«Ma è attestato altrove?»

«Non saprei, ma non credo, non ho mai sentito dire...»

«Nemmeno io, infatti. Grazie comunque, e scusi se l'ho disturbata.»

«Mi consideri sempre a sua disposizione» rispose l'archimandrita alzandosi e accompagnandolo alla porta.

Ottaviani uscì per fare colazione al bar e per comprare il giornale. La pagina della "nera" dedicava un magro trafiletto alla scomparsa del professor Lanzi. Era passata ormai più di una settimana da quando era sparito e ancora non se ne aveva notizia: forse i giornali osservavano il silenzio stampa per favorire eventuali contatti con i rapitori? La pagina degli interni era completamente occupata da un grande servizio sui guerrieri di Villa Giulia, assediati da folle sempre maggiori. La polizia era dovuta persino intervenire per disperdere gruppi di facinorosi che volevano entrare in orario di chiusura. Sociologi e psicologi si scomodavano per tentare una spiegazione del singolare fenomeno, con risultati peraltro discutibili. Gli archeologi sembravano invece per la maggior parte stizziti di quella rumorosa invasione del volgo profano: che diavolo voleva tutta quella gente che non capiva un'acca di arte e di civiltà greca? I più seccati erano in particolare quelli che di solito lamentavano il totale disinteresse dell'opinione pubblica per il patrimonio artistico e monumentale che andava in rovina.

Si accese una sigaretta sorseggiando il cappuccino che il cameriere gli aveva appoggiato sul tavolo e continuò a scorrere il quotidiano: l'ammiraglio Zamjatin spediva le sue portaelicotteri attraverso l'Ellesponto a fronteggiare la Sesta flotta che incrociava tra lo Ionio e l'Egeo e massicci movimenti di truppe erano segnalati in area caucasica. Dai monti Zagros migliaia di soldati persiani scendevano verso Nimrod, Kalah, Arbil. Fra Mahabad e Kars, sulle montagne inaccessibili di Urartu, migliaia di Peshmerga varcavano inquieti i confini di cinque nazioni pronti a sollevare la loro gente divisa e soggetta.

Ma quelle notizie erano piccole, la loro voce era sommessa. Le spiagge traboccavano di famiglie medio-agiate al bagno d'agosto; i ragionieri si arrostivano in fretta a Rimini e a Viareggio per spacciare una tintarella esotica, fra poco, agli sportelli bancari di Milano, di Torino, di Bologna.

Migliaia di turisti si aggiravano per gli zoo archeologici della penisola, brulicavano attorno ai colossi mutilati, impietosamente prostituiti alle instamatic e alle movie-cameras.

Ardevano le ultime foreste di Umbria, bruciavano come torce le roveri di Sardegna, i pini loricati di Calabria; incalzati dalle fiamme fuggivano gli ultimi lupi italici dai monti del Sannio per morire come cani randagi sotto le ruote dei TIR. E il sole trionfante, deus sol invictus, regnava su un impero di turisti, irradiava la sua gloria sui ventri atticciati, sulle natiche oscene e pioveva fuoco senza pietà sulle terre riarse dei contadini, seccava i foraggi, inaridiva le viti ostinate, bruciava gli olivi immortali.

L'acqua era scesa, la notte prima, solo sulla Città ma subito fuori di essa si era mutata in grandine grossa che aveva coperto il terreno di frutti acerbi e di foglie lacerate.

Il cappuccino era cattivo e sapeva di latte a lunga conservazione; non c'erano brioches fresche perché il pasticciere era in ferie. C'erano di quelle sotto plastica, ripiene di marmellata caustica, spudoratamente rossa. Ottaviani rientrò fra le mura dell'abbazia e si chiuse in cella disgustato. Si buttò sul letto, alzando il cuscino sulla testiera di latta dipinta: proprio davanti a lui stava il segno, trascurabile ora, nella luce diffusa del mattino, appena percettibile. Cercò un po' di musica nella radio a transistors e si accese una sigaretta.

Il segno era "theta". "Theta" come Theòs, cioè "Dio"... casualmente "theta", perché pregando o credendo in latino... allora sarebbe stata un D, come Deus (Deus ex machina?) e invece era theta... come si conviene alla cella di un monaco di rito greco basiliano... un monaco come... Theodoros? Anche il cappuccino gli era rimasto sullo stomaco e gli dava nausea... vomito... Cosa ci faceva, stupido, in un convento di frati in via di estinzione quando poteva affondare la lancia in una terra ubertosa, mangiare del frutto proibito, volare alto in un cielo senza nubi, veleggiare in un mare verde come lo smeraldo, toccare l'ombelico del mondo, spirare fiamme come un dragone, finché era in tempo (tempus irreparabile fugit?) prima di tornare mortale, foglia d'autunno su un albero... prima di imboccare la discesa che porta alla morte (stipendium peccati, mors). "Vedo una vela nera" piangevano i Jethro dalla radio "all'orizzonte... *I see a dark sail on the horizon set under a dark cloud that hides the sun...*" ...prima che fosse troppo tardi, finché era in tempo...

E il segno era sempre là, ed era "theta", "th..e..t..a", come... come "THEODÒROS ÉGNOKE TÈN ALÉTHEIAN"! "Theodoros sapeva la verità" "e sapevi anche, bastardo di un frate, che io ti avrei capito. Quanti anni, quanti secoli sono passati: sei, sette, otto? Solo io ti ho capito, ti ho stanato in atmosfera controllata, umidificata, vigilatò dal tedesco cerbero... e adesso non deludermi... fratello... ti prego, non deludermi".

Fabio Ottaviani si era seduto sulla sponda del letto coi gomiti sulle ginocchia e la faccia tra le mani: piangeva.

9 agosto, ore 16

« Prego, si accomodi » disse Ottaviani nascondendo nel cassetto il suo temperino swiss-army. Ioannidis si sedette sullo sgabello che stava davanti alla scrivania.

« Allora, se ho ben capito, lei, Ottaviani, è qui per una ricerca filologica. »

« Più o meno. »

« E come va? »

« Non c'è male, ma potrebbe andare meglio. E lei? »

« Sono bizantinista, come le ha detto l'archimandrita, e mi interessa la storia di questo convento. »

« È alla ricerca di qualche testimonianza inedita, per caso? »

«Infatti. Ma è uno strano posto questo... ha notato?»
«Be'... niente di particolare a dire la verità.»
«L'archivio del monastero è incompleto, secondo me, e una parte dei documenti è praticamente irraggiungibile perché si trova nell'archivio privato dell'archimandrita.»
«Quello dove ci siamo incontrati?»
«No, quello è solo un ufficio: lo studio privato è nel sotterraneo, dietro la cripta. Le dirò, comunque, caro collega; posso chiamarla collega?» Ottaviani annuì. «Che quando si tratta di ricerca io non mi fermo di fronte a nulla.»
«E come ha saputo di questo archivio privato?»
«Caro Ottaviani, lei sa che noi ricercatori siamo un po' come dei detectives... come si dice in italiano... investigatori.»
«Già... ma lei parla italiano meglio di me... Mi dicono invece che è cretese.»
«Sì, ma ho studiato a Rodi, quando l'isola era ancora italiana. Lei conosce la Grecia?»
«Sì, sono stato in Grecia molte volte, quasi sempre per motivi di studio» rispose in greco Ottaviani con un buon accento ateniese per mettere alla prova il suo interlocutore.
«Ah, omilàte hellenikà poly kalò» si complimentò Ioannidis.
"Non è fasullo" pensò Ottaviani "ma non è nemmeno cretese... si direbbe piuttosto del nord... Tracia, forse."
«Posso chiederle l'argomento della sua ricerca?» chiese Ioannidis.
«Niente di speciale. Studio la Geografia di Strabone, i codici di Polibio. Una piccola indagine critica.»
«Interessante... Sarò felice di parlarne in una prossima occasione e di parlarle anche dei miei risultati... se le fa piacere, ovviamente.»
«Sarà un grande piacere» mentì Ottaviani che non vedeva l'ora che se ne andasse. Ioannidis salutò ed uscì ed egli estrasse immediatamente il temperino, fece uscire la piccola sega d'acciaio e cominciò a scalzare la pietra segnata della "theta".
Lavorò con metodo e pazienza per quattro ore conservando in un cartoccio tutti i detriti, interrompendosi solo un attimo

prima della chiusura dei negozi per comprare in ferramenta due robusti cacciavite. Con quelli, finito di scalzare il blocco di pietra, cominciò a far leva alternativamente a destra e a sinistra per farlo uscire dalla sua sede.

L'ora del silenzio notturno era già suonata da un pezzo quando introdusse la mano spellata e tremante nella cavità buia del muro. Esplorò a destra, a sinistra e poi ancora più a fondo davanti a sé e le sue dita toccarono finalmente qualcosa: una superficie viscida e tubercolosa, come la pelle di un rospo. Ritrasse la mano con un brivido di schifo e andò a prendere la torcia elettrica per illuminare la cavità. A circa trenta centimetri c'era una sorta di grumo nero bitorzoluto della forma di un parallelepipedo; si mise la torcia in bocca e allungò tutte e due le mani estraendo con immensa precauzione lo strano oggetto.

Lo appoggiò sul tavolo e cominciò lentamente a raschiarne la superficie con il temperino: sotto un velo di polvere e di muffa fradicia trovò uno strato irregolare di cera. Chi aveva compiuto quell'operazione aveva usato un cero acceso per stendere una colata protettiva sull'oggetto sottostante.

Ottaviani cominciò a rimuovere lo strato di cera cercando di controllare alla meglio la sua emozione, ma le mani gli tremavano come ad un artificiere inesperto alle prese con un malloppo di plastico esplosivo. Quando ebbe finito si trovò di fronte una scatola di legno: l'aprì e vide un antichissimo volume. Sulla prima pagina campeggiava la scritta "POLIBIOU HISTORIAI"!

Dovette fermarsi e andare alla finestra a riprendere fiato, a respirare per un poco l'aria fresca della notte. Dalla strada gli venne in quel momento il rombo di un motore che andava in moto, un motore grosso che girava rotondo... come un sei cilindri... come la Ford Camaro di Lizzy...

Si era completamente dimenticato di telefonarle! Forse lei si era preoccupata ed era salita da Roma sperando di vederlo. Ma ormai era troppo tardi per le visite e certo aveva trovato il portone già chiuso. Tornò al suo tavolo e cominciò a leggere rendendosi conto ben presto di avere fra le mani il testo integrale delle storie di Polibio. Prese allora la macchina fotografica e il flash e cominciò a fotografare pagina dopo pagina. Andò avanti per tutta la notte senza mai fermarsi. Alle sei in punto, terminato il suo lavoro, aveva rimesso il codice al suo posto, chiuso la cavità con la pietra e stuccato i bordi con i tritumi di calce mescolati con della gomma arabica. Poco dopo era al bar, unico avventore, assieme a un guardiano notturno che smontava dal servizio.

«Ugo,» diceva il guardiano al barista assonnato «te dico che all'abbazia ce stanno li fantasmi.»

«E io te dico che te sei fatto un cicchetto de troppo ieri sera.»

«Ma che cicchetto, che so' astemio. Te dico che per tutta la notte ho visto dei lampi usci' de na' finestra de l'abbazia; pareva che ce fosse 'n temporale là dentro!»

«Mi fa un cappuccino?» chiese Ottaviani per interrompere quel discorso. Il barista si mise all'opera. «Gettoni ne ha?»

«Creda a me, dotto',» insisteva intanto il metronotte rivolto ad Ottaviani «ce so' li fantasmi là dentro.» Ottaviani bevve il cappuccino, prese i gettoni e andò al telefono:

«Lizzy? Sono io, Fabio.»

«Fabio?» rispose la voce assonnata. «Ma che ore sono? Che c'è?»

«Ascoltami, Lizzy, ieri non ti ho chiamato perché è successa una cosa... Ci sono, Lizzy, ci sono... una scoperta fantastica. Senti, appena aprono i negozi comprami tutto l'occorrente per sviluppare in bianco e nero: acido, fissatore, tank... hai capito bene? Ecco, brava, e poi vieni subito da me. Telefona a Paolo che non puoi andare sullo scavo, che andrai domani. Mi raccomando, vieni, è una questione della massima importanza... Okay?»

«Okay, Fabio, stai tranquillo... Sarò da te verso le nove, va bene?»

«Benissimo. Ciao, amore, ti aspetto.»

Pagò e rientrò nella sua cella cercando di dormire un poco. Alle nove precise il portiere lo svegliò dicendo che una signorina lo aspettava all'ingresso.

Elizabeth lo portò in auto per un paio di chilometri lungo la strada di Albano poi imboccò un sentiero di campagna e si fermò in uno slargo sotto un gelso.

«Non sono più riuscita a dormire questa mattina» disse «dall'eccitazione che mi hai messo. È magnifico, Fabio... e io che non avevo fiducia e volevo riportarti a Roma.»

«Neanch'io ci posso ancora credere» disse Ottaviani. «Ti rendi conto, un codice di Polibio, integro, più antico del vaticano 4731: è la più grande scoperta filologica degli ultimi quattro secoli.»

Elizabeth lo abbracciò: «Ma dimmi, dove si trova ora?».

«L'ho nascosto in un posto sicuro dove nessuno potrà mai trovarlo. Prima voglio studiarlo bene e, soprattutto, scoprire il significato della glossa criptica del codice vaticano. È chiaro che il copista accennava a qualche testimonianza contenuta nell'originale, qualcosa che lo colpì e lo sconvolse. Ho fotografato l'originale e oggi intendo sviluppare i negativi: non avrò nemmeno bisogno di stamparli perché la scrittura apparirà in bianco su nero, e con il grande formato mi basterà una lente per leggere senza difficoltà.»

«Perché non torni con me a Roma?»

«No, Lizzy, non ancora. Non voglio abbandonare il codice e nemmeno posso trasportarlo. Abbi pazienza.»

Elizabeth lo guardò: aveva i lineamenti tirati, gli occhi rossi.

«Watch out, Fabio,» gli disse passandogli una mano tra i capelli «sei sfinito, hai bisogno di riposarti.»

«Dopo, amore mio, dopo. Ora debbo tornare al lavoro.»

11 agosto, ore 19,30

Aveva passato tutta la giornata a sviluppare i negativi del capitolo ventiduesimo e li aveva appesi ad asciugare. Ormai la maggior parte delle pellicole erano asciutte e leggibili. Si costruì un visore di fortuna utilizzando la lampada da notte e cominciò ad esaminare il testo: ...Saputo della sconfitta di Cnaeus Manlius Vulso in Tracia i senatori si erano rivolti al simulacro di Pallade iliaca come all'unico presidio che potesse salvare la città dall'ira divina; esso era conservato a Lavinium fra sei repliche che dovevano confondere il vero Palladio. Si era inoltre consultato l'oracolo di Delfi che aveva dato un responso di difficile interpretazione: si doveva collocare sul Campidoglio il Palladio, vigilato dagli eroi che la dea maggiormente prediligeva: Ulisse e Diomede.

Ottaviani appoggiò la lente di ingrandimento e si fregò gli occhi stanchi. Non c'era dubbio: le sette statue di cui parlava lo storico erano le stesse che Quintavalle aveva riportato in luce a Lavinium, ma gli suonava strano il riferimento dell'oracolo a Ulisse e Diomede. Riprese a leggere con fatica la parte che veniva dopo, lacunosa qua e là per le macchie di muffa che avevano corroso il tessuto di cui era fatto il codice: ...Qualcuno sapeva di un santuario in cui erano venerate le statue di Ulisse e Diomede e dunque la nave "Aquila" era stata inviata per riportarle a Roma dall'isola su cui si trovavano, ma al momento di smontare le armi che le statue imbracciavano un prodigio aveva terrorizzato i marinai e le armi erano finite in mare. Al ritorno la nave, ormai in prossimità dell'Italia, colta da una tempesta era affondata. Solo due marinai si erano salvati... In seguito un terremoto aveva seppellito il console Vulso tra le rovine della sua casa... giusta punizione per aver disobbedito all'oracolo sibillino... Da quel momento si era diffusa la voce che il Palladio si trovava a Roma, nei penetrali del tempio di Vesta...

Ottaviani quasi non poteva credere a ciò che aveva appena letto; le teorie del professor Cassini confermate in pieno! La notizia diffusa dal senato secondo cui il Palladio si trovava nel tempio di Vesta era falsa dunque, dal momento che il simulacro si trovava con ogni probabilità fra le sette statue scavate da Quintavalle. Ma c'era ben altro: le statue di Ulisse e Diomede di cui parlava Polibio erano certamente quelle degli eroi di Taormina! Non erano forse il giovane dalla chioma leonina il divino Tidìde e l'altro, il guerriero pensoso, il grande Ulisse, maestro di frodi? E non erano forse privi delle armi, non erano stati recuperati dal mare in prossimità della costa? Tutto combaciava perfettamente: l'oracolo li chiamava eroi prediletti dalla dea, proprio come apparivano nei poemi omerici, mentre nella versione tarda dell'Eneide di Virgilio essi erano invece maledetti da Athena per aver osato toccare il Palladio con le mani insanguinate.

I pezzi del mosaico si ricomponevano in modo tanto perfetto che gli pareva impossibile e aspettava quasi di risvegliarsi da un sogno da un momento all'altro e veder svanire tutto: il codice, le mura della sua cella...

Il torso. Il torso rubato! C'era una divinità fra due nudi maschili in armi! Cercò nel portafogli la fotografia che gli aveva dato Quintavalle, l'esplorò in ogni particolare con la lente: vi era rappresentato un tempietto stilizzato e sotto le tre figure. Chi aveva plasmato quel rilievo certamente conosceva l'oracolo riportato da Polibio.

Riprese la lettura del testo: era lì la verità di Theodoros, una verità che certo lo aveva sconvolto, come ora sconvolgeva lui, Fabio Ottaviani, dopo tanti secoli.

Quella stessa sera cercò Ioannidis ma non lo trovò. Lo incontrò il giorno dopo nel pomeriggio mentre stava per entrare nella sua camera:

«Senta, Ioannidis, lei sta studiando la storia di questo monastero, non è così? Ecco, volevo chiederle se c'è qualche documento che riguardi i membri di questa comunità, in particolare per quel che concerne il periodo altomedievale.»

«C'è qualcosa che interessa la sua ricerca?»

"Quest'uomo risponde sempre alle domande con altre domande" pensò fra sé Ottaviani:

«È così,» disse «sto cercando di individuare la mano che ha copiato una serie di codici verso la fine dell'undicesimo secolo, fra cui il polibiano vaticano 4731.»

«Capisco: un problema di collazione dei testi... o forse la preparazione di un'edizione critica?»

«L'uno e l'altro» mentì Ottaviani. «Vede, il copista che mi interessa si chiamava Theodoros. Sto cercando di vedere se sia possibile attribuirgli la paternità di un certo numero di codici che sto studiando.»

«Theodoros ha detto... no, per ora non ho mai incontrato quel nome e per giunta non sono ancora riuscito a consultare i testi conservati nell'archivio privato dell'archimandrita. Ma non mi sono arreso ancora, e chissà... forse in questi giorni... In ogni caso le farò sapere se troverò qualche notizia interessante. »

« La ringrazio, e... disponga pure di me nel caso possa esserle utile. »

Ottaviani uscì e scese al bar comprando una manciata di gettoni poi si attaccò al telefono:

« È lei, signora? Sono Fabio, c'è Alfredo? »

« Quel disgraziato... » esordì la signora Settembrini « è sempre in giro tutta la notte e dorme tutto il giorno. Ma perché non gli dice di mettere la testa a posto, lei che è così bravo... È di là che fa colazione, glielo chiamo subito. »

« Eccolo » rispose dopo un po' la voce di Biscùt.

« Non dovevi scendere a Roma a fare quel servizio per "Archeologia ed Arte"? »

« Infatti. Parto verso mezzanotte, col fresco. Claudio Rocca e Dino Rasetti non vengono, hanno da fare. »

« Peccato. Senti, c'è la mia moto fuori combattimento. Dovrebbero metterci mano domani. Non potresti passare a dare un'occhiata? Sai, mi fido il giusto di questo meccanico. »

« Debbo anche imporgli le mani? »

« Be', vedi tu, se ti lasciano... Il garage è in via Tuscolana al 352. »

« Ricevuto. Ma dove sei? »

« In un convento. »

« Pax tibi » rispose Biscùt senza fare una piega.

Poi Ottaviani chiamò Elizabeth:

« Lizzy? Sono io. Ho terminato ormai il mio lavoro. Domani sera puoi venire a prendermi. »

« It's about time » disse Elizabeth. « I'm dying to be with you again. »

« Anch'io, cara, anch'io non vedo l'ora. »

Mangiò in fretta un boccone all'osteria e rientrò, lavorando fino a notte inoltrata.

Si coricò tardi, sfinito.

VII

Abbazia di San Nilo, 12 agosto, ore 1

Il sonno tardava a venire, forse perché si era stancato troppo e nella sua mente si accavallavano cento immagini che tentava di inseguire, di afferrare, di comprendere. A tratti tutto sembrava chiaro, ma poi la perfetta coincidenza fra la testimonianza dell'antica fonte che aveva scoperto e le prove archeologiche emerse dalla terra e dal mare gli appariva fin troppo esatta, quasi banale.

C'era ancora un personaggio che gli rimaneva oscuro: Theodoros, l'amanuense, l'autore della glossa criptica. Che ragione poteva aver avuto per nascondere in quel modo il codice all'interno del monastero e della sua stessa cella? Perché non aveva trascritto la versione integra del testo che egli ben conosceva al posto di quella corrotta e mutila della Biblioteca Vaticana?

E Ioannidis, che cosa sapeva? Che cosa c'era di vero in quello che diceva a proposito dell'archivio dell'archimandrita? E la sua faccia poi, gli pareva di averla già vista ma non poteva ricordare dove. Si addormentò alla fine, e gli pareva di camminare lungo una strada deserta in mezzo ai campi, in direzione del mare. Gli pareva di andare verso Lavinium, ma a un certo punto si fermava all'incrocio con un'altra strada: una via larga, pavimentata di grosse lastre di pietra, fiancheggiata da grandi monumenti mezzo in rovina.

E c'era della gente; un gruppo di persone facevano ressa intorno a qualcosa che non gli riusciva di vedere. Sentiva uno strano disagio, come un peso che gli opprimeva il cuore e sentiva che non doveva fermarsi, che doveva raggiungere la sua meta, assolutamente. Eppure la curiosità lo induceva ad accostarsi a quella gente. Si faceva largo tra quegli uomini silenziosi, attoniti, che tenevano in mano badili, zappe, pali, finché giungeva a vedere l'oggetto del loro stupore. C'era là in mezzo un muro alto un uomo, sormontato da tre archi in rovina e dietro una specie di arca di pietra, scoperchiata. Egli allora si sporgeva, quasi timoroso di guardare mentre il battito del cuore si faceva rapido, convulso, e dentro l'arca egli vedeva un corpo... il corpo di una ragazza, perfetto come quello di una dea, ma del colore cereo della morte. Il suo volto era di superba bellezza, gli occhi chiusi, la fronte e le guance ombreggiate di una lucente chioma nera... Una fitta dolorosa gli passava il cuore e l'animo era invaso dalla più cupa disperazione... Era il volto di Elizabeth quello che vedeva, stupendo, dolcissimo e immobile nel rigore della morte ed era il corpo di Elizabeth che si offriva agli sguardi di quei villani.

Si accasciava lentamente al suolo mentre qualcuno lo sollevava di peso e lo trascinava ai bordi della strada, sotto un grande pino. La sua disperazione era tale che credeva che ne sarebbe morto, ma quando riapriva gli occhi vedeva che la folla aumentava sempre più e che ogni passante si univa alla calca. Egli allora si scagliava contro quella gente, come un forsennato, cercava di respingerli, di cacciarli via, ma la folla si rivolgeva contro di lui travolgendolo: lo calpestavano, lo colpivano con pugni e calci ed egli si sentiva precipitare in un abisso senza fondo.

Immerso nelle tenebre, morso da rabbia e impotente, udiva solo in lontananza come un brusio confuso di mille voci, alcune sommesse come bisbigli, altre più forti, voci di ammirazione, di stupore, oscenità ripugnanti.

In quello stato gli pareva di passare un'eternità finché gli sembrava di vedere nuovamente la luce, rossastra, crepuscolare. Si guardava intorno sperando che la sua tortura fosse finita ma la gente era ancora là, sempre più numerosa. A un tratto si udiva un galoppo di cavalli e un rumore di ruote sul lastricato e apparivano dei soldati con elmi e cotte di maglia. Respingevano la folla, la caricavano imprecando e facevano avanzare una carretta trainata da un mulo. Prendevano quel corpo dall'arca di pietra e lo gettavano nella carretta portandolo via. Egli allora si alzava con immensa fatica vincendo l'inerzia delle membra indolenzite e seguiva quel carro. Si trascinava a lungo, zoppicando, mentre la folla andava via via diradandosi finché la carretta si fermava davanti a una muraglia di mattoni, sormontata da torri massicce. Là i soldati scavavano una fossa mentre giungeva un'altra carretta su cui giacevano ammonticchiati i corpi di altre donne, avvolti in abiti di sacco tinti di rosso. E assieme a quei corpi disfatti, osceni, egli vedeva gettare nella fossa, come la carogna di un animale, l'oggetto del suo amore e della sua disperazione.

Gli pareva poi di essere di nuovo nella sua cella, sul suo letto, immerso nel buio e nel silenzio e di vedere emergere dall'oscurità, come uno spettro, quel volto incantevole e di sentire una voce... quella voce, che lo chiamava, con struggente insistenza finché egli capiva che doveva alzarsi ed andare... andare là da dove non si torna.

E c'era un'altra voce, lontana, incerta, come interrotta dai singhiozzi, la voce di un vecchio che diceva « KYRIE, OH KYRIE, HELEISON TON HUION SOU THEODORON HOS APETHANE EN TAIS CHERSI TOU DIABOLOU KAI HELEISON HUMAS! » e anche a lui pareva di implorare: "Signore! Oh Signore, abbi pietà del tuo figlio Theodoros, morto fra le mani del demonio!".

Gli pareva di gridare sempre più forte come se affondasse in una voragine e volesse far udire la sua voce ma egli affondava più rapidamente di quanto la sua voce non aumentasse di intensità e allora la sua sofferenza diveniva atroce, eterna, ed era un lamento prolungato, gorgogliante, come di chi vuol gridare nell'acqua, un singulto doloroso, soffocato, spento nel buio senza fine.

Ore 3

Qualcuno lo scuoteva, lo tirava per un braccio chiamandolo per nome: « Ottaviani, Ottaviani, che avete, vi sentite male? ».

«Chi è? O Dio, la testa, mi fa male... ma chi è?» Accese la luce sul tavolo da notte:

«Voi Ioannidis? Che fate qui?... Ma che ora è?»

«Rientravo nella mia camera e ho sentito che vi lamentavate, ho udito delle grida dalla vostra camera e sono entrato. Calmatevi, è stato un sogno. Su, ecco, tiratevi su... è passato tutto. Volete che vi prenda un bicchier d'acqua?»

«Oh, sì, grazie.» Ioannidis prese un po' d'acqua dal lavabo e gliela porse in un bicchiere di plastica.

«Cristo, ma sono le tre del mattino. Che ci facevate in giro a quest'ora?»

Ioannidis sorrise ambiguo:

«Caro collega, voi sapete bene che noi ricercatori siamo un po' come degli investigatori, dei detectives...»

«Questo me l'avete già detto, mi pare.»

«Giusto. E allora, ciò che non si trova di giorno si può trovare di notte.»

«E che cosa avete scoperto?»

«Che questa abbazia ha davvero un archivio segreto in cui sono conservate le testimonianze degli episodi più oscuri, più incresciosi occorsi a questa venerabile comunità.»

Ottaviani si alzò e si infilò una vestaglia: «L'archivio segreto, eh?... E posso chiedervi come siete riuscito...».

«Semplice: ho pedinato l'archimandrita. È stato verso mezzanotte, stavo leggendo qualcosa prima di coricarmi e ho sentito cigolare la porta della sua camera. Ho visto che scendeva in chiesa e l'ho seguito fin nella cripta. L'archivio segreto è là. Il vecchio è entrato, ha preso da uno scaffale un fascicolo di pergamena poi si è seduto a un tavolo ed è rimasto per più di mezz'ora a consultarlo. Quando l'ho visto tornare di sopra non ho resistito alla tentazione: ho aperto la porta e sono entrato a dare un'occhiata...»

«Un'occhiata di due ore e mezza almeno» disse Ottaviani guardando l'orologio. «Si direbbe che abbiate trovato qualcosa di interessante.»

«Oh, sì, certo. Molto interessante... anche per voi, credo...»

«Andiamo, Ioannidis,» disse Ottaviani con un certo tono

spazientito « non mi sembra l'ora adatta per giocare agli indovinelli. Se vi va di dirmi qualcosa parlate e se no andiamocene a dormire. » Gli girò le spalle accostandosi alla finestra.

« Theodoros di Focea... »

« Che? » disse Ottaviani voltandosi di scatto come colpito da una frustata.

Ioannidis abbozzò un sorrisetto compiaciuto: « Il vostro amanuense, si chiamava Theodoros di Focea. C'è il suo diario là dentro ».

« Scherzate. »

« Affatto. »

« Ma come fate a dirlo? »

« Mi avete detto che si chiamava Theodoros e che visse nell'undicesimo secolo. Quel diario è datato al febbraio del 1071... Non può essere che lui. »

« Sì, accidenti, avete ragione. E... cos'altro avete scoperto? »

« Be', non fatevi grosse illusioni, Ottaviani, non credo che ci trovereste molti elementi utili alla vostra ricerca. Se i vostri problemi sono di ordine filologico non c'è nulla in quel diario che li possa risolvere. »

Ioannidis continuava a tenerlo sulla corda, voleva sapere qualcosa in cambio di quel poco che lasciava capire. Ma che interesse poteva avere un bizantinista all'opera di Polibio? C'era qualcosa di infido e di falso nell'espressione torpida e fredda del suo sguardo. Ottaviani decise di non scoprire le sue carte.

« Bene, Ioannidis, non voglio forzarvi a dirmi altro, se non volete. Ne parleremo un'altra volta, magari. »

« Ma no; non ho niente da nascondervi. Solo mi sembra una storia del tutto assurda. Ecco, l'uomo racconta di aver trovato un antico testo e di avervi scoperto una verità terribile che non gli aveva più dato pace. Per inseguire questa sua verità aveva lasciato il monastero, ma la potenza di Satana si era manifestata sulla sua strada in forma di una fanciulla di stupenda bellezza, morta. »

« Che significa? »

« Aveva incontrato per la via un gruppo di zappatori che

demolivano una tomba pagana per ricavarne le pietre di cui era fatta. Scoperchiato il sarcofago vi avevano trovato il corpo intatto di una bellissima fanciulla, perfetto, come se fosse stato appena sepolto. Theodoros era rimasto preso da quell'immagine, come stregato e non aveva più potuto pensare ad altro... »

« Continuate » riuscì a dire Ottaviani dominando a stento l'oscuro senso di panico che quelle parole avevano evocato. Il sottile diaframma fra incubo e realtà si era spezzato alle prime parole di Ioannidis e ora le emozioni e le immagini del sogno dilagavano nuovamente dentro di lui travolgendo ogni difesa.

Ioannidis parve non accorgersi di nulla: « Be', non c'è gran che da aggiungere » disse « da quel momento Theodoros non ebbe più pace. Da quello che ho potuto capire quell'immagine continuò a tormentarlo e la sua vita divenne un inferno. Deve essere morto disperato... forse suicida... Ma è meglio che io vada ora. Cercate di riposare, caro amico, kalinykta ».

« Kalinykta sàs » rispose Ottaviani. Si alzò a fatica barcollando e andò alla finestra: era una bella notte di luna e una bava di vento muoveva appena le chiome degli alberi.

Pensò alle parole di Ioannidis e decise che a giorno fatto avrebbe chiesto all'archimandrita il permesso di consultare l'archivio riservato... Ma come avrebbe giustificato il fatto di essere a conoscenza della sua esistenza?... No, se voleva andare fino in fondo a quella storia doveva tentare subito, senza indugio. Uscì scalzo nel corridoio: non c'era nessuno, una sola lampadina, al centro, lo rischiarava appena.

Scese in chiesa e poi nella cripta: si vedeva bene che quello era il settore più antico di tutto il complesso abbaziale, probabilmente il criptoportico di una villa romana come indicavano i muri in opus reticulatum. Notò che l'abside, cioè l'esedra del criptoportico era stata accecata da un muro trasversale nella sua sezione di massima curvatura. L'archivio non poteva essere che là dietro. Appoggiò la mano al muro e questo cedette alla pressione: c'era una porta abilmente mascherata dietro il profilo di un arco cieco e coperta dello stesso intonaco che copriva il resto della parete e la serratura era stata aperta. Spense la luce nella cripta ed entrò accostando la porta. Non si era sbagliato: l'archivio si sviluppava a semicerchio sulla parete dell'esedra fin quasi al soffitto e sull'intonaco che restava scoperto la luce dell'unica lampada lasciava intuire la presenza di antichi affreschi: macchie di colore, immagini evanescenti, figure incongrue e disgregate dal tempo.

I testi non erano moltissimi, ma ordinati e ben tenuti sui loro scaffali. Accese la torcia elettrica illuminando i ripiani con il raggio radente e non gli fu difficile vedere il punto in cui il sottile velo di polvere che li copriva era interrotto: era là che Ioannidis aveva cercato. In pochi attimi si trovò tra le mani un fascicolo di pergamena, non grande, scritto su cinque, sei facciate con una grafia regolare e minuta ma non così perfetta come quella del codice vaticano. Purtroppo però il testo era scritto in corsivo e Ottaviani riuscì a decifrare a mala pena le prime parole: "Theodoros di Focea scrisse queste pagine perché non fosse dimenticato il suo nome...". Non gli sarebbe bastata una settimana per leggerlo tutto: doveva fidarsi per forza della versione di Ioannidis anche se gli pareva assurdo che potesse coincidere in quel modo con l'incubo che ancora gli sconvolgeva la mente. E se avesse parlato nel sonno? Forse Ioannidis era entrato ed era stato ad ascoltare ciò che diceva nel sonno... Ma no, era una storia troppo complicata...

Sfogliò ancora il fascicolo e mentre stava per riporlo nel suo scaffale la sua attenzione fu attirata da quello che sembrava un disegno sbiadito ma ancora ben distinguibile sull'ultimo foglio del quaderno. Rappresentava un volto di donna... stilizzato nei suoi tratti essenziali... eppure... eppure riconoscibile... Richiuse di scatto il fascicolo come per scacciare un'allucinazione. Anche su quella pagina, come in sogno, aveva riconosciuto il volto di Elizabeth!

Si era sforzato troppo... certo, non c'era altra spiegazione. Il troppo lavoro, la tensione nervosa, le emozioni troppo violente, forse anche il sentimento che nutriva per Elizabeth... tutto si era mescolato nella sua mente che ora gli giocava strani scherzi... Spense la torcia, riaccostò la porta dell'archivio e risalì al primo piano: era profondamente scosso ma cercava di seguire i suoi ragionamenti quasi per convincersi che il suo equilibrio mentale non correva alcun pericolo.

Quel Ioannidis... non gli piaceva... andava in giro di notte, aveva scassinato la serratura dell'archivio: non era quello un comportamento da studioso. Ma non riusciva a trovare alcuna ragione plausibile per spiegare la coincidenza tra il suo sogno e la storia che subito dopo Ioannidis gli aveva raccontato. Si avvicinò alla porta della sua cella. C'era la luce accesa e bussò piano.

«Salve, Ottaviani» disse Ioannidis aprendogli la porta. «Che ha, si sente di nuovo poco bene?»

«Sto benissimo.»

«Bene, allora entri, non stia lì sulla porta.»

«Senta, Ioannidis, quella storia che mi ha raccontato... È sicuro di aver letto bene?»

«Altro che, e qui c'è la prova» disse indicando un libro aperto sul suo tavolo.

«Che cos'è?»

«Cronache di Roma nel medioevo. Guardi lei stesso: l'avvenimento è riportato. Un gruppo di operai che demolivano un monumento della via Appia per procurarsi materiale da costruzione aprirono una tomba e dentro vi trovarono il corpo nudo di una fanciulla, meravigliosamente conservato, come se fosse morta da poche ore. La notizia si diffuse e richiamò una gran folla sul luogo, tanto che il pontefice, scandalizzato, fece rimuovere il corpo e lo fece gettare nella fossa comune vicino alle mura Aureliane dove si seppellivano le prostitute, sicuro che si trattasse di una pagana.» Ottaviani si lasciò andare di peso su di una sedia.

«Ma lei si sente male» disse ancora Ioannidis. Ottaviani tirò un lungo respiro: «No, non è niente, sono un po' stanco... è tardi... E quel ritratto, cosa ne pensa di quel ritratto?».

«Quale ritratto?»

«Sono stato anch'io nella cripta, adesso. Ho visto il manoscritto: c'è un ritratto di donna sull'ultima pagina.»

«Io non ho visto niente.»

«A che gioco sta giocando, Ioannidis? Le dico che c'è il ritratto di una donna su quella pagina.»

«Mi spiace contraddirla, ma ho guardato bene quel testo: non c'è nessun ritratto.»

Ottaviani tacque. Se Ioannidis era tanto sicuro probabilmente le cose stavano davvero così, forse aveva soltanto creduto di vedere quell'immagine.

«Lei verrebbe giù in archivio, adesso?»

«Non mi crede eh? Sta bene, andiamo, ma facciamo presto.»

Scesero nella cripta ed entrarono nell'archivio; Ioannidis estrasse il fascicolo e lo sfogliò davanti agli occhi di Ottaviani: «Ha visto?» disse. «Non c'è nulla. Guardi bene, non c'è nessun ritratto. Le sarà parso... succede quando si è stanchi. Lei ha avuto un incubo, caro amico, e forse ha creduto di vedere nella realtà un'immagine che faceva parte della sua fantasia... Non si abbatta... è solo stanchezza.»

«Sarebbe meglio sistemare quella serratura» disse Ottaviani uscendo. «I monaci se ne accorgeranno... Non vorrei essere coinvolto in qualche sospetto.»

«Ha ragione» disse Ioannidis. «Vada pure a letto se vuole, penserò io a tutto.»

Ottaviani rientrò nella sua cella e andò a chiudere la finestra che aveva lasciata aperta. Un usignolo cantava in giardino tra i rami di un leccio: restò ad ascoltare preso dalla melodia finché il vento spinse dal mare le nubi davanti alla luna e il piccolo cantore tacque, improvvisamente.

13 agosto, ore 8

L'archimandrita, seduto alla scrivania, sorseggiava il suo caffè dopo aver celebrato la messa e scorreva la copia fresca dell'"Osservatore Romano". Sentì bussare alla porta: «Avanti» disse chiudendo il giornale. La porta si aprì ed entrò Fabio Ottaviani con in mano una borsa da viaggio. Signore onnipotente, era quasi irriconoscibile: il volto terreo, le occhiaie scure, gli occhi velati.

«Professore,» disse costernato «si sieda, prego, si sieda... non si sente bene? Vuole che chiami qualcuno, un medico?»

«No, padre, non si preoccupi, non è nulla. Ero venuto per salutarla. Parto.»

«Mi spiace, figliolo. Sono veramente desolato di vederla così. Si è trattenuto solo pochi giorni; speravo che avrebbe trascorso un periodo sereno di lavoro qua con noi. L'ho vista arrivare pieno di entusiasmo, di vitalità, e ora la vedo accasciato, abbattuto, mi scusi se mi permetto...»

«Creda, padre, non ho niente... Ho lavorato molto, mi sono affaticato... Un po' di riposo, di vacanza, e sarò di nuovo a posto.»

«Spero almeno che la sua ricerca sia stata fruttuosa...»

«Oh, sì, certo» rispose Ottaviani come assente.

«Perché... mi perdoni... non avendola vista mai in biblioteca né in archivio...» Ottaviani abbassò lo sguardo senza rispondere.

«Mi scusi,» disse l'archimandrita «non sono cose che mi riguardano.»

«Padre,» disse allora Ottaviani «lei sa se sia esistito in questa comunità... parlo di tanti secoli fa... un monaco, un amanuense di nome Theodoros?» Gli occhi azzurri del vecchio si rannuvolarono e la sua fronte si corrugò per un istante: «È possibile... è un nome abbastanza comune. Forse ce n'è stato più d'uno. Perché mi fa questa domanda?».

«Quello di cui parlo morì disperato.» Prese di tasca il portafoglio e ne estrasse una busta. «Ecco, padre, qui c'è la retta per la mia permanenza.» Il vecchio la respinse con la mano: «Non è neanche il caso, figliolo, non l'ho vista quasi mai nemmeno in refettorio».

«Li prenda lo stesso» insistette Ottaviani fissandolo con un'espressione malinconica «per una messa di suffragio.» Gli strinse forte la mano e uscì.

L'archimandrita lo seguì sul corridoio e stette a guardarlo mentre scendeva le scale poi andò in chiesa e si raccolse in preghiera davanti all'iconostasi. Quando il sagrestano gli chiese che cosa doveva preparare per la messa feriale del giorno dopo, non si voltò nemmeno: «I paramenti neri» disse, e riprese le sue orazioni.

Roma, 16 agosto, ore 20

Elizabeth entrò con una busta di plastica dei grandi magazzini e una copia di "Time", camicetta e jeans impolverati: era stata sullo scavo tutto il giorno: « You look a lot better today » gli disse allegra. Appoggiò la spesa e lo abbracciò.

« Ho dormito fino a mezzogiorno, ho girato in moto tutto il pomeriggio per i colli, ho una fame da lupo e se questa sera sei disponibile, sento di poterti condurre in alto, dove volano le aquile. »

« Magnifico, comandante, » rispose la ragazza « ma prima di decollare sarà bene fare il pieno. » Mise due bistecche sulla piastra mentre Ottaviani apparecchiava e prendeva dal frigorifero una bottiglia di Pinot trentino e due calici.

« Oh, scempeign! » esclamò la ragazza nel suo accento midwest.

« Si dice champagne, e poi questo è spumante, sparkling dry, ma è buono uguale e costa di meno: I'm broke. »

Elizabeth si mise ai fornelli: « So, dear, hai fatto una grande scoperta e non lo dici a nessuno. Perché? ».

« Perché non è finita e voglio andare fino in fondo. Quando parlerò voglio rivoltare l'Italia di sotto in su come un calzino. »

« Che vuoi dire? »

« Ho buoni motivi per credere che la scomparsa di Lanzi sia strettamente connessa al furto di quel torso. Ieri ho visto Paolo Quintavalle e mi ha confermato che l'Istituto di archeologia aveva mandato al soprintendente una documentazione fotografica completa dei principali ritrovamenti di Lavinium, incluso il torso rubato. Ora, su quel torso appaiono una divinità al centro e due nudi maschili armati di scudo e lancia ai lati... nello stesso atteggiamento dei guerrieri di Villa Giulia. Secondo me il professor Lanzi aveva intuito il collegamento tra quel piccolo bassorilievo e le due statue di bronzo ed era venuto a Lavinium per cercare di scoprire l'identità dei suoi guerrieri. »

« Così, ha rubato il torso ed è scappato... Come on, Fabio. »

«Non ho detto questo, ci mancherebbe che i soprintendenti si mettessero a rubare i reperti. Gli bastava chiedere il permesso a Paolo di vederlo, fotografarlo, studiarlo. Non c'erano difficoltà.»

«E allora?»

«C'è solo una spiegazione: qualcun altro era al corrente della cosa e lo ha preceduto. Purtroppo non sappiamo che cosa avesse in mente Lanzi. Ma certo doveva essere qualcosa della massima importanza se è andato prima a Lavinium che a protestare dal ministro per l'apertura della mostra dei suoi guerrieri. Poveretto... in fondo aveva ragione, qualunque cosa pensasse: quelle due statue stanno provocando un pandemonio... Sono stato anche dalla polizia: nella macchina di Lanzi non hanno trovato niente, a parte un sacchetto di plastica nel bagagliaio. Conteneva dei campioni del refrattario di fusione trovato all'interno delle due statue.»

«Come hai avuto quella informazione?»

«Ho un amico fotografo che, saltuariamente, ha lavorato per la polizia. Conosce un pezzo grosso... I mean a very high official. Dunque, la scientifica ha trovato tracce di legno carbonizzato e di colori vegetali inclusi nel refrattario... ti dice niente la cosa?»

«My god... un antico xoanon?»

«Brava. Ed ecco allora la mia ricostruzione dei fatti.» Elizabeth appoggiò sul tavolo i piatti con la cena e si sedette. «Il professor Lanzi, esaminando le foto di Lavinium è colpito dalla somiglianza tra i due nudi rappresentati sul torso e i due guerrieri di bronzo, ma non ci pensa più: che rapporto può mai esserci tra un reperto fittile che si ricollega in qualche modo all'epopea troiana e due statue chiaramente riferibili alla metà del quinto secolo avanti Cristo? Ma poi, esaminando il refrattario di fusione si accorge che ingloba resti lignei e tracce di colore. Gli viene il sospetto che i due bronzi siano gli eredi, per così dire, di due immagini di legno, appunto gli xoana, molto più antiche, certo oggetto, come tutti gli xoana, di millenaria venerazione. A questo punto il rapporto può sussistere e gli balena in mente la possibilità di una identificazione... specie se ha a disposizione qualche altro elemento a noi sconosciuto... »

« A che cosa pensi esattamente? »

« Non lo so, non ho idea, ma il fatto che Lanzi si opponesse così duramente all'esposizione delle statue degli eroi mi fa pensare che fosse in possesso di qualche altro reperto, certo meno appariscente ma altrettanto importante e che volesse attendere per pubblicare tutti insieme i risultati di una clamorosa scoperta. Bisogna scoprire se questo reperto esiste, che cosa è esattamente, e scoprire chi ha rubato il torso perché si tratta degli stessi che hanno rapito il professor Lanzi. »

« Are you kidding me? »

« No, non scherzo affatto: è l'unico modo per far tornare i conti in questa faccenda. »

« E il tuo misterioso codice di Polibio... ha qualcosa a che vedere con tutto questo? » Ottaviani si versò un bicchiere di vino e ne versò anche a Elizabeth.

« Altro che. Io so quello che Lanzi stava cercando di scoprire che poi è probabilmente la stessa cosa che volevano sapere quelli che, secondo me, lo hanno rapito. »

« E non hai intenzione di dirmelo... è così? »

Ottaviani le prese una mano e la strinse forte: « Io ti amo troppo, Lizzy, per dirtelo. Da quando ho scoperto quel codice... da quando mi occupo di questa faccenda non sono più io... mi succedono strane cose, faccio strani incontri... A volte sono preso da improvvisi malori... faccio sogni orribili... Ho paura, Lizzy ».

La ragazza si alzò e venne a sederglisi sulle ginocchia. Lo baciò a lungo, poi gli appoggiò la testa sulla spalla abbracciandolo stretto: « Don't worry... » diceva « don't worry... non ti accadrà nulla di male finché io sarò con te... lover... ».

« Certo, cara, certo, non ti preoccupare. Va tutto meglio quando sono con te. »

Elizabeth andò a fare il bagno, Ottaviani si preparò un caffè e si sedette in poltrona accendendo il televisore. Le grandi manovre del maresciallo Rustov davano spettacolo: nelle steppe orientali i suoi carri armati sembravano coleotteri giganti con il minaccioso corno frontale proteso in avanti. Dal fondo veniva la voce del commentatore che annunciava atti terroristici e disordini interni in Jugoslavia, sanguinose turbolenze tra le minoranze etniche. E apparivano poi altre immagini: i cacciabombardieri del presidente Harris che uscivano a sciami dal ventre delle portaerei, come locuste d'acciaio, pronte a ridurre il mondo in un deserto. Si sentì prendere ancora dal disgusto e dalla paura. Si alzò di scatto e spense l'apparecchio.

Non si udiva più lo scroscio della doccia nel bagno e la casa era silenziosa. Andò verso la camera da letto e aprì la porta. La luce tenue della lampada da notte accarezzava appena il corpo di Elizabeth distesa sul letto, i capelli neri sparsi sul cuscino... gli occhi chiusi... gli occhi chiusi... GLI OCCHI CHIUSI!

L'incubo lo riprendeva, si insinuava dentro di lui, gli agghiacciava il cuore. Indietreggiò atterrito come davanti a uno spettro, batté con le spalle contro la porta ed Elizabeth si alzò a sedere sul letto: «Fabio, oh my god, Fabio che ti succede?». Trasalì come svegliandosi di soprassalto.

Elizabeth gli tendeva le braccia e il suo petto era un porto sicuro, i suoi seni erano morbidi e pieni, le sue gambe levigate e lucenti, la sua pelle dorata. I suoi occhi profondi brillavano sotto le ciglia nerissime, risplendevano di una forza invincibile, ineluttabile... Che cos'era tutto il resto se non polvere... vuota parvenza?

L'amò con passione infinita, con immensa dolcezza, sempre guardandola negli occhi, sempre presente a se stesso. Poi si adagiò supino e lei gli accarezzò il petto, le spalle, lo baciò delicatamente finché non si addormentò.

Squillava il telefono sul tavolino da notte, guardò l'orologio: era mezzanotte passata.

«Sì, pronto, chi parla?»

«Sono Ioannidis. È lei, Ottaviani?»

«Ioannidis? Ma che diavolo... lo sa che ore sono? E chi le ha dato il mio numero?»

«Who is it?» chiese Elizabeth assonnata.

«Senta, Ottaviani, le risponderò poi; ora mi ascolti, devo vederla subito, è molto importante. La prego, mi raggiunga adesso, al numero 804 dell'Appia Antica. Non può sbagliare, c'è un antico muro sormontato da tre archi... »

« Lei è pazzo, non ci penso nemmeno. Addio » riattaccò.

« Ma chi era? » chiese Elizabeth.

« Te l'ho detto, Lizzy, ultimamente mi succedono cose strane. Non ci pensare più, dormiamo. »

Il telefono squillò ancora: era la stessa voce.

« Senta, » disse Ottaviani in collera « lei non ha il diritto... »

« Mi ascolti, » riprese gelida la voce « lei deve venire, ha capito? Al numero 804 dell'Appia Antica. C'è un muro sormontato da tre archi. »

« Un muro sormontato da tre archi... » ripeté Ottaviani divenuto improvvisamente calmo « ... un muro sormontato da tre archi... »

Appoggiò la cornetta sull'apparecchio e si alzò.

« Fabio, dove vai? » chiese Elizabeth. « Ma chi era al telefono? »

Ottaviani si infilò i jeans, indossò una camicia, prese il casco e una torcia elettrica che appese a un gancio della cintura.

« Fabio, ma dove vuoi andare a quest'ora? Please Fabio, please, don't go. »

« Scusa, devo andare. » Scese le scale in fretta e uscì in cortile. Poco dopo Elizabeth, affacciata alla finestra, udì il rombo della sua motocicletta che si allontanava a tutta velocità.

Sfrecciò per le strade semideserte della Città silenziosa e vuota finché giunse all'imbocco della via Appia. Correva sicuro senza nemmeno osservare la numerazione, rallentando solo quando c'era un tratto del lastricato antico. A un certo punto vide il luogo... il muro sormontato dai tre archi, un centinaio di metri davanti a sé, sulla destra, appena lambito dalla luce dell'ultimo lampione. Fermò la moto e si avvicinò. Non c'era nessuno. Che scherzo maledetto era mai quello? Si accostò alla barriera di ferro che separava il rudere dalla strada. Gli sembrò allora di vedere un'ombra, come se qualcuno si sollevasse da dietro il muro, al centro dell'arco mediano.

«È lei Ioannidis? È lei? Cos'è questo scherzo? Avanti, venga fuori.»

La sagoma nera sporgeva ora di tutto il busto da dietro il muro. Ottaviani sganciò la torcia elettrica dalla cintura, la puntò davanti a sé e azionò il pulsante. Ciò che vide in quel momento lo lasciò paralizzato dallo stupore e quasi la torcia elettrica gli cadde di mano: il fascio di luce illuminava il volto e il busto nudo di Elizabeth. Solo i capelli sembravano di fiamma e gli occhi scintillavano in una fissità irreale, giallodorati come quelli di un rapace, o almeno così gli parve perché la figura sparì subito così come era comparsa.

Ottaviani, superato il primo attimo di smarrimento, si riscosse, scavalcò d'un balzo la barriera di ferro e si portò dietro il muro stringendo forte nel pugno la torcia elettrica. Illuminò il terreno ingombro di erbacce: c'erano solo i resti di un antico sarcofago e dentro un sacchetto di plastica e un pacchetto vuoto di sigarette. Alzò il raggio per illuminare i dintorni ma in quell'istante il rumore di uno sterpo spezzato lo fece scattare improvvisamente di lato, appena in tempo per evitare un corpo contundente che qualcuno, dietro di lui, gli avventava alla testa. Il colpo, deviato dal casco, gli percosse violentemente ma di striscio la spalla sinistra lacerandogli la pelle sotto la camicia. Sferrò un gran colpo con la torcia elettrica roteando il braccio all'indietro con tutta la sua forza e si slanciò di corsa verso la strada. Udì appena risuonare dietro di sé un urlo e poi un rumore di sterpi e di rami spezzati mentre scavalcava la barriera fulmineo per sfuggire alle due sagome scure che erano sbucate improvvisamente da dietro il rudere. Quando i due, scavalcata a loro volta la barriera, gli si lanciarono contro armati di spranghe, Ottaviani era già in sella alla motocicletta. Sterzò secco a sinistra finendo sul marciapiede opposto poi, invertita la marcia, si lanciò a tutta velocità in direzione di Roma, calandosi sul viso la celata di plastica.

Non aveva percorso un chilometro che notò nello specchio retrovisore due fari d'auto che si avvicinavano a forte velocità. Guardò il tachimetro: segnava centoventi, dunque quelli andavano almeno a centoquaranta. Non poteva trattarsi d'un'auto qualunque: aprì tutto il gas appiattendosi sul serbatoio.

Ogni volta che incrociava una strada secondaria rabbrividiva al pensiero che qualcuno non rispettasse la precedenza, poi gettava un'occhiata al retrovisore sperando di non vedere più quegli occhi gialli che lo puntavano senza dargli tregua. La spalla gli doleva sempre di più e ogni volta che doveva azionare il freno la contrazione muscolare gli trasmetteva fitte acute alla base del collo. Ormai era in vista del raccordo anulare dove sperava di potersi avvantaggiare nel traffico. Imboccò la rampa tutto piegato sulla sinistra, quasi strisciando l'asfalto con il ginocchio ma entrando nel raccordo si accorse che era semideserto: là i suoi inseguitori avrebbero forse avuto buon gioco. Per fortuna sulla sua sinistra il guardrail dello spartitraffico centrale era interrotto: si infilò nel varco passando attraverso i cespugli di oleandro della siepe e imboccò la rampa contraria in senso vietato. La percorse per un poco a velocità ridotta, poi, appena ebbe visibilità sufficiente, sgranò in pochi secondi la seconda e la terza tirandole a fuori giri. La grossa Benelli s'impennò con un ruggito e saettò via sull'Appia Nuova; Ottaviani guardò ancora nel retrovisore e respirò di sollievo: c'erano ancora due fari dietro che lo seguivano, ma sopra di essi lampeggiava la luce blu intermittente di una pantera della polizia. Era salvo, ma non diminuì la velocità. Inseguito dal fischio della sirena, percorse a ritroso la strada che aveva fatto un'ora prima finché giunse davanti a casa. Balzò dalla moto, entrò in garage e aprì il cofano dell'auto di Elizabeth passando la mano sulla testata del motore: era freddo. Si appoggiò un attimo coi gomiti sul parafango: "Sono pazzo" pensò "sono pazzo da legare. Elizabeth non avrebbe mai potuto precedermi laggiù e quando anche, come sarebbe potuta arrivare qui prima di me con questo arnese?".

Uscì a testa bassa, pronto ad affrontare i tutori dell'ordine.

«E così facciamo alle corse per le pubbliche vie...» esordì l'appuntato dei carabinieri tenendo una mano alla fondina della pistola.

«Lasci stare l'artiglieria, appuntato» disse Ottaviani togliendosi il casco e sfoggiando un sorriso passabilmente cordiale. «Sono un onesto cittadino che si è trovato nella necessità di violare, controvoglia, il codice della strada.»

«Ah sì? E ha pure voglia di sfottere,» rispose l'appuntato volgendosi al compagno che si avvicinava togliendo la sicura al Fall d'ordinanza «vediamo patente e generalità.»

«Sono il professor Fabio Ottaviani dell'Università Borromeo. Ecco la mia patente. Davvero, appuntato, mi spiace per la scorribanda... purtroppo non posso spiegarle il motivo per cui ho dovuto correre fin qua come un pazzo. Tenga pure la mia patente se crede. In ogni caso può chiedere di me al capitano Reggiani al suo comando di legione: è un mio vecchio compagno di liceo e un carissimo amico.»

Il sottufficiale rimase un momento perplesso: in dieci anni di servizio non aveva mai visto un uomo di lettere sfrecciare a centoventi in città su una quattro cilindri:

«Il capitano Reggiani è suo amico?»

«Glielo dirà lui stesso; ma non voglio crearle imbarazzo, appuntato. Come le ho detto, è stata una questione di forza maggiore.»

«Tenga pure la sua patente, per ora» disse il milite «sentirò dal capitano cosa dice. Intanto se vuole conciliare la contravvenzione...»

«Più che giusto» disse Ottaviani firmando il modulo e porgendo un foglio da cinquantamila «e... grazie comunque...»

L'appuntato portò la mano alla visiera: «Buona notte, professore,» disse «e non ci provi più, dia retta. Coi tempi che corrono è troppo pericoloso». Risalì sull'Alfetta blu che scomparve presto in fondo alla via.

Ottaviani aprì la porta e salì lentamente le scale. Elizabeth era seduta su una poltrona in vestaglia e leggeva.

Si alzò e gli corse incontro abbracciandolo:

«Cosa succede, Fabio, dove sei andato? Please, tell me... Ma ti sei fatto male... oh Fabio, per favore, vuoi dirmi...»

«Lizzy, cerca di calmarti. Non mi sono fatto niente... e adesso non mi sento di parlare... voglio riposarmi.»

«Oh Fabio, you don't trust me...» disse la ragazza.

«Non è vero, Lizzy, io ho fiducia in te ma non voglio immischiarti in questa storia. Devo venirne a capo... da solo.»

«Ma ti sei fatto male...» disse Elizabeth sfiorandogli la spalla con le dita.

«Sono stato colpito... per fortuna avevo il casco. Degli sconosciuti... due, tre... mi sono saltati addosso con una spranga.»

«Ma chi ti ha chiamato al telefono... perché sei andato?»

«Non so dirti perché l'ho fatto, ma ora so per certo che qualcuno vuole prendermi, farmi parlare, qualcuno che spia le mie mosse da tempo e non si ferma davanti a nulla. Capisci perché non voglio coinvolgerti?»

Si sedette, accese una sigaretta aspirando profondamente alcune boccate. Elizabeth andò a prendere della tintura di iodio e del cotone idrofilo dalla cassetta dei medicinali e cominciò a medicargli la contusione.

«Che cosa vuoi fare ora?» gli chiese preoccupata.

«Partire, presto.»

«E dove vuoi andare?»

«In Sicilia, a Taormina, voglio scoprire che cosa cercavano quelli che hanno rapito il professor Lanzi.»

«I'll come with you.»

«No, ti ho detto che voglio tenerti fuori.»

«Non puoi» disse Elizabeth con voce ferma.

Ottaviani le prese il viso tra le mani e la guardò a lungo in silenzio.

«Sai una cosa?» disse a un tratto.

«What?»

«Se un giorno scoprissi che non mi ami la mia vita non avrebbe più nessun senso.»

Elizabeth non rispose; gli occhi le si riempirono di lacrime.

Lido di Ostia, 23 agosto, ore 19,30

La grossa Jaguar con targa del Liechtenstein accostò al marciapiede davanti al Bar Pineta; ne scese un giovane atletico, alto, elegante nel completo azzurro, con due ray-ban scurissimi che gli nascondevano gli occhi. Si sedette, ordinò un vodka martini e aprì una copia del "Daily American". Cinque minuti dopo scese da un taxi un uomo di bassa statura, brizzolato di capelli, vestito di una giacca a quadri e si sedette allo stesso tavolo.

«Buona sera,» disse in inglese «mi hanno detto che possiamo parlare d'affari, se non è occupato.»

«Non sono occupato» rispose il giovanotto. Estrasse un portasigarette d'argento e si accese una Senior Service: «Allora, l'affare è concluso?».

L'uomo dai capelli brizzolati si aggiustò la cravatta con un moto d'imbarazzo, poi disse: «No. L'affare non è concluso, e per un soffio. Dovevate mandare gente fidata e non dei dilettanti».

«Imbecille,» sibilò il giovane «avete rischiato di compromettere tutto.»

«Ho fatto ciò che potevo, il mio piano era geniale e non avrebbe creato problemi; il resto non è colpa mia.»

«Sei fortunato che non si è fatto nulla» disse gelido il giovanotto, soffiandogli in faccia il fumo della sigaretta. «Colpirlo alla testa è stata la cosa più idiota che poteste fare... Non si può colpirlo alla testa, per nessuna ragione, mi hai capito bene? Per nessuna ragione.»

«"Dark Sail" collabora solo con voi» disse l'uomo con stizza. «Se si tenesse in contatto diretto anche con me a quest'ora il problema sarebbe risolto.»

«"Dark Sail" sa quello che fa. Tu limitati ad eseguire i nostri ordini. Allora, cosa sai della scoperta di quell'uomo?»

«Sono riuscito a procurarmi le copie dei negativi che ha scattato alla biblioteca vaticana. Sono tutti uguali e riproducono la stessa pagina: qui dentro ce n'è uno» disse allungando sul tavolo un accendino. Il giovane lo prese e se lo mise in tasca. «Il testo è di Polibio, uno storico greco del II secolo avanti Cristo e narra i fatti concernenti la conclusione della guerra tra i Romani e il re di Siria Antioco III. Non c'è nessun indizio che possa interessarci... l'ho letto più volte: non c'è nulla.»

«Eppure in quella pagina c'è la chiave di una scoperta di enorme importanza... a quanto ci risulta.»

« “Dark Sail”? »

« Non c’è solo “Dark Sail” che lavora per l’“Istituzione”... e all’abbazia? Sei stato con lui giorni e giorni all’abbazia. »

« Quell’uomo è un osso molto più duro di quello che mi aspettassi e c’è stato un momento in cui ho avuto l’impressione che mi sospettasse di qualcosa. Mi ha detto che faceva una ricerca su certi codici di Strabone e di Polibio ma non l’ho mai visto nella sala degli incunaboli. Ho dedotto che lavorasse solo nella sua cella e quando l’ho visto uscire, alle sei del mattino, qualche giorno prima che se ne andasse, sono entrato e l’ho perquisita con calma, perché dalla finestra potevo tener d’occhio l’ingresso del bar dove era entrato. Era assolutamente vuota, non c’era un appunto, uno scritto, un testo... nulla, capisce? Nulla. Sul tavolo c’era la sua macchina fotografica, un apparecchio professionale. Ho aperto il magazzino ma era vuoto... non c’era la pellicola, o, se c’era, l’aveva smontata e portata con sé. E c’è anche un altro enigma, ma prima di parlarne voglio sapere una cosa da lei. »

« Cosa? »

« C’era un altro agente dell’“Istituzione” a San Nilo in quei giorni oltre a me? »

« Spiacente, non sono autorizzato a dirtelo. Tu comunque esponi quello che hai da dire, penseremo noi a trarre le conclusioni. »

« Sta bene, » disse l’uomo nascondendo a stento il disappunto « ma poi non venite a rompermi la testa se questa storia diventerà troppo ingarbugliata. »

« Non accadrà. »

« Allora: io ero riuscito a scoprire ciò che lo interessava realmente a San Nilo. Cercava notizie di un amanuense medievale di nome Theodoros. Strabone e Polibio non c’entravano gran che. Bene, ho avuto fortuna: ho trovato l’ingresso dell’archivio riservato dell’abbazia dopo aver cercato inutilmente notizie di quel monaco nella sezione aperta al pubblico. Sono riuscito ad aprire e ho trovato un diario scritto da quell’amanuense. Quella stessa notte salii da Ottaviani per dirgli della mia scoperta e per tentare di conoscere il motivo per cui cercava notizie di quel monaco. Lo sentii gridare nel sonno, entrai: lo trovai stravolto, pallido, sembrava che avesse visto in faccia il diavolo in persona. Gli feci coraggio, gli diedi un bicchier d'acqua e quando finalmente si riprese si mise a farmi delle domande: che cosa ci facevo in giro a quell'ora, voleva sapere. Non era il momento di alimentare sospetti, dovevo guadagnarmi la sua fiducia e così gli raccontai della mia scoperta nell'archivio segreto: il suo amanuense, Theodoros di Focea, era morto disperato, dannato dall'influsso malefico di un antico idolo pagano.»

«Che idolo?» chiese il giovane.

«Non so, il diario non lo diceva e d'altra parte mi è sembrato il frutto di una mente folle. Theodoros di Focea raccontava di aver assistito alla esumazione di una fanciulla pagana sepolta, mi pare, sulla via Appia. Da quel momento l'immagine di quel corpo, incredibilmente conservato, e di quel volto, divennero per lui un'ossessione che lo condusse alla pazzia, se ho ben capito.»

«Una storia ben strana.»

«Ma probabilmente vera. Ne ho trovato testimonianza storica attendibile. C'è però una cosa che non quadra: come faceva Ottaviani a conoscere quel nome se non aveva mai messo piede nell'archivio riservato?»

«Non si può dire.»

«È così. Quella stessa notte Ottaviani scese nella cripta entrando a sua volta nell'archivio segreto: era evidente che non era mai entrato prima in quel luogo da come si comportava.»

«Ma perché mi hai chiesto se c'era un altro dei nostri agenti a San Nilo?»

«Perché c'è un fatto che non riesco altrimenti a spiegarmi; Ottaviani venne in camera mia dopo essere stato nell'archivio, mi disse di aver visto il diario e mi chiese cosa ne pensassi del ritratto di donna dipinto sull'ultima pagina del diario. Io caddi dalle nuvole perché non c'è alcun ritratto su quel foglio. Volle che lo seguissi nella cripta e solo quando riebbe fra le mani quel testo ammise di essersi sbagliato ma era evidente che poco prima era assolutamente sicuro di quello che diceva. Gli ho detto che forse aveva avuto un'allucinazione ma io stesso non ci credevo. Qualcuno deve aver messo quel ritratto nel diario e poi tolto di nuovo mentre Ottaviani saliva da me.»

«C'è altro?»

«Sì. Quando Ottaviani salì da me mi resi conto che non aveva letto quel diario, forse non ne era stato capace e ho giocato su questo quando l'ho attirato in quel posto, una settimana fa. Quando gli telefonai mi mandò al diavolo sul momento ma poi pensò che io potessi dargli un'informazione preziosa sul suo amanuense, qualcosa che ancora gli sfuggiva... E si precipitò. A quest'ora potrebbe essere nelle nostre mani...»

«Perché hai scelto quel posto, e... quel modo?»

«Anch'io ho la mia autonomia di azione: devo rendere conto dei risultati, non dei metodi che uso per conseguirli.»

«Giusto... E di questo cosa ne dici?» chiese il giovane aprendo il giornale e porgendogli un foglio.

«Che cos'è?»

«La pagina degli annunci del "Messaggero". Guarda bene.» L'altro inforcò gli occhiali e scorse la pagina. In fondo, in forte evidenza, c'era scritto: "IOANNIDIS, sono pronto a dirti quello che vuoi sapere. Il dieci di settembre, alle nove di sera, telefona al numero che sai. F.O.".

«Vedi? Non avevi motivo di escogitare un piano tanto complicato e pericoloso. Bastava chiedere» disse beffardo il giovane. L'uomo si tolse gli occhiali e restituì il foglio del giornale: «Aspettiamo di sentire cosa vuole in cambio» disse nascondendo a stento l'irritazione.

«Aspettiamo» ribatté il giovane impassibile.

«E ora, dov'è ora?»

Il giovane guardò la data sull'orologio elettronico:

«A Taormina, in Sicilia.»

VIII

Taormina, 23 agosto, ore 9

Elizabeth usciva dall'acqua dopo il primo bagno del mattino sulla spiaggia ancora semivuota e Ottaviani le andò incontro con l'accappatoio.

«Com'è l'acqua?»

«Gorgeous. Perché non ti tuffi anche tu?»

«Sorry. Ho già fatto colazione: mai fare il bagno a stomaco pieno.»

«Good boy» rise Elizabeth strofinandosi addosso l'accappatoio «e hai fatto colazione prima di me. You don't love me anymore.»

«Lo sai che se non faccio colazione entro mezz'ora da quando mi sono alzato mi sento debole. E poi ho approfittato per fare qualche telefonata.»

«A chi?»

«A un caro amico, tra l'altro. Lui sa tutto quello che accade dallo stretto fino a capo Pachino e nulla accade senza che lui lo sappia.»

«Mafioso?»

«Che domande. Si capisce.»

«E che cosa sa di interessante?»

«Non conosci i siciliani. Prima di tutto si celebra il rito dell'amicizia e dell'ospitalità, poi si parla di affari. Mi aspetta a pranzo.»

«E io?»

«Veramente non avevo molta voglia di portarti. Quello appena ti vede comincia a farti la corte e non ci sarà più verso di farlo parlare d'altro.»

«Ma allora sei tu il siciliano, non lui... Davvero non posso venire?»

«D'accordo, a patto però che tu non lo incoraggi e indossi un abito largo e senza scollature. Inoltre non dargli del tu e quando ti chiede qualcosa rispondi yes, Mister Licasi e no, Mister Licasi.»

«Okay boss» rispose Elizabeth. «Sarò pronta in un attimo.»

Corse verso l'albergo a cambiarsi e uscì venti minuti dopo con un abito lungo di cotone a balze, vagamente zingaresco e dai colori vivaci. Il trucco, leggerissimo, accentuava ancor di più la naturale bellezza dei suoi lineamenti e la doccia frettolosa le aveva lasciato sulla pelle il profumo di mare.

«È inutile» disse Ottaviani scuotendo la testa. «Sei splendida comunque.»

Seduto al volante della Ford Camaro di Elizabeth, Ottaviani imboccò l'autostrada per Catania uscendo al primo svincolo sulla destra. Attraversò Linguaglossa e Randazzo; al bivio prese a sinistra in direzione di Bronte. L'Etna torreggiava sempre alla loro sinistra con i profili scabri delle sue rocce laviche, la cima seminascosta dai fumi che si sprigionavano dai suoi crateri secondari. Di tanto in tanto si udiva un brontolio sordo uscire dalle viscere del monte, segno che l'ultima eruzione non aveva ancora esaurito la sua attività.

«What is "Branti"?» chiese Elizabeth consultando la carta.

«Si dice Bronte» corresse Ottaviani. «È un paesetto alle falde dell'Etna che fu feudo della vedova dell'ammiraglio Nelson, detta appunto la duchessa di Bronte. Durante le guerre di indipendenza fu teatro di una specie di rivoluzione contadina contro i padroni, soffocata nel sangue dalle camicie rosse di Garibaldi. Ora è un centro agricolo abbastanza importante.»

«E il tuo amico è il boss.»

«Diciamo che è persona di rispetto. Omo de panza, come si dice da queste parti.»

«Belly-man?» chiese incuriosita Elizabeth. «Cosa vuol dire?»

« Un tempo, quando l'isola era poverissima, solo i nobili o i possidenti avevano possibilità di nutrirsi con abbondanza e dunque l'uomo ben pasciuto, grasso, era sinonimo di persona importante, di rango, e dunque degna di rispetto... omo de panza, insomma. »

« Funny » disse Elizabeth piegando la carta; e riprese ad ammirare il panorama. La strada cominciava a salire in mezzo agli olivi, ai fichi, ai mandorli che ciondolavano le foglie nella gran calura. Lontano, la valle, bruciata dalla siccità, era una distesa giallastra chiazzata qua e là di nero dove i contadini avevano dato fuoco alle stoppie.

« It's so dry... » disse Elizabeth guardando la pianura oltre i tornanti della strada.

« Sì, purtroppo, » disse Ottaviani « ma anticamente non era così. Quest'isola aveva tre fiumi navigabili, i suoi monti erano coperti di foreste e le pianure producevano tanto grano da sfamare l'Italia intera. Ancora oggi, dove c'è l'acqua, crescono tutti i tipi di frutti, i fiori più belli che tu possa immaginare... è una pena vedere che cos'è ridotta questa terra e pensare come potrebbe essere. »

« Perché, pensi che possa cambiare qualcosa in questo posto, ormai? »

Ottaviani non rispose.

Cominciavano ad apparire le rupi scoscese di Bronte e la cittadina biancheggiava contro il cielo blu cobalto. Affrontati gli ultimi, ripidi tornanti, Ottaviani parcheggiò l'auto nella piazza centrale del paese. Davanti al bar principale un gruppo di galantuomini in abito bianco e cappello di treccia sorseggiavano granite al limone e latte di mandorla gelato. Ottaviani si avvicinò a uno dei tavoli: « Scusate, signori, don Michele Licasi... sanno dirmi dove potrei trovarlo? Sono un amico arrivato dal continente per una visita ».

Da come tutti si erano girati a guardare verso la piazza, capì subito che Elizabeth doveva essere scesa dalla macchina. Solo un signore ultrasettantenne sembrava prestargli attenzione, ma prima che aprisse bocca, una voce stentorea echeggiò dall'oscurità discreta del bar. Giacca azzurra, pantaloni bianchi, camicia di seta a collo largo, gran croce d'oro sul petto abbronzatissimo, occhiali scuri: don Michele Licasi appariva in forma smagliante e dimostrava ancor meno dei suoi quarantadue anni.

«Professore!» gridò allargando le braccia. «Che bella sorpresa! Come stai, come stai?» Poi, rivolto agli astanti: «Ho l'onore di presentarvi un mio amico carissimo, il professor Ottaviani, docente dell'Università Borromeo di Pavia che ci onora della sua visita». Tutti espressero i loro ossequi con un cenno della testa. Intanto Elizabeth si era avvicinata e tentava di farsi strada fra gli sguardi densi e grevi dei galantuomini. Ottaviani le allungò una mano traendola in zona di rispetto accanto a sé e all'amico: «Mimì, ti presento una mia amica e collega, la dottoressa Allen dell'Università del Michigan».

Don Michele le baciò la mano con galanteria e sfoggiò un "enchanté" da grandi occasioni, dopo di che li accompagnò in una saletta appartata e ordinò tre granite con guarnizione di fette d'arancia.

«Allòra, professòre,» disse nel suo forte accento catanese «che mi dici, sei in vacanza? Sei qui per lavoro? O per giocare a zecchinetta con questa bedda picciotta, eh?» Elizabeth sorrise, intendendo vagamente che si faceva riferimento a lei.

«Mimì, ho bisogno di un grosso favore.»

«Tutto quello che vuoi, professore,» disse don Michele «ma prima andiamo a casa che ho una sorpresa per te.» Ottaviani stette un momento a pensare, poi, fatta mente locale: «Lella! È qui?».

«Proprio qui, arrivata fresca fresca dalle vacanze in Inghilterra e muore dalla voglia di vederti, la mia sorellina. Allora, vogliamo andare?»

Don Michele insistette perché salissero tutti e due sulla sua Mercedes con aria condizionata e li condusse, attraverso la sua proprietà, alla villa settecentesca in cui abitava con la sorella, quando c'era, e con due domestici.

Lella Licasi aveva finito di apparecchiare in quel momento sotto il portico della villa e stava disponendo un po' di fiori al centro della tavola. Quando vide scendere Ottaviani dall'auto di suo fratello gli corse incontro abbracciandolo.

« Lella, » disse Ottaviani « ti presento la mia amica Elizabeth Allen, è una collega americana di archeologia, lavora a Roma con Paolo Quintavalle. »

« Oh, magnifico, » esultò Lella Licasi « così potrò sperimentare il mio inglese. » E, sequestrata Elizabeth, se la portò in giro per la villa e per il giardino. I due uomini rimasero soli a chiacchierare tra di loro, seduti davanti a un bicchiere di Regaleali ghiacciato della tenuta.

« Che cosa posso fare per te? » chiese don Michele togliendosi gli occhiali e accavallando le gambe.

« Mi dispiace, Mimì, di arrivare così all'improvviso e per chiederti un favore, ma c'è una faccenda molto strana in cui sono finito invischiato e sto cercando di venirne a capo. »

« Fabio, io sono molto grato per come ti prendi cura della mia sorellina su a Pavia, e poi ti voglio bene perché sei un caro amico. Per quel poco che posso, conta su di me. »

« Avrai saputo che il professor Lanzi, soprintendente alle antichità per la IV Regione meridionale è scomparso. »

« L'ho sentito dire. »

« Bene, finora non si è avuta di lui nessuna notizia, ma io penso che sia stato rapito e credo anche di poter arrivare a quelli che lo hanno preso. »

« E che, » disse don Michele con tono ironico « ti metti a fare il carabiniere adesso? »

« Mimì, questa è una faccenda grossa, ci sono di mezzo i due bronzi di Taormina... forse la possibilità di ritrovare le loro armi che mancano... oggetti di valore inestimabile, e per me un'impresa scientifica senza precedenti. Capisci ora? » Don Michele annuì e accese una sigaretta con un Cartier d'oro massiccio.

« Ascolta, » riprese Ottaviani « io sono convinto che quando furono recuperate le statue in mare, sia stato ripescato anche qualche altro oggetto, non saprei dirti che cosa, ma sono certo che si tratta di un oggetto prezioso, anche se non dal punto di vista venale. È questo qualcosa che cercano quelli che hanno rapito Lanzi. »

« Ma tu pensi che sia gente di qua? »

« Non so, speravo che tu potessi aiutarmi anche a questo

proposito. Certo qualcuno del luogo deve essere coinvolto, se non altro come informatore. Che so, qualcuno che era presente quando recuperarono le statue, qualcuno che è dentro al traffico clandestino di antichità, qualche collaboratore di Lanzi alla soprintendenza di Palermo. »

Don Michele si passò una mano sulla fronte facendo scintillare il solitario che portava all'anulare e stette qualche momento a riflettere.

« Professore, » disse poi « lo sai che io mi occupo prevalentemente di edilizia e di questo poco di agricoltura » e indicò con la mano curatissima le distese di vigneti che circondavano la villa « ma ho parecchi amici, persone di rispetto che hanno la bontà di tenermi in considerazione. Vedrò che cosa posso fare... Quanto ti trattieni? »

« Il tempo necessario per sapere quello che mi interessa, ma non voglio disturbarti, torno giù a Taormina e ti lascio il numero del mio albergo. »

« Tu scherzi, professore, non puoi privarmi del piacere di ospitarti una volta tanto che metti piede in quest'isola. A Taormina ci andremo a cena o a fare il bagno quando vorrai. E comunque il bagno lo puoi fare anche qui » disse indicando la piscina al centro di un prato inglese sparso di oleandri e di chamaerops.

Lella arrivò in quel momento con Elizabeth annunciando che il pranzo era pronto e così don Michele prese l'amico sottobraccio e lo fece accomodare a tavola alla sua destra mentre i domestici cominciavano a servire gli antipasti: ostriche al limone e scampi. Poi venne un sarago passato alla brace e da ultimo, di rigore, una trionfale, coloratissima cassata. Al momento del Marsala, servito in antichi bicchieri napoletani, fini come bolle di sapone, Turi, il vecchio domestico, passò con la scatola dei toscani stagionati.

Lella prese per mano Elizabeth: « È meglio che ce ne andiamo, cara, il fumo di quei sigari è insopportabile. Saliamo un po' nel mio appartamento: c'è l'aria condizionata e possiamo stenderci un poco, vuoi? ». Elizabeth la seguì.

Anche don Michele si alzò scusandosi ma lasciò il toscano acceso sul posacenere, segno che sarebbe tornato presto.

Ottaviani restò solo a sorseggiare un buon caffè forte che la moglie di Turi gli aveva versato, puntuale, cinque minuti dopo la fine del pasto. Don Michele fu di ritorno in pochi minuti:

«Sei stanco, vuoi dormire?» gli chiese.

«Affatto.»

«Ti va di fare un giretto?»

«Pronto» disse Ottaviani alzandosi.

Don Michele prese la strada di Adrano sempre a ridosso dell'Etna e subito dopo aver oltrepassato il paese girò a sinistra per una stradina che si inerpicava lungo i fianchi del vulcano. Fermò la macchina, verso le quattro del pomeriggio, davanti a un casolare circondato da piante di fichi e di carrubi.

«Qui abita e lavora mastro Calogero Licodia... il più abile falsario di antichità di tutta la Sicilia» disse don Michele. «È un posto tranquillo e isolato, l'ideale per un artista come lui.»

Scese dall'auto e bussò alla porta. Venne ad aprire un vecchietto adusto, curvo come un uncino, con un grembiule di cuoio e i calzoni corti: «Voscienza benedica» disse ossequiando don Michele. «Favorisca, favorisca.» E fece strada verso l'interno dell'abitazione. Percorse un corridoio lungo e stretto a passo svelto e introdusse gli ospiti nel suo laboratorio: una specie di antro nero pavimentato di mattoni e popolato di macchine d'altri tempi. C'era una forgia a mantice, un tornio da vasaio, un forno da fusione col crogiolo appeso ad una pesante catena di ferro e poi, alle pareti, tenaglie, martelli, pinze, bulini, raspe, stecche, spatole, scalpelli, raschietti, pialle, lime, trapani, molle, divaricatori, bitte, lesine, cazzuole, morsetti, bisturi, cucchiarotti. Al centro troneggiava un'enorme incudine con sopra un maglio da tre chili. Ottaviani guardò le braccia esili del vecchio, la pelle grinza e secca sui tendini e sulle vene, come una vela lasca sul suo sartiame.

«Alcuni dei suoi pezzi sono esposti come autentici in famosi musei» disse don Michele avvicinandosi ad una forma coperta da un drappo di tela: «Che c'è qua sotto, don Calò?».

Il vecchio alzò il drappo e apparve una terracotta di stupenda bellezza. Una fanciulla velata dai grandi occhi tristi e dal corpo esile, avvolto in un lungo chitone: una ceramica tanagrina, perfetta nei minimi particolari. Ottaviani la sollevò tra le mani: era leggera come una piuma; il vecchio conosceva davvero ogni segreto dell'antica coroplastica. Mancava solo l'invecchiamento che egli otteneva con un procedimento segreto tramandato nella sua famiglia di padre in figlio.

«Il mio amico» riprese don Michele «sta cercando di aiutare il povero professor Lanzi, il soprintendente, che pare sia stato rapito. Ritiene che sia a causa di qualche reperto che sarebbe stato pescato assieme ai bronzi di Taormina. Voi ne sapete qualcosa, don Calò? Naturalmente potete fidarvi: è come se lo aveste detto soltanto a me. Il professore, qui, è come un fratello.»

Il vecchio sedette su un ceppo annerito dal fumo biascicando per un pezzo con la bocca sdentata, poi con un sorrisetto malizioso disse: «Le lance e gli scudi... tutti li cercano ma non ci stanno... Però,» aggiunse ammiccando «si possono sempre fare. Anche l'elmo si può fare, si può fare tutto, basta tempo e moneta, molta moneta».

«Allora non è venuto su nient'altro... proprio niente?» insistette Ottaviani.

«Niente... o quasi. Qualche pezzo di legno marcio e un pezzo di metallo...» aggiunse distanziando le mani di due spanne «largo circa così, pieno di incrostazioni, ma sottile, flessibile, pesante come...»

«Come l'oro!» esclamò don Michele improvvisamente interessato alla conversazione.

«O come il piombo» corresse Ottaviani.

«Come il piombo, come il piombo» sentenziò mastro Calogero. «I picciotti giù al porto hanno detto che era piombo. Ci potete credere, don Michele.»

«E che fine ha fatto?» chiese Ottaviani.

«L'hanno consegnato al professore, che altro?»

«Grazie, don Calò. È quanto volevo sapere.»

Uscirono accompagnati dal vecchio e ripresero la strada di casa.

«Mi dispiace, Fabio, se lui non sa altro significa che non c'è altro da sapere. Tutti i trafficanti di reperti archeologici della Sicilia lo conoscono e lui conosce loro. Non gli sfugge niente perché li tiene tutti in pugno e li arricchisce anche, nei periodi di magra, con la sua produzione.»

«Non devi dispiacerti» disse Ottaviani. «È stato molto interessante conoscerlo e non ti nascondo che mi piacerebbe anche vederlo al lavoro. Inoltre ho saputo abbastanza.»

«Una lastra di piombo? E che importanza può avere?»

«Sulle navi antiche scrivevano spesso il giornale di bordo su sottili lamine di piombo cosicché l'acqua di mare e la salsedine non potevano recare alcun danno. Quel pezzo di metallo può contenere un documento di importanza enorme.»

«E secondo te Lanzi è stato rapito per quello?»

«Mimì,» disse serio Ottaviani «se ti risulta che sia stato rapito per qualcos'altro o... che sia stato ucciso...»

«Professore,» rispose don Michele distogliendo lo sguardo dalla strada e fissandolo dritto negli occhi «non ho mai avuto rapporti con gente capace di ammazzare. Me ne tengo alla larga anche solo per un minimo sospetto.»

«Scusa, Mimì, mi sono spiegato male.»

«Ho capito, professore; non devi scusarti con un amico... Quello che so è che c'è stato del movimento attorno a quelle statue e che a un certo punto c'è mancato poco che prendessero il volo. Poi un bel giorno qualcuno ha avvertito il soprintendente e Lanzi è intervenuto fulmineo lasciando tutti con un palmo di naso. Perché poi sia sparito dalla circolazione nessuno lo sa, ma ti posso assicurare che non è in Sicilia e che la cosa non è partita da qui. So che certa gente è allarmata, come se temesse un'intrusione dal di fuori, da possibili concorrenti, estranei e pericolosi... Qualcuno ha paura.»

«Mimì, ti prego, se sai qualcosa di preciso, dimmelo. Chi sono, questi estranei...»

«Non so niente di più di quello che ti ho detto, Fabio, credimi. Ma se proprio ci tieni vedrò di informarmi e di farti sapere.»

«Grazie,» disse Ottaviani e gli porse un biglietto «questo è il mio numero telefonico di Roma. Mi trovi quasi sempre a ora di cena.»

Il sole stava calando dietro la cresta violacea delle Madonie. A destra, il pennacchio grigio che usciva dalla bocca del vulcano si alzava dritto per un centinaio di metri poi si disponeva orizzontale, come un ombrello: doveva esserci corrente fredda in quota.

La Mercedes di don Michele affrontò i tornanti di Bronte che la valle era già in ombra, attraversò il paese rollando solenne sull'acciottolato di pietra lavica poi imboccò la strada di campagna che portava a Villa Licasi. Quando fermò nel cortile don Michele trattenne l'amico che stava per scendere: «Fabio,» disse serio «perché non lasci perdere questa faccenda? Io temo che sia molto pericolosa. C'è già la polizia che se ne occupa su a Roma; l'investigatore improvvisato che scopre la verità è solo roba da film. Dammi retta, lascia stare e goditi una bella vacanza qua con noi, fai i bagni in piscina, fai l'amore con quella bruna stupenda, discuti con Lella dei vostri studi... qui è bello fino a tutto settembre... dammi ascolto».

Ottaviani gli batté la mano sulla spalla: «Be', di che ti preoccupi? Sto facendo solo una ricerca scientifica. Voglio sapere, se ci riesco, dov'è quel pezzo di piombo e cosa c'è scritto sopra. Tutto qua». Riaprì la portiera per scendere ma l'amico lo trattenne ancora: «Professore,» gli disse scuotendo la testa «non credo una parola di quello che mi hai detto adesso e temo che finirai per metterti nei pasticci. Almeno fammi sapere che minchia combini. Posso sempre darti una mano... anche a Roma... anche a Pavia... a Milano...».

«Sei un caro amico,» disse Ottaviani «grazie.»

Bronte, Villa Licasi, ore 22

Lella Licasi chiuse il libro che stava leggendo e si girò verso Ottaviani che si era seduto sulla poltrona di fronte con in mano un bicchierino di Marsala: «Elizabeth dov'è?».

«Di sopra che prepara la camera... Allora, che impressione ti ha fatto?»

«È una ragazza splendida, colta, molto intelligente. Ti sei preso una bella cotta, eh?»

«Temo di sì.»

«Sta' attento, ti brucerai.»

«Andiamo, Lella, sempre tragici voi siculi. Mi piace, le vado bene: festa finché dura e poi, amen, ognuno per sé e Dio per tutti. Che cosa stavi leggendo?»

«Nostradamus.»

«Sempre in argomento eh? Non ti prendi mai un po' di vacanza?»

«Lo sapevi? C'è una centuria che dice che quando verrà in luce la tomba di Enea un'armata si leverà a minacciare l'Italia e l'intero occidente. Guarda, è impressionante, sembra riecheggiare quell'oracolo di Delfi

Du Pont Euxine et de la grand Tartarie
Un Roy sera qui viendra voir la Gaule
Transpercera Alane et l'Armenie
Et dans Bizance lairra sanglante Gaule.»

«Una coincidenza, probabilmente.»

«Forse...»

Ottaviani si incamminò lentamente per la gran loggia e andò ad affacciarsi alla balconata che dava verso oriente. Contro il cielo nero la cima dell'Etna mandava bagliori sanguigni. Il colosso covava nel buio la sua collera.

Cerveteri, necropoli etrusca, 11 settembre, ore 15,30

Ioannidis era già arrivato e stava seduto su una pietra in fondo al sentiero delle grandi tombe a tumulo. Fumava e si guardava intorno ogni momento. Ottaviani stette ad osservarlo per un pezzo poi girò sul lato settentrionale della necropoli e gli arrivò alle spalle senza far rumore.

«Aspettava qualcuno?» gli disse quasi nell'orecchio. Ioannidis sussultò girandosi di scatto poi, abbozzando un sorrisetto ironico: «Una cornice degna per uno studioso di antichità» disse indicando i tumuli disposti davanti a lui in doppia fila.

«Vista la predilezione che ha per le tombe,» rispose acido Ottaviani «ho pensato che le piacesse.»

«Uno strano incontro davvero il nostro,» riprese Ioannidis «io sono qui perché lei pensa che abbia qualcosa da chiederle.

In realtà mi sarei aspettato che lei volesse chiedere qualcosa a me... magari una spiegazione per quella notte... Ebbi un incidente e non potei presentarmi all'appuntamento che io stesso le avevo dato, poi non ebbi più il coraggio di...»

«Balle. Lei mi stava alle costole da quando ci siamo visti all'abbazia. Se mi ha preso per un fesso le dimostro subito che ha preso un granchio: primo lei non è di Creta e forse non è nemmeno greco. Direi che lei è un turco di Alexandroupolis o di Komotini; secondo, per essere uno studioso è molto negligente: nel registro di consegna dei volumi in sala di consultazione il suo nome non compariva una sola volta, terzo, lei è entrato nella mia camera il mattino del nove di agosto tra le sei e le sei e mezzo, ha smontato il magazzino della mia macchina fotografica per vedere se ci fosse un film e l'ha anche rimontato in fretta e male...»

«Lei non può affermare...»

Ottaviani estrasse dal portafoglio una piccola stampa e gliela mise davanti: «Questa è la sua fotografia, scattata da una microcamera nascosta dietro alle persiane della finestra, azionata da una misera fotocellula da servizi matrimoniali, pellicola high speed tirata in sviluppo. È un po' contrastata ma non c'è dubbio che questa sia la sua faccia».

Ioannidis guardava allibito la piccola foto che lo ritraeva inequivocabilmente in mezzo alla camera di Ottaviani.

«Siccome poi non è riuscito a trovare quello che cercava mi ha attirato in un agguato in un posto buio e fuori mano per farmi impacchettare da quei due scimmioni. Ma io sono un motociclista prudente e disciplinato e porto sempre il casco... e così m'è andata bene. Siccome però non voglio correre altri rischi ho deciso di farla finita con questa commedia. Ai primi di maggio qualcuno esplorava i fondali davanti a Taormina nei pressi del luogo in cui sono state trovate le due statue di Villa Giulia e lei si trovava nei paraggi. Ha alloggiato all'Hotel Sorriso per due settimane, camera 39. Anche allora è stato sfortunato e non ha trovato niente. L'unica cosa emersa dal mare in quel punto era una lamina di piombo in possesso del soprintendente Lanzi... Quando partì per Roma, lei, o chi per lei, deve averla cercata nel suo ufficio o in casa sua. Non avendola trovata ha dedotto che Lanzi l'avesse con sé e quindi l'ha fatto sequestrare. A questo punto però, o Lanzi si rifiuta di collaborare oppure il documento che avete non vi basta per trovare ciò che veramente state cercando: le armi degli eroi di Taormina. Una sera, in una pizzeria di Roma, lei mi sente parlare con dei colleghi e decide di verificare se veramente ho una pista da seguire. Si introduce a San Nilo e aspetta pazientemente che il cane stani per lei la selvaggina. Ma siccome il soggetto è meno stupido di quanto non credesse allora decide di catturarlo e farlo parlare con le buone o con le cattive. Ioannidis, o come cavolo si chiama, lei lavora per qualcuno che ha occhi e orecchie dappertutto, qualcuno che ha fatto rubare il torso di una statua di Lavinium perché sospetta che vi siano rappresentati gli eroi di Taormina, qualcuno che è stato in grado di infiltrarla, probabilmente con false generalità, nell'abbazia di San Nilo. Io non voglio farmi rompere le ossa e dunque le propongo uno scambio equo: voi liberate Lanzi e io mi offro al suo posto. Mi fate vedere quello che aveva con sé e io sono pronto a rivelarvi quello che ho scoperto.»

Ioannidis lo guardò interdetto, poi chinò lo sguardo a terra e aspirò una lunga boccata di fumo.

«Quando?» chiese.

«Subito, adesso.»

Raggiunsero l'uscita mentre il custode chiudeva il cancello perché l'orario di apertura era ormai scaduto.

Quella sera Elizabeth trovò sul tavolo dello studio una lettera dattiloscritta:

"Lizzy,
questa notte non rientrerò e, a dirti la verità, non so nemmeno se tornerò mai. Ho voluto tenerti fuori da questa storia e ho fatto bene perché la ricerca che ho cominciato pochi giorni fa con tanto entusiasmo ha finito per imboccare una strada certo affascinante ma pericolosa. Non sono uno sciocco e ho cercato di premunirmi, di tenermi aperta una via di fuga, ma c'è un'altra cosa che mi preoccupa: io non sono più lo stesso; mi ha cambiato profondamente il tuo amore, mi ha cambiato ciò che ho visto, ciò che ho letto, ciò che ho fatto. Vivo da settimane come in un sogno, in una dimensione irreale.

"So che ciò che sto per dirti può sembrare follia ma io ti amo e dunque non ho vergogna né ritegno a manifestarti i sogni pazzi che mi passano per la mente. Io solo, in tutto il mondo, ho letto parole sepolte per millenni e forse ho sbagliato a non dirlo subito, a tutti. In questo modo quel testo sarebbe stato esaminato da dotti congressisti, come un qualunque altro reperto, smontato, disarticolato, disattivato dall'indagine filologica, dalla esposizione pubblica.

"Ho avuto la presunzione, l'ambizione di tenerlo per me ed esso ha finito per dominarmi. Lentamente, giorno dopo giorno, la forza di quella mente, capace di valicare secoli di buio e di silenzio, ha preso il sopravvento su di me e non è la prima volta che ciò accade. Io so che prima di me un altro uomo lesse quel testo e ne restò prigioniero. Egli non lo rivelò, lo nascose anzi, lasciando, in una copia mutila e corrotta, la chiave per scoprire la verità.

"Io ho trovato quella chiave, come sai, per un caso talmente fortuito da sembrare incredibile. Ho dormito nella sua cella e i suoi incubi sono diventati i miei, hanno tormentato le mie notti e ora, amore mio, ora sto tentando di fare ciò che egli non poté o non volle, sto cercando di raccogliere il suo testamento. Ti ripeto, mi rendo conto che questa è follia, ma non ho alternativa: non mi soccorre la mia preparazione, né la metodologia, e nemmeno la lunga dimestichezza con gli antichi documenti. Molte volte mi sono detto 'Cristo, io sono un ricercatore, conosco gli strumenti scientifici dell'indagine; quante volte ho deriso le fantasie e i giochi suggestivi dei dilettanti', ma non è servito, ti giuro, non è servito a nulla. Mi spinge la necessità e non posso agire altrimenti. Amore mio meraviglioso, amore mio fantastico, sogno della mia vita, per duemila anni il più potente e tremendo idolo dell'antichità è rimasto sepolto in queste campagne e passavano sulla sua testa gli aratri dei contadini e i buoi coi loro carri, per duemila anni i due guerrieri di bronzo hanno dormito in fondo al mare e tante volte le reti dei pescatori hanno sfiorato le loro membra possenti. Le pagine di quel testo, protette da uno spesso strato di cera hanno conservato per secoli e secoli un messaggio terribile e dimenticato. Oggi l'idolo ha rivisto la luce, i guerrieri torreggiano sui loro piedistalli e oggi, come allora, incombe la minaccia della catastrofe, ma i guerrieri sono disarmati.

"Io sto per sapere dove si trovano le armi, io le devo trovare e devo riportare sulla rocca della Città la dea e i suoi guerrieri.

"La consapevolezza di quanto tutto questo sia folle, consapevolezza tranquilla e meditata, mi avrebbe aiutato a recuperare la dimensione naturale della mia vita ma ho, purtroppo, un riscontro terribilmente reale e concreto: qualcuno sta cercando di precedermi, ma per altri motivi a me sconosciuti. Qualcuno vuole il Palladio e vuole i guerrieri e le loro armi. Non sono dei semplici trafficanti perché la loro impresa sarebbe insensata. Chi oserebbe progettare il furto della lupa dal Campidoglio o della cattedra di Pietro dalla sua Basilica? Essi hanno altri motivi, altri scopi, e per conseguirli non esitano di fronte a nulla: hanno rapito il professor Lanzi, un uomo anziano e malato, e lo tengono prigioniero, ne sono certo. Sai bene che hanno cercato di prendere anche me e per poco non ci sono riusciti. Ho capito che non potevo più evitare la prova finale e così ho deciso.

"C'è una cosa che avrebbe potuto trattenermi: tu, l'amore che ho per te, ma sono sfortunato, Lizzy. La notte che uscii di casa dopo quella telefonata, non trovai l'uomo che mi aveva chiamato, ma vidi te, la tua immagine, comparire in quel luogo che già avevo visto nei miei incubi ricorrenti. La tua immagine mi attirò nell'agguato. Un'allucinazione, forse, o un segno? Anche per questo mi sono consegnato: ho sempre creduto ai segni. E così, amore, se il segno si rivelerà falso troverò certo l'immensa forza che potrà riportarmi da te, ma se si rivelerà veritiero non so nemmeno se avrò la forza di portare a termine ciò che mi sono prefisso, non so nemmeno se avrà ancora significato la mia vita senza di te.

"Ti chiedo una cosa sola: ho un padre, un uomo anziano, consumato da una vita di dure fatiche. Vive solo nella sua fattoria in una valle dell'Appennino. Gli ho scritto alcune lettere con date diverse: spediscile, per favore, nei giorni indicati perché possa vivere tranquillo.

"Ricordi la leggenda di Teseo? Egli partì per combattere il mostro del labirinto con vele nere sulla sua nave e promise che avrebbe messo vele bianche al suo ritorno se l'impresa avesse avuto buon esito. E il vecchio padre scrutava ogni giorno il mare sperando di vedere la vela bianca che gli riportava il figlio. Ma un giorno vide all'orizzonte una vela nera,... e si gettò dall'alto di una rupe. In questo momento quella leggenda mi ricorda il mio vecchio, chissà perché. Lui non è un re, è solo un povero contadino e io non sono certo un eroe e comunque, in questo momento, mentre sto per entrare nel labirinto, sento che non ci sarà Arianna a mostrarmi la via della salvezza.

"Non ho potuto amarti un'ultima volta, non ho potuto baciarti, né guardarti a lungo negli occhi, benché lo desiderassi immensamente e non so se mi sarà mai più concesso.

"Perciò quest'ora è tanto amara.

Fabio."

Un'altra lettera fu recapitata all'abitazione di Paolo e Silvia Quintavalle, ma né l'uno né l'altra erano in casa. Si erano presi una vacanza e si trovavano in quel momento al mare in un paesino della Puglia. Prevedevano di ritornare per la fine del mese.

Monte Circeo, 15 settembre, ore 22

Ioannidis fermò l'auto all'inizio del sentiero e spense il motore. In fondo al vialetto fiancheggiato da una fila di cipressi si intravvedeva la sagoma scura della villa, addossata ad un torrione medievale, e dietro di essa luccicava il mare sotto i raggi della luna. Aspettò qualche minuto poi azionò ripetutamente i fari anabbaglianti; dalla villa rispose al segnale il raggio di una torcia elettrica. Passò ancora qualche minuto, poi si udì il cigolio di un cancello che si apriva, l'uggiolare di un cane e poi il rumore di un passo sul ghiaietto del viale, dapprima lontano e confuso, poi sempre più netto: era un passo lento, incerto.

Finalmente apparve, nel chiarore lunare, la sagoma di un uomo che procedeva lentamente in direzione dell'automobile ferma. Ioannidis innestò la chiave di accensione ma Ottaviani lo fermò: «Non ti muovere. Prima voglio essere sicuro che sia lui e poi aspetteremo ancora mezz'ora perché abbia il tempo di raggiungere la strada asfaltata. Questi erano i patti».

«Come vuole» rispose Ioannidis disinserendo la chiave e appoggiandosi allo schienale del sedile. L'uomo continuò ad avanzare e Ottaviani calcolava lo spazio che lo separava dall'auto contando gli intervalli chiari fra le ombre che i cipressi proiettavano sul sentiero.

Passò davanti alla macchina senza voltare la testa e Ottaviani poté vederlo: era senz'altro il professor Lanzi. Non vide bene che aspetto avesse ma restò impressionato dal modo in cui teneva la testa, lievemente alzata come se guardasse in alto, nel vuoto, davanti a sé. Le spalle curve, più del normale, il passo strascicato, come se le gambe lo reggessero a mala pena. Quell'uomo appariva duramente provato e Ottaviani lo seguì a lungo con lo sguardo, temendo che potesse cadere a terra da un momento all'altro. L'ultima cosa che vide fu il biancheggiare della sua canizie in fondo al viale; per qualche minuto ancora poté percepire il rumore dei suoi passi, poi più nulla. Ioannidis lasciò passare una ventina di minuti prima di mettere in moto e quando Ottaviani assentì con un cenno del capo condusse l'auto verso la villa tenendo accese solo le luci di posizione. Il cancello si aprì automaticamente e Ioannidis sterzò a sinistra in direzione del torrione fermandosi davanti a una porta chiusa da una serranda. Azionò i fari un paio di volte e quando la serranda cominciò a sollevarsi ingranò la marcia ed entrò.

Si trovarono all'interno di un vasto garage col pavimento e le pareti di cemento, illuminato da un paio di lampade al neon. In fondo a destra era parcheggiata una Jaguar berlina con targa del Liechtenstein. A sinistra si apriva una porta e si intravvedevano alcuni gradini che dovevano immettere all'interno del torrione. Ioannidis scese e fece cenno ad Ottaviani di entrare. La scala immetteva nel piano terreno del torrione poi riprendeva da un lato della vasta sala circolare per raggiungere la terrazza superiore.

Quando sbucarono sul ballatoio Ottaviani restò incantato per un attimo dallo stupendo panorama. Si trattava certamente di un'antica torre di guardia che era servita, nel medioevo, per l'avvistamento delle navi dei pirati saraceni che infestavano il Mediterraneo. Di lassù le scolte scrutavano l'orizzonte per scorgere le nere vele delle fuste corsare e gettare l'allarme alle popolazioni indifese.

... Ancora la vela nera... un segno, forse? Si guardò attorno appena i suoi occhi si furono abituati all'oscurità e vide alla sua sinistra la sagoma scura di un elicottero. Lo fecero salire. Il pilota accese i motori e due minuti dopo la macchina si sollevò dirigendosi verso sud.

In quel momento, sulla strada costiera una coppia di turisti che rientravano ad Anzio videro sul bordo sinistro della carreggiata un uomo disteso per terra. Si fermarono per soccorrerlo: era mortalmente pallido e aveva gli occhi stralunati. Gli chiesero chi fosse, se si sentiva male, ma non ottennero risposta. Gli sfilarono di tasca il portafoglio e guardarono la carta d'identità: avevano di fronte il professor Giovanni Lanzi, residente a Palermo in via Ruggero III, 57.

Lo sistemarono alla meglio in auto e lo portarono all'ospedale di Anzio dove i sanitari gli riscontrarono uno stato confusionale, come se gli fosse stata somministrata una potente droga. Il polso era debolissimo, irregolare, il respiro breve; l'elettrocardiogramma riscontrò una situazione gravissima, prossima al collasso. Mentre lo conducevano d'urgenza in camera di rianimazione e lo mettevano sotto la tenda ad ossigeno, uno degli infermieri scese al telefono del pronto soccorso e chiamò il centotredici.

A mezzanotte un telex d'agenzia diramava ai maggiori quotidiani della penisola la notizia che il professor Lanzi era stato ritrovato sulla costiera del Circeo e che giaceva in condizioni gravissime nell'ospedale di Anzio.

Il primario medico, chiamato d'urgenza, era accorso al

capezzale dell'illustre studioso e stava tentando l'impossibile per strapparlo alla morte.

Quando i giornali andarono in macchina, verso l'una, le sue condizioni erano ulteriormente peggiorate. Alle sette del mattino era in coma profondo; l'elettroencefalogramma, ormai piatto, non lasciava più speranze: la mente di Giovanni Lanzi si era spenta per sempre.

IX

Ore 22,30

L'elicottero sorvolò la costa per circa un quarto d'ora e poi virò a destra, verso il mare aperto. Ottaviani poté vedere per qualche tempo le luci di Terracina e gli archi illuminati del tempio di Giove Anxur, poi più nulla: l'elicottero si dirigeva senza dubbio verso sud-ovest, dunque doveva puntare verso l'arcipelago delle isole Ponziane, uniche terre raggiungibili in quella direzione, forse sulla deserta Zanone.

Gli pareva strano però che i suoi compagni di volo non l'avessero bendato per impedirgli di orientarsi, di guardare gli strumenti di bordo, di consultare l'orologio. Ne comprese il motivo circa mezz'ora dopo quando scorse sotto di sé, un paio di chilometri a prua, una grande imbarcazione d'altura a due alberi, ferma in mezzo al mare. L'elicottero cominciò a scendere mentre una luce ammiccava nel buio dal cassero dello yacht.

Si fermò quasi sul pelo dell'acqua sulla verticale di una scialuppa governata da un uomo seduto ai remi. Ioannidis aprì il portello, calò la scala di corda e fece scendere Ottaviani calandosi subito dietro di lui. Le pale dell'elicottero sollevavano un vortice di spruzzi dalla superficie increspata del mare tanto che Ottaviani non riusciva a vedere nulla e dovette esplorare con la punta del piede lo spazio sotto di sé trovando alla fine il sedile della scialuppa. Quando anche Ioannidis fu sceso la scala di corda si riavvolse verso l'alto e l'elicottero scomparve in breve tempo in direzione nord-est. Ottaviani guardò allora l'uomo che aveva di fronte mentre remava per accostare allo yacht: era un giovane dalla corporatura erculea, coi capelli lunghi e mossi; indossava solo un paio di calzoncini cortissimi e una maglietta scura.

Saliti a bordo e issata la scialuppa, Ottaviani fu condotto sottocoperta nel quadrato sontuosamente arredato: mobili in tek, tappeto di Kayseri sul pavimento, lumi in ottone lucido, quadri antichi alle pareti, i diffusori di un impianto stereofonico abilmente inseriti in una libreria di mogano. A un certo punto avvertì una vibrazione e poi il rumore appena percettibile di un motore: l'imbarcazione stava ripartendo.

Passarono alcuni minuti durante i quali Ottaviani non fece che tenere d'occhio la porta in attesa che entrasse qualcuno. A un tratto udì una voce di donna e si girò di scatto guardandosi intorno; si rese conto che la voce proveniva dagli altoparlanti: «Buona sera, signor Ottaviani, benvenuto a bordo. Ci dispiace molto dell'incidente occorsole a Roma sulla via Appia Antica. Si è trattato di un deplorevole errore che non si ripeterà più. Abbiamo accolto molto volentieri la sua proposta che ci è parsa l'unica ragionevole e saggia. Conosciamo la sua qualità di studioso e sappiamo che lei ha conseguito un risultato degno di una mente brillante. Lei ha visto giusto anche per quanto concerne il motivo per cui, a malincuore, siamo stati costretti a tenere presso di noi il professor Lanzi». Ottaviani volgeva in giro gli occhi, sicuro di essere sotto l'obiettivo di una telecamera, ma non riusciva a capire dove si trovasse. Certamente era nascosta in modo molto abile. «Abbiamo creduto per lungo tempo che il professor Lanzi ci tenesse nascosto qualcosa di molto importante: il documento in suo possesso, e che noi siamo in grado di mostrarle, è indubbiamente di eccezionale valore, ma da solo non è sufficiente a fornirci le notizie di cui abbiamo bisogno. Il signor Ioannidis ebbe modo di sentirla parlare una sera col suo collega, il professor Quintavalle, e decise di osservare da vicino il suo operato. Debbo dirle però che non è riuscito a scoprire l'oggetto preciso delle sue ricerche ed è solo grazie a lei, alla sua decisione di collaborare con noi, che abbiamo potuto liberare il professor Lanzi e dare inizio ad una operazione che potrebbe condurre a risultati esaltanti, sia per lei che per noi.»

«Chi siete?» chiese Ottaviani, sicuro di essere udito, oltre che osservato.

«Mi dispiace,» rispose la voce «questa è una domanda alla quale non posso rispondere e che la prego di non rivolgermi più. Ma lei sarà stanco ed affamato. Se vuole può passare nella sua cabina dove le è stato servito un pasto freddo: è la prima porta a destra nel corridoio che ha percorso entrando in questa sala. Potrà prendere un bagno e riposarsi. Domani metteremo a punto nei particolari i termini della nostra collaborazione. Buona notte, signor Ottaviani.»

Si udì la piccola scarica di un interruttore: chi gli aveva parlato non aveva altro da dirgli. Si alzò e uscì nel corridoio girando a sinistra e raggiunse la cabina che gli era stata indicata. Si trovò in un ambiente non grande, ammobiliato con un tavolino, una sedia e una branda. Alla parete si vedevano gli sportelli di un armadietto; lo aprì e vi trovò della biancheria, qualche capo di vestiario, degli asciugamani. Sul tavolo c'era un vassoio diviso in vaschette: filetto con verdura cotta, budino di cioccolato, insalata di pomodori e, a parte, una bustina di *italian dressing* per il condimento, un pezzetto di pane e una bottiglia di birra. Non aveva appetito ma sedette e mangiò. In una scatola di legno c'erano sigarette di tutte le marche, italiane, francesi, greche, egiziane, tutte con il bollo duty free. Finito di mangiare bevve un caffè liofilizzato poi si spogliò e andò a letto.

In tutta la sua vita era quella la prima notte in cui era costretto a coricarsi senza aver dato uno sguardo al cielo o alla terra, senza aver guardato in faccia un essere umano.

Lo svegliò la luce del sole che filtrava dall'oblò sul soffitto della cabina; non si udiva il minimo rumore all'infuori dello sciabordio dell'acqua sulle fiancate dell'imbarcazione: il motore era spento, lo yacht procedeva a vela.

Il sole era fuori del suo campo di visuale per cui non poté nemmeno tentare di supporre la direttrice della rotta.

Osservò che la parete esterna della cabina era ricurva: dovevano averlo sistemato a prora, in uno degli alloggi dell'equipaggio e il bagno della sua cabina doveva poggiare contro la paratia stagna del quadrato. Era là che aveva udito la voce della donna dagli altoparlanti. Calcolò che dietro il quadrato ci fosse una cabina di carteggio con la radio e poi una grande cabina di poppa. Dall'altra parte del corridoio, di fronte alla sua porta di ingresso doveva esserci l'altra cabina di prora destinata forse ad ospitare Ioannidis o forse un marinaio dell'equipaggio con funzioni di sorvegliante. Mentre tentava di figurarsi a un di presso la struttura dello yacht, la voce di donna si fece udire da un altoparlante: «Buon giorno, signor Ottaviani. Mi auguro che abbia dormito bene; vedo con piacere che ha un'aria riposata e distesa».

Ottaviani imprecò girandosi intorno alla ricerca dell'occhio invisibile della telecamera: «Non mi osserverete anche al cesso per caso!» gridò. La voce tacque per qualche tempo.

«Voglia favorire nel quadrato,» riprese poi senza la minima alterazione «la sua colazione è pronta.» Ottaviani non si mosse.

«Può uscire liberamente dalla sua cabina, la porta è aperta.»

Era vero. Ottaviani percorse il corridoio contando i passi per tracciare almeno una parte della topografia dell'imbarcazione ed entrò nel quadrato. Non c'era nessuno: sul tavolo, in un vassoio, c'erano due uova fritte, caffè nero, succo d'arancia e toasts con burro salato.

«Siamo spiacenti che debba consumare i pasti da solo» ricominciò la voce «ma riteniamo sarebbe ancora più spiacevole per lei mangiare con un commensale dal volto coperto. Motivi di sicurezza ci impongono questo comportamento. Voglia darsene ragione.»

Ottaviani non rispose e fece colazione in silenzio; cercava solo di rendersi conto di dove fossero piazzate le telecamere che lo osservavano. Quando ebbe finito la voce disse: «Ora, signor Ottaviani, è venuto il momento per lei di esaminare il documento che ci ha lasciato il professor Lanzi: apra il cassetto del mobile che ha di fronte sulla parete e prenda ciò che vi trova, poi torni al suo tavolo. Può lavorare qui, è molto più comodo che nella sua cabina. Nella libreria troverà una buona quantità di sussidi bibliografici; se avrà bisogno di materiali tecnici non avrà che da chiederli. Lo yacht su cui ci troviamo sta girando in ampio cerchio attorno allo stesso punto: se e quando lei sarà in grado di fornirci una indicazione precisa imposteremo la rotta e ci metteremo in viaggio verso la meta da lei determinata».

«E se non riesco?» chiese Ottaviani. Ci fu un momento di silenzio poi la voce rispose: «Torneremo in prossimità della costa e le daremo una scialuppa con cui potrà raggiungere la terraferma. Ma tenga presente quanto dico: non oltrepassi mai la linea poppiera del quadrato. Potrà salire in coperta quando si accenderà una luce azzurra nella sua cabina o qui, nel quadrato; un segnale acustico in coperta l'avvertirà che deve rientrare nel suo alloggio. Si attenga a queste istruzioni e non correrà alcun rischio, in caso contrario sono spiacente di dirle che non potremo più garantirle la sua sicurezza. Mi dica, prego, se accetta queste condizioni».

«Accetto» rispose Ottaviani. Si alzò e si diresse verso il mobile che gli stava di fronte, aprì il cassetto e vide ciò che si attendeva: una lamina di piombo lunga circa trentacinque centimetri, larga una decina, con una iscrizione latina incisa con la punta di uno stilo. La prese fra le mani, tornò a sedersi al suo tavolo e cominciò a esaminarla.

Si trattava di una fusione per cui era stato utilizzato del materiale abbastanza puro ed era stata ripassata con un rullo di legno che aveva lasciato una serie di impronte ricorrenti a intervalli regolari, e che alteravano qua e là la scrittura. Non c'erano linee di guida per cui le righe presentavano un andamento dall'alto verso il basso.

Si sentì invadere l'animo da una soddisfazione immensa quando vide, in alto a sinistra, il sigillo del comandante che riproduceva la figura di un uccello ad ali spiegate e intorno la scritta "Aquila", il nome dell'unità, lo stesso riportato nel codice di Polibio!

Nulla contava più per lui in quel momento: era di nuovo sulla pista, l'indagine riprendeva su un nuovo, eccezionale documento.

La scrittura, abbastanza netta, era però irregolare, come se fosse stata vergata senza particolare intenzione di eleganza; si sarebbe detto un promemoria per uso personale, non ufficiale. La lamina aveva già subito un primo intervento di pulizia e di restauro principalmente a base di solventi chimici mentre i solchi delle lettere erano stati probabilmente puliti con lo specillo pneumatico. Il lavoro comunque non era stato terminato: il restauratore aveva lavorato più per rendere leggibile il testo che per restituire al reperto le sue condizioni originarie.

Ottaviani si rese conto che doveva riprodurre a rilievo la scrittura per poterla leggere e chiese acqua, carta assorbente, una macchina fotografica con flash e un erogatore di aria calda: un asciugacapelli sarebbe stato sufficiente. La voce assentì dagli speakers e dieci minuti dopo apparve Ioannidis con il materiale richiesto. Uscendo biascicò una specie di saluto che Ottaviani non degnò di una risposta.

Inzuppò la carta assorbente e la fece aderire ai bordi della lamina con un adesivo poi, sfilata una candela da un candeliere, la usò come un rullo sulla carta assorbente così da farla penetrare sempre più, ad ogni passaggio, nei solchi di scrittura. Quindi asciugò l'assorbente, la staccò e la fotografò a luce radente sottoesponendo drasticamente cosicché solo le parti in rilievo, fortemente illuminate, apparissero nette sul fondo scuro. Terminata l'operazione chiese un tank e acidi per lo sviluppo. Riapparve allora Ioannidis che lo condusse nella cabina di carteggio attrezzata da camera oscura. Le stampe risultarono abbastanza buone e nitide; tornò nel quadrato e si mise al lavoro trascrivendo parola per parola e mentre scriveva dimenticava ogni altra cosa: gli occhi di vetro delle telecamere che lo osservavano, la misteriosa voce di donna che gli parlava, l'assurda situazione in cui era venuto a trovarsi. Si sentiva pervaso da un'energia strana e potente: ciò che aveva potuto intuire del testo su cui aveva lavorato gli lasciava intendere che la soluzione del problema, la fine della sua ricerca era prossima. Rifiutò di pranzare per terminare la trascrizione di tutto il testo che alla fine risultò, come aveva intuito, un brano del diario di bordo stilato dal comandante della nave romana che aveva trasportato le due statue di bronzo in Italia:

"... a quanto invero posso dire, poiché, essendo al timone... non vidi... cadere... in mare.

"... impossibile per un forte vento che... Tenedos per due miglia già verso Reteo... Pertanto dovendo assecondare il vento... verso sera nel porto di Adramittion. Di là in due giornate di navigazione giungemmo a Smirne dove un vento orientale prevaleva e... giorni di navigazione a Delo. Di là in due giorni di navigazione... oltre capo Malea e circa a mezzanotte... l'isola di Sfacteria che è di fronte a Pylos. Di là, in un giorno di navigazione giungemmo a Kerkyra. Di là in due giorni di navigazione... a Callipolis. Di là giungemmo al capo Lacinio in due giorni di navigazione. Di là in un giorno di navigazione giungemmo... ma una forte tempesta essendo sorta improvvisamente, impediva di entrare nello stretto..."

Pur presentando anche lacune da corrosione il testo integrava piuttosto bene il codice polibiano di San Nilo. Il comandante riferiva all'inizio che le armi erano cadute in mare mentre egli era intento alle manovre a poppa. Un forte vento di nord-ovest non gli aveva consentito di tornare indietro e lo aveva anzi spinto verso la costa dell'Asia Minore. Una volta a ridosso aveva potuto riprendere la rotta occidentale approfittando della branca meridionale del vento etesio. Poi aveva doppiato il capo di Santa Maria di Leuca attraversando il golfo di Taranto per puntare, al largo di capo Colonne, verso lo stretto di Messina dove l'aveva colto la tempesta. Il testo, semplice ed essenziale, rifletteva in gran parte un portolano e non lasciava dubbi sulla sua autenticità.

Lanzi doveva averlo letto e, osservando le fotografie dei reperti di Lavinium aveva notato il torso che era stato rubato e aveva messo in relazione il bassorilievo del torso con il ritrovamento dei due guerrieri di bronzo. Un'osservazione brillante che gli era costata il rapimento e la prigionia.

Ioannidis aveva certamente avuto qualche informatore in Sicilia e a sua volta aveva avvertito l'organizzazione che ora lo teneva prigioniero. Ormai non c'era più motivo per indugiare:

era tutto chiaro. Bisognava raggiungere Tenedos, chiamata dai turchi Bozcaada e cercarvi l'approdo orientale; di là tracciare una rotta in direzione del promontorio Reteo e fare il punto a due miglia marine dall'isola. Là, coperte dalla sabbia del fondo, giacevano le armi degli eroi...

Guardò l'orologio: erano le quattro del pomeriggio e il suo lavoro era terminato. Quanto tempo era passato da quando aveva cominciato la sua ricerca? Non molto, in fondo, eppure gli pareva che fossero passati mesi e mesi. Alzò la testa verso la libreria e solo in quel momento si ricordò che qualcuno l'aveva osservato, ogni minuto, spiando ogni reazione sul suo volto. Decise che avrebbe rivelato, volta a volta, solo l'indispensabile per il proseguimento della missione; era quella l'unica difesa che poteva porre in atto con quella gente:

«Ho finito,» disse «sono in grado di interpretare il contenuto di questo documento. È senza dubbio un pezzo del giornale di bordo della nave che portò in Italia le due statue di bronzo e vi sono contenute informazioni tali da integrare le conoscenze già in mio possesso e da consentirmi di localizzare il punto in cui dovrebbero trovarsi le armi dei guerrieri.»

«Vuole dirci dove si trova questo luogo?» chiese la voce dagli speakers.

«No» rispose Ottaviani. «Questo lo dirò a suo tempo. Ora vi basti sapere che dovete far rotta verso lo stretto di Messina. Domani vi darò altre informazioni.» Vi furono alcuni momenti di silenzio poi la voce disse: «Ha paura, signor Ottaviani?».

«Sì, ho paura.»

«Non ne ha motivo.»

«È possibile, ma tutto mi fa credere il contrario. Avete rapito Lanzi e non so che cosa gli avete fatto; avete tentato di rapire me, mi avete colpito, inseguito... Mi spiate, ventiquattr'ore su ventiquattro, controllate ogni mio movimento mentre io non posso nemmeno guardarla in faccia per non rischiare di essere soppresso. Mi tenete come un insetto sotto il microscopio...!» urlò.

La voce tacque ancora per un poco, poi riprese: «Le ho già detto che l'incidente di cui è stato vittima è stato un deplorevole errore. Quanto al resto, purtroppo non ci è possibile agire diversamente. Questa sera, quando farà buio, potrà salire sul ponte, se lo desidera. Le sarà servita la cena tra un'ora, dal momento che non ha pranzato. Può ritirarsi nella sua cabina ora, e riposarsi; sarà stanco».

Si udì la piccola scarica dell'interruttore: la comunicazione era stata tolta. Ottaviani si alzò e raggiunse il suo alloggio stendendosi sul letto, spossato. Avvertì dopo un poco che l'imbarcazione virava di bordo: il viaggio incominciava. Guardò l'orologio e prese nota dell'ora in modo da poter calcolare approssimativamente la velocità del natante al momento in cui gli avrebbero chiesto nuovamente le indicazioni sulla rotta.

Si chiedeva se Quintavalle avesse letto a quel momento la sua lettera, se fosse tornato a casa. Avrebbe tanto voluto parlargli... ma nessuno aveva risposto al telefono. Si chiedeva se Elizabeth avesse letto il suo messaggio e come avesse reagito. Si rammaricava di non essere stato più preciso... le avrebbe evitato un lungo periodo di preoccupazioni, di angustie... giorni e giorni... settimane forse... Avrebbe mantenuto il segreto della sua scomparsa? Avrebbe inviato le lettere che aveva lasciato per suo padre? Ma che cosa avrebbe potuto dirle di più quando egli stesso ignorava che cosa lo attendesse, quando aveva solo l'animo pieno di amarezza, la mente oppressa dalla più cupa malinconia... da oscuri presentimenti...

E si chiedeva che cosa sarebbe stato di lui una volta che fosse riuscito a recuperare le armi perdute dei guerrieri. Che ragione avrebbero avuto i suoi carcerieri per tenerlo ancora in vita? Rabbrividì al pensiero del suo corpo gettato in mare... Non gli era mai capitato di pensare al luogo della sua sepoltura, ma aveva sempre associato il pensiero del riposo eterno al piccolo cimitero del suo paese sull'Appennino e l'idea dell'abbraccio freddo del mare lo riempiva di spavento. E gli tornavano alla mente con insistenza scene di vecchi film di pirateria con il cadavere avvolto in un lenzuolo come una mummia che scivola in mare da una tavola e affonda d'un tratto, trascinato negli abissi da un peso legato ai piedi.

Gli restava però una carta da giocare: se era vero che quella gente aveva rubato il torso della statua da Lavinium, allora era evidente che in qualche modo la ritenevano importante, pensavano che potesse contenere elementi utili per la soluzione di un problema... quale? Erano i due nudi maschili, e cioè le statue degli eroi che avevano attirato la loro attenzione o era il gruppo delle tre figure... la dea e gli eroi...

Collocate allora, o sciagurati,
sull'alta rocca il sacro Palladio
vigilato dagli eroi che la dea
predilige: Ulisse, maestro di frodi,
e il divino Tidìde.

Si passò la mano sulla fronte sudata: se era così, e non poteva essere altrimenti, era chiaro che quella gente voleva anche il Palladio. Perché? E se Lanzi avesse avuto con sé degli appunti? No, non era possibile... Forse erano solo dei criminali che rubavano opere d'arte su commissione. Ma se la cosa poteva essere plausibile per i due bronzi stupendi che avevano affascinato milioni di persone, che senso c'era a tentare il furto di una modesta statua fittile, un oggetto di limitato valore artistico, per di più documentato in decine di fotografie? No, le parole che aveva scritto a Elizabeth nella sua ultima lettera erano giuste: un furto di quel genere non era comunque concepibile. Quella gente era mossa da una ragione ben precisa, aveva un piano ben definito in cui gli eroi di bronzo erano strettamente collegati alle statue di Lavinium. Forse non sarebbe mai riuscito a scoprirne la trama, ma forse quel torso sarebbe stato la sua salvezza, ammesso che fosse a bordo e che quella gente attribuisse a lui la possibilità o la capacità di svelarne il mistero. Avrebbe potuto comunque bluffare, fingere di sapere ciò che invece gli era ancora oscuro. Questa poteva essere la via della salvezza... il filo di Arianna che poteva ricondurlo fuori dal labirinto.

Si ricordò della fotografia che gli aveva dato Paolo Quintavalle; estrasse il portafoglio e la cercò tra le poche banconote che conteneva, ma in quel momento il segnale lo richiamava nel quadrato per la cena. Ripose nuovamente la fotografia e raggiunse la stanza sedendosi davanti al vassoio con le vivande pronte.

C'era un grande silenzio: lo yacht procedeva a vela e il rumore delle posate sul piatto risuonava stranamente forte, come amplificato. Ottaviani si rendeva conto che quella totale solitudine che gli dava l'impressione di trovarsi su un veliero fantasma, aveva su di lui un effetto perverso: perdeva la nozione del tempo e, in un certo senso, anche di se stesso. Le persone care, gli amici, la stessa Elizabeth, diventavano a momenti ritratti sbiaditi; aveva la sensazione che sarebbe venuto il momento in cui non li avrebbe più riconosciuti. Sentiva, ad ogni ora che passava, sempre più forte l'esigenza di comunicare con qualcuno, di parlare con un essere umano. Perfino Ioannidis, se l'isolamento durava, sarebbe stato bene accolto.

Si guardò intorno cercando di non focalizzare lo sguardo su singoli oggetti per non dare l'impressione di osservare, e notò una serie di piatti appesi alle pareti. Sembravano oggetti di ornamento, ma, pur diversi nella decorazione, avevano tutti qualcosa in comune: una serie di cerchi concentrici, piuttosto evidenti, come se fossero a rilievo. Inoltre notò che erano disposti in modo da trovarsi tutti equidistanti dal punto in cui egli sedeva. Quando uscì poté osservare chiaramente, facendosi riparo per un attimo con la porta, che ne aveva anche alle spalle e che uno era applicato al centro del soffitto, esattamente sopra la sua testa. Richiuse la porta e si incamminò verso la sua cabina.

Benché non riuscisse a spiegarsi il senso e la funzione di quegli oggetti, si sentì preso da una forte sensazione di panico e desiderò ardentemente di essere fuori da quella situazione.

Il sole doveva essere ormai basso sull'orizzonte: a quell'ora nella piazzetta del suo paese i ragazzi si rincorrevano giocando a pallone e gli uomini, seduti davanti all'unico caffè, discutevano della vendemmia e di come sarebbe stato il vino nuovo, aspettando che fosse pronta la cena. A quell'ora suo padre rientrava dai campi sul vecchio trattore ansimante e governava le bestie prima di mettersi a preparare un piatto di minestra nella grande cucina vuota e scura e il cane lo seguiva ad ogni passo, scodinzolando.

Si asciugò gli occhi con le mani prima di rinchiudersi nello spazio angoscioso della sua cabina.

Monastero di San Nilo, 18 settembre, ore 21

L'auto nera di rappresentanza si fermò nel cortile dell'abbazia e ne scese un uomo sulla sessantina in pantaloni e giacca antracite con un cappello nero a lobbia. Sul bavero della giacca solo una piccola croce di metallo bianco indicava che si trattava di un ecclesiastico.

Il portiere corse ad aprirgli e lo salutò con un inchino facendolo accomodare nel salotto al piano terreno. Poi salì nell'ufficio dell'archimandrita: «È arrivato in questo momento il cardinale Montaguti» annunciò.

«Fallo salire, lo aspettavo.»

Mentre il portiere scendeva le scale l'archimandrita si alzò in piedi accostandosi alla finestra e gettò uno sguardo sul cortile: l'auto nera con targa vaticana stava ripartendo in direzione di Roma, segno che il cardinale si sarebbe fermato per la notte. Un lieve colpo alla porta lo fece volgere e si trovò di fronte il prelato.

«Entri, Eminenza, si accomodi pure» disse offrendogli una sedia e sedendosi poi di fronte a lui. «Ha cenato?»

«Sì, grazie, non si disturbi.»

«È sempre per noi un onore averla ospite in questa casa. Come sta Vostra Eminenza?»

«Come vuole il Signore, Vostra Paternità. Purtroppo la situazione si aggrava ogni giorno. Sua Santità è profondamente preoccupata per il colloquio che ha avuto con il segretario delle Nazioni Unite: il quadro che ne è uscito è drammatico.»

«Intende dire che ci sono fatti nuovi di particolare rilevanza?»

«Non potrei dirlo con sicurezza, ma si respira un'atmosfera di grande ansia e preoccupazione al palazzo apostolico. Il Santo Padre è profondamente turbato per quanto accade nella sua patria e per le notizie che giungono attraverso i canali riservati dalle diocesi orientali. Si ha la netta impressione che la pace non sia mai stata tanto in pericolo. Purtroppo non c'è molto che la Chiesa possa fare in questi momenti, tranne che pregare: quando le nazioni si lasciano prendere dalla tentazione bellicistica, diventano sorde ad ogni richiamo.»

«Infatti,» disse l'archimandrita «non ci resta che sperare nella misericordia del Signore. Ma non voglio trattenerla, Eminenza, forse vorrà ritirarsi.»

«Sì, certo,» disse il cardinale «ma prima desideravo chiedere a Vostra Paternità se il dottor Ottaviani è venuto qui all'abbazia e se ha potuto condurre la sua ricerca.»

«È venuto. Non gliel'ha detto?»

«Mi aveva promesso che sarebbe venuto da me entro agosto, prima che io lasciassi Villa Altobelli dove trascorro di solito pochi giorni di vacanze ma non l'ho più visto né sentito e la cosa, sinceramente, mi pare strana. Voglio bene a quel ragazzo e lo conosco a fondo: so bene che soltanto qualcosa di grave può avergli impedito di venire a trovarmi. Ho telefonato al parroco del suo paese: mi ha assicurato che là non s'è visto. Lei non ha notato nulla di particolare? Gli ha per caso parlato?»

«Sì, gli ho parlato... un paio di volte. La cosa strana è che, eccettuato il primo giorno, non è mai stato visto in biblioteca e lei mi aveva detto al telefono che veniva da noi per una ricerca.» Il cardinale aggrottò la fronte: «Intende dire che ha trascorso tutto il tempo in camera sua?».

«È così. E quando se ne andò e venne a salutarmi era stravolto, come se non avesse dormito da giorni. Aveva la voce rauca, una strana luce negli occhi... Ebbi paura, gli chiesi se si sentiva male, se voleva che chiamassi un medico...»

«A questo punto?» chiese il cardinale. «Che cosa poteva essere successo? Non le chiese o non le disse nulla quando venne a congedarsi?»

«Sì,» rispose l'archimandrita «mi chiese cosa sapessi di un monaco vissuto in questo monastero nell'undicesimo secolo, un amanuense.»

«Certo la domanda doveva essere in relazione alla ricerca che stava compiendo...» osservò il cardinale. «E lei che cosa rispose?»

«Che sì, era possibile che fosse esistito un monaco con quel nome e forse più di uno.»

«E lui?»

«"Quello di cui parlo" disse "morì disperato."»

Il cardinale ebbe un lieve sussulto, rabbuiandosi in volto: «Una ben strana risposta, Vostra Paternità» disse. «Che significato poteva avere?»

L'archimandrita parve titubante e indeciso sulla risposta da dare e anche il cardinale sembrava inseguire i propri pensieri. Ricordava in quel momento come quella mattina il segretario di stato Palazzeschi gli avesse riferito ciò che Ottaviani aveva detto al direttore della Biblioteca Vaticana congedandosi, che aveva scoperto una glossa criptica nel codice di Polibio. La sua ricerca l'aveva poi condotto a San Nilo dove non aveva mai messo piede in biblioteca e donde era uscito sconvolto lasciando come unica traccia una frase sibillina.

Non era concepibile che, dopo avergli chiesto di aiutarlo facendogli telefonare al segretario di stato in persona, non si fosse fatto più vivo, nemmeno per ringraziarlo. Non era da lui.

Guardò l'archimandrita e vide che la sua lunga barba si muoveva come per un leggero tremito del mento.

«Eminenza,» riprese il vecchio «c'è una lontana possibilità per me di interpretare quella frase, ma è con estrema riluttanza che mi indurrei ad affrontare questo argomento...»

«Può almeno accennarmi...» insistette il cardinale. «C'è qualcosa che mi preoccupa in questa storia.»

«Eminenza, noi sappiamo bene che le istituzioni della Chiesa includono, come scorie in una pietra preziosa, eredità dimenticate di un passato millenario, fatti che a suo tempo ebbero un valore, un'importanza, in rapporto alla sensibilità dei tempi e che ora sarebbero, tutt'al più, fonte di pensieri ambigui, un inciampo per la serenità della mente e dell'anima...»

«Mi consenta, Vostra Paternità,» disse il cardinale «è proprio questo il punto. Da quanto ella mi ha detto, quel ragazzo è entrato sereno in questo luogo e ne è uscito sconvolto, il che è esattamente il contrario di quanto ci si potrebbe ragionevolmente attendere. Ora, se noi, in tutta tranquillità e buona fede, potessimo attribuire questo fatto ad una coincidenza del tutto casuale, non varrebbe nemmeno la pena di parlarne. Ma quella frase, collegata alla situazione che lei mi ha descritto e allo strano comportamento del dottor Ottaviani nei miei riguardi è indice per me di una condizione profondamente anomala. Se poi tutto ciò è per lei, seppur lontanamente, collegabile a fatti che potrebbero fornire una spiegazione plausibile... francamente non mi rendo conto del suo ritegno. Perdoni, Vostra Paternità, ma chi le sta di fronte è un vescovo di Santa Romana Chiesa che, in tutta umiltà, può credere abituato all'esercizio della meditazione e dello studio oltreché, indegnamente, all'ufficio di governo, con tutte le responsabilità che comporta.»

«Sta bene» disse l'archimandrita con tono rassegnato. «Le dirò ciò che so. Molti secoli fa, in questo monastero si verificò un evento molto triste che condusse alla morte di un monaco... un amanuense di nome Theodoros. La causa di quella morte rimase oscura a tutti, tranne che al suo confessore. Erano tempi in cui, nonostante tutto, la suggestione superstiziosa si mescolava al giusto zelo e al sentimento sinceramente religioso. Il confessore di quel poveretto, vincolato dal segreto sacramentale, non poté dire nulla ma quanto aveva udito dalle labbra del penitente lo sconvolse al punto da portarlo a rapida morte... o almeno così si credette. Prima di morire però, egli consegnò all'archimandrita Demetrios I un documento e gli chiese, sotto giuramento, di non rivelarne a nessuno il contenuto.

«Da allora tutti i superiori di questa comunità hanno tenuto nascosto quel testo nella parte segreta del nostro archivio e così ho fatto io, benché, a dirle la verità, non gli abbia mai attribuito grande importanza. Ma lei sa, Eminenza, che certe consuetudini, a volte plurisecolari, acquistano di per sé, come dire... una certa forza. Ebbi modo, tempo fa, di leggere quelle pagine: si tratta di un diario in cui Theodoros di Focea racconta la sua vicenda... una storia strana, frutto certamente di una mente malata. Egli appare suggestionato da ciò che ha letto in un antico testo pagano, parla di tremende profezie che minacciano Roma, l'Italia e l'Occidente intero, della potenza di una antica divinità. Inoltre, ecco... descrive, con particolari di un certo ripugnante realismo, l'esumazione di un corpo femminile a cui avrebbe assistito mentre si recava a Roma... Insomma, se ben ricordo, quell'immagine lo avrebbe profondamente turbato... per non dire invasato... Vostra Eminenza cerchi di capire... si tratta chiaramente di farneticazioni... La morte di Theodoros avvenne certamente per cause del tutto naturali e solo le circostanze debbono aver alimentato dicerie... fantasie del tutto prive di fondamento... »

Il cardinale parve attendere che la campana della torre finisse di battere l'ora e quando il silenzio fu tornato tra le mura dell'abbazia disse: « Provo un profondo imbarazzo per aver forzato Vostra Paternità a rivelare una vicenda delicata... una vicenda che, sul mio onore di sacerdote, resterà sepolta nel mio cuore. Purtroppo quanto mi ha detto aumenta, più che non calmi, la mia preoccupazione. Perdoni la mia franchezza, ma io sono convinto che la frase che le disse il dottor Ottaviani costituisse per lei un riferimento preciso e inconfondibile alle vicende che le sono note. Oltre a ciò, se quella storia è arrivata fino a lei dal suo lontanissimo predecessore deve avere in sé una forza intrinseca... temo basata sulla paura... anzi, sul terrore, e questo mi fa rabbrividire ».

« Eminenza, » disse l'archimandrita « le ho detto che la superstizione, in certe epoche, può aver giocato un ruolo determinante e a ciò si devono aggiungere le deformazioni inevitabili di un discorso che viene trasmesso attraverso tanti secoli. Mi scusi, ma credo sia veramente inutile parlare ancora di questo argomento. »

Il cardinale abbassò la testa: « Una cosa vorrei chiedere a Vostra Paternità, » disse « pregherebbe con me per quel ragazzo? ».

« Con tutto il cuore, Eminenza » rispose l'archimandrita.

Si alzò e andò ad aprire una porticina sulla parete destra del suo studio e fece entrare il cardinale in una minuscola cappella decorata secondo l'uso bizantino. Su un altare un'icona copta ritraeva la Vergine col Bambino benedicente sulle ginocchia. I due principi della Chiesa si genuflessero sul pavimento e il cardinale incominciò: «Ascolta o Signore la preghiera che ti rivolgiamo: proteggi il tuo servo che un giorno rigenerasti nelle acque del battesimo col nome di Fabio e non permettere che gli accada alcun male».

«Scampalo o Signore,» riprese l'archimandrita «scampalo dai malvagi, salvalo dalle insidie del Maligno per l'affetto che gli portiamo noi umili tuoi servitori e per l'intercessione della Madre tua santissima... Amen.»

Restarono ancora qualche minuto in raccoglimento poi rientrarono nello studio. Il cardinale prese il cappello e la valigetta da viaggio e l'archimandrita lo precedette alla porta.

«Vorrei chiederle ancora un favore» disse il cardinale «anche se può sembrarle strano. Vorrei che facesse preparare il mio letto nella cella in cui alloggiava il dottor Ottaviani. Chissà, forse potrei rendermi conto... avere qualche buona ispirazione...»

«Mi dispiace, Eminenza,» rispose l'archimandrita «ma quell'ambiente è impraticabile: l'impianto elettrico è guasto. Le ho fatto preparare la sua solita camera. Buona notte.»

«Buona notte» rispose il cardinale. Si mise il cappello e si incamminò nella penombra del corridoio.

Yacht "North Star", 40'3" nord; 14' 6" ovest, 18 settembre, ore 22,30

L'imbarcazione filava silenziosa spinta da un vento teso di ponente; tutte le vele erano tese e al pennone prodiero era stato aggiunto, cosa molto strana, anche uno spinnaker scuro, che si protendeva, gonfio come un pallone, sulla cresta delle onde. Ottaviani, seduto a prora sul pozzo di catena, cercava di richiamare alla mente tutte le sue nozioni di marineria per poter calcolare approssimativamente quante persone potevano esserci a bordo. Sulla base di quanto aveva potuto vedere sottocoperta i suoi calcoli risultavano più o meno giusti: la barca era lunga una ventina di metri e tutto lasciava pensare che a bordo ci fossero, oltre a lui, non più di quattro persone: Ioannidis, il marinaio che lo aveva accolto nella scialuppa, la donna che gli parlava dal microfono e, molto probabilmente, un altro marinaio addetto alle manovre.

C'era una lancia di salvataggio a poppa, la stessa in cui era sceso dall'elicottero, con un fuoribordo incappucciato nella sua custodia di tela e un gommone. Aveva circa tre o quattro giorni davanti a sé per studiare un tentativo di fuga quando si fosse presentato il momento opportuno, ma più rifletteva e più si convinceva che la migliore carta che gli rimaneva da giocare era di dare l'impressione di poter interpretare il significato del bassorilievo del torso rubato. Purtroppo non era una cosa facile; quand'anche fosse riuscito a scoprire dove si trovava, sarebbe stato quasi impossibile muoversi a bordo sfuggendo al controllo onnipresente delle telecamere.

L'immensità del mare di cui poteva solo udire nel buio il respiro titanico, la grandiosità della volta celeste brulicante di stelle, magnificavano a dismisura la sua solitudine, la sua piccolezza inerme, annullavano ogni residua sicurezza, spegnevano la speranza. Una voce lo riscosse:

«Buona sera, dottor Ottaviani» era la stessa che gli parlava nel quadrato dagli speakers.

«Buona sera» rispose senza voltarsi. «Come mai non nasconde la sua voce dietro gli speakers questa volta? Non ha timore che possa essere un segno di riconoscimento?»

«Trova che la mia voce naturale sia diversa?»

«Molto. Direi che quando mi parla al microfono la sua voce è filtrata da un equalizzatore.»

«Lei è un uomo intelligente, Ottaviani.»

«Ho solo un po' di spirito di osservazione e qualche conoscenza tecnica.»

«Insolita per uno studioso di antichità.»

«Allora... non trova che sia imprudente farmi ascoltare la sua voce... nuda?»

«No, lei si riabituerà alla mia voce equalizzata e sarà l'ultima impressione quella che si fisserà nella sua mente.»

«È tutto calcolato, dunque. Avete anche previsto che

cosa dovrà restare e che cosa dovrà essere cancellato dalla mia mente? O forse è previsto un trattamento... definitivo?»

«Lei non ha nulla da temere, Ottaviani, se osserverà le regole che abbiamo convenuto.»

«Le regole che mi avete imposto...»

«Che cosa cambierebbe per lei vedermi in faccia? Una curiosità inutile che la metterebbe in grave pericolo e rischierebbe di compromettere un'importante missione.»

«Cambierebbe molto. Lei mi osserva in continuazione e io non posso fare altrettanto... Lei sa bene che questo mi dà un senso totale di impotenza, mi fa sentire come un oggetto nelle sue mani, distrugge la mia volontà, umilia la mia persona. Ma ricordatevi... sono io che vi ho trovati, non voi che mi avete preso. Come sono venuto da voi, così posso andarmene...»

La voce tacque e Ottaviani abbassò il capo tra le spalle ascoltando il vento e lo sciacquìo monotono dell'acqua contro la chiglia.

«No, Ottaviani,» riprese la voce «lei non tenterà nemmeno di andarsene. Lei desidera forse più di noi trovare ciò che stiamo cercando.»

«È vero.»

«Perché? Per curiosità scientifica?»

«Ho lasciato la donna che amo più della mia vita, ho lasciato mio padre, vecchio e solo, rischio di morire lontano da tutti... Crede che la curiosità scientifica sia sufficiente a spiegare tutto questo?»

«Allora perché?»

«Non lo so. So soltanto che devo farlo...»

La voce tacque ancora per qualche minuto, ma Ottaviani sentiva che lei era sempre là, ritta nell'oscurità dietro di lui.

«Che sarà di me quando avrò trovato ciò che cercate?» chiese a un tratto.

«Non lo so,» rispose la voce «non dipende da me né da nessun altro su questa imbarcazione, ma sia prudente... La prego, sia prudente.»

«Nel caso... nell'eventualità» disse Ottaviani dopo una breve pausa «che mi succeda qualcosa... per favore, avverta i miei amici... il professor Quintavalle: c'è il suo indirizzo nella mia agenda... A voi non costa nulla, e a mio padre sarebbe risparmiata una lunga agonia...»

«Ottaviani,» riprese la voce «se le fosse garantito il ritorno... lei sarebbe disposto a impegnare la sua parola?»

«A che proposito?»

«Non pensare più a quelle armi... se le ritroveremo... dimenticare... Noi avremo ancora bisogno di lei...»

«Lo so.»

Ci fu un'altra lunga pausa di silenzio. Ottaviani teneva lo sguardo fisso a prora, sulla gran vela nera protesa sulla cresta delle onde.

«Che cosa sa?» chiese la voce.

«Avete rubato il torso di una statua di Lavinium... non è così?»

«È così.»

«Io credo di saperne il motivo. Posso anche dirvi che la vostra intuizione è stata giusta ma che non arriverete mai da soli a scoprire ciò che vi interessa. Dunque non siete in grado di pormi delle condizioni.»

«Attento, Ottaviani, se noi dovessimo giungere da soli alla chiave dell'interpretazione lei diventerebbe per noi molto più pericoloso che utile.»

«È un rischio che devo correre... Che cosa ho da perdere in fondo?»

«La vita.»

«Allora dimmelo in faccia!» urlò Ottaviani voltandosi di scatto. Per un attimo, al riflesso della cupola luminescente dell'oblò di prua scintillarono due occhi dorati, freddi come quelli di un rapace notturno; si delineò una sagoma scura che scomparve subito sotto il profilo della tolda, come uno spettro inghiottito dalla terra.

Monastero di San Nilo, 18 settembre, ore 24

Il cardinale Montaguti stava terminando, com'era suo solito, l'ufficio di compieta prima di coricarsi quando sentì bussare alla porta. Era l'archimandrita: «Eminenza,» disse «devo confessarle di aver mancato nei suoi riguardi».

«Vostra Paternità non ha nulla di cui scusarsi» disse il cardinale.

«No, mi lasci dire. Ho riflettuto a lungo e mi sono reso conto che esiste la possibilità che il dottor Ottaviani incorra in qualche grave pericolo, una possibilità probabilmente remota, ma pur sempre una possibilità... Non le ho detto tutto ciò che è a mia conoscenza e a questo punto non mi sento di assumermi nei suoi confronti la responsabilità di tacere.»

Il cardinale offrì una sedia all'ospite e si sedette a sua volta di fronte a lui.

«Vostra Eminenza si è chiesta» cominciò l'archimandrita «come io possa avere chiara e presente nei suoi dettagli una storia scritta nove secoli fa e dimenticata in fondo a un archivio da tempi immemorabili?»

«Ci ho pensato infatti» disse il cardinale «e la cosa mi è parsa singolare per la verità. D'altra parte lei mi ha detto di aver avuto occasione recentemente di leggere quel testo...»

«Eminenza, ancora due mesi fa io ignoravo anche solo il nome di Theodoros di Focea. Da vent'anni sono il superiore di questo monastero e in tutto questo tempo non avevo messo piede nell'archivio riservato che tre, quattro volte. L'ultima volta, appunto, è stata due mesi fa. Mi ero appena coricato, passata di poco la mezzanotte, e stavo per addormentarmi... ebbene, mi sembrò di udire dei passi, giù nella cripta; il mio studio, vede, sta proprio sopra la cripta, a contatto col muro di destra dell'abside.»

«Non sarà stata un'impressione...»

«No. Si sentivano davvero dei passi e poi udii un cigolio di cardini... e il rumore di una porta che si richiudeva. C'è solo una porta nella cripta, quella dell'archivio segreto. Mi alzai e appoggiai l'orecchio al mio tavolino da notte: non ebbi più dubbi, c'era qualcuno nell'archivio. Scesi con un lume in mano e presi con me le chiavi. Trovai la cripta deserta e buia, ma la porta dell'archivio lasciava filtrare dal di sotto un poco di luce, non mi ero sbagliato. Bussai piano chiedendo "chi c'è là dentro?" ma non ottenni risposta. Entrai: l'archivio era deserto, non c'era nessuno. C'era solo un lume acceso sul tavolo di lettura e sul tavolo un quaderno aperto alla prima pagina: il diario di Theodoros di Focea.»

«Chi era entrato aveva sentito i suoi passi ed era uscito in fretta senza aver tempo di riporre il quaderno e spegnere il lume» disse il cardinale.

«No, Eminenza.»

«Perché no?»

«Da alcuni anni sono l'unico a conoscere l'esistenza di quell'archivio e solo io so come aprirlo. Non si faccia un brutto concetto, Eminenza: non c'è nulla di speciale là dentro, nulla di veramente importante... le ho già spiegato...»

«Oh, sì, certo. Ma non è questo il punto.»

«Già. Quel diario è diventato il centro di una serie di strani avvenimenti.»

«Primo fra tutti la sua, diciamo insolita comparsa su quel tavolo. Come se la spiega?»

«Sinceramente non so che dirle. Ho fatto delle indagini ma non ho trovato spiegazioni plausibili.»

«Ma lo ha letto almeno, che cosa ne pensa?»

«Io penso che quella storia, di cui ho trovato qualche riscontro nelle cronache del monastero, debba essere attribuita a superstiziosa credulità. Ciò che mi ha indotto a parlarle nuovamente è un'altra considerazione: io mi riferisco ai pericoli che può creare la suggestione, pericoli che forse potremo saggiamente evitare al momento opportuno. Quando Theodoros di Focea morì, a soli trentaquattro anni, la cosa fu attribuita, com'era uso a quei tempi, a influssi del demonio che si sarebbero manifestati tramite il misterioso testo che Theodoros stava cercando, testo di cui, peraltro, non si è mai avuta notizia.»

«La frase che pronunciò Ottaviani uscendo dal suo studio,» disse il cardinale «fa supporre che egli conoscesse questa storia. Che probabilità aveva di sapere se nessuno gli ha detto niente? O lei ritiene che abbia consultato il diario di Theodoros?»

«Ho considerato questa possibilità ma l'ho scartata: io non credo che il dottor Ottaviani avrebbe mai tentato di forzare la porta e gli armadi dell'archivio riservato...»

«Non l'avrebbe mai fatto» assentì il cardinale.

«E ammesso che lo avesse fatto, non so se avrebbe potuto

decifrare quella grafia e quel linguaggio in un tempo tanto breve. Solo pochi specialisti, io credo, sarebbero in grado... »

« Ma può averlo letto qualcun altro... »

L'archimandrita ebbe un momento di esitazione, come se cercasse di richiamare qualcosa alla memoria: « In effetti qualcun altro può averlo visto e averne poi parlato ad Ottaviani ».

« Che intende dire? »

« C'era qui, insieme ad Ottaviani, un altro studioso, Stavros Ioannidis, un bizantinista di Creta, strano personaggio a dire la verità. Una notte ebbi l'impressione che mi seguisse mentre scendevo in archivio per continuare la lettura di quel diario. Non posso escludere che mi abbia visto aprire la porta anche se ho preso tutte le precauzioni. »

« Suppongo che quell'uomo le sia stato presentato da qualcuno. Coi tempi che corrono mi stupirebbe che chiunque potesse essere accolto all'interno del monastero. »

« Infatti, Eminenza, è come lei dice. »

« È troppo se le chiedo di dirmi... »

« La raccomandazione viene dal professor Herbert Morrison. »

« Morrison?... Accademico pontificio... membro dell'Istituto di studi biblici, persona ineccepibile... mi pare molto strano. »

« Sono ormai molte le cose strane in questa vicenda, Eminenza. »

Il cardinale Montaguti stette a lungo a riflettere tracciando dei ghirigori con la penna stilografica su un foglio di carta: « Da tutto quello che lei mi ha detto » disse a un certo momento « sembra evidente che sia Ottaviani che questo Ioannidis cercassero qualcosa che in un modo o nell'altro è connesso a Theodoros di Focea... qualcosa che ha gravemente sconvolto Ottaviani... Non potrebbe trattarsi di quell'antico testo pagano di cui mi parlava? ».

« Per quel che ne so quel testo non è mai stato trovato... forse non esiste più. »

« Eppure una spiegazione deve esserci » disse il cardinale.

« Non ricorda altro che Ottaviani le abbia detto al momento di congedarsi? »

« Mi offrì del denaro per pagare la retta, ora che ci penso, e io rifiutai perché in realtà non era sceso quasi mai in refettorio ma lui insistette: "Li prenda lo stesso" disse "per una messa di suffragio". »

Il cardinale corrugò la fronte: vedeva, come se egli stesso fosse stato presente, quel lume acceso nel sotterraneo inaccessibile, quel quaderno aperto sul tavolo da mani invisibili, udiva quel passo echeggiare per le volte della cripta deserta.

« Che età ha detto che aveva Theodoros di Focea quando morì? » chiese.

« Trentaquattro anni » rispose l'archimandrita.

« Trentaquattro anni... Fabio Ottaviani compirà trentaquattro anni tra due settimane esatte... Oh, Signore onnipotente! »

X

Yacht "North Star", 18 settembre, ore 23

Fabio Ottaviani alzò lo sguardo verso il cielo stellato: Cassiopea brillava bassa sull'orizzonte di babordo a circa mezza nave. Ormai sarebbe dovuto scendere sottocoperta.

Si portò verso poppa camminando rasente alla parete destra del quadrato: dietro si intravvedeva, subito prima dell'albero, la timoneria illuminata e l'uomo che reggeva la barra. Si appiattì sul tavolato e strisciò in avanti fino a vedere abbastanza bene l'uomo che reggeva il timone: poteva avere una quarantina d'anni, barba e capelli lunghi brizzolati, due braccia muscolose appoggiate alla ruota. Indossava una maglietta nera, senza maniche, aderente, e guardava davanti a sé con una strana fissità nello sguardo. Non l'aveva mai visto prima, mentre l'altro, il giovane dalla corporatura erculea che lo aveva preso a bordo della lancia, gli era passato a volte sulla testa mentre si trovava in cabina e aveva potuto intravvederlo appena, di sotto in su, attraverso l'oblò che aveva sul soffitto.

Mentre guardava il timoniere udì una voce risuonare nella timoneria che era aperta sui lati, come se qualcuno parlasse da un citofono e subito dopo la voce dell'uomo che rispondeva: «Où, Ànassa, tòn àndra où dýnamai horàn».

Trasecolò: quell'uomo aveva risposto in antico greco; certo, aveva sentito bene, aveva detto, in antico greco "No, Signora, non lo vedo". Si umettò le labbra e si sentì in un momento fradicio di sudore mentre il cuore aveva preso a battergli furiosamente all'incrocio delle clavicole.

Strisciò allora più vicino alla timoneria protetto dalla fascia d'ombra della murata e volse la testa verso l'alto a guardare l'uomo immobile alla barra: aveva occhi scuri, il petto largo, le labbra carnose, la faccia abbronzata. La luce degli strumenti di plancia lo illuminava dal basso esaltando ogni particolare dei suoi lineamenti, duri, forti, come scolpiti nella pietra e il suo sguardo sempre fisso, solo a tratti velato come da una improvvisa tristezza.

Udì nuovamente il suono della voce dal citofono, confusa, appena percettibile, e udì l'uomo rispondere: «Nài, Ànassa». Per un momento aveva cercato di convincersi di aver sognato, ma quella risposta netta, chiara, eppure proferita senza un moto delle labbra, o così gli parve, era stata espressa in una lingua morta da millenni.

Fu per alzarsi e gettarsi verso quell'uomo per scuoterlo da quella fissità irreale, per colpirlo, per strapparlo dal timone, per costringerlo a lottare, a spargere vero sudore e vero sangue, ma in quell'istante udì risuonare a prua il segnale acustico che lo richiamava sottocoperta. Restò un attimo immobile poi, lentamente, si alzò in piedi a non più di tre metri dal parabrezza della timoneria.

L'uomo non si mosse, non batté ciglio, non lo guardò, come se la tolda di fronte a lui fosse deserta. Ottaviani restò fermo in quella posizione respirando affannosamente, a lungo. Alla fine l'uomo volse d'un tratto la testa e lo fissò per un attimo dritto negli occhi. Ottaviani sentì come una scarica attraversargli il corpo, le gambe presero a tremargli come se portasse sulle spalle un peso enorme e la vista gli si annebbiò. Si appoggiò istintivamente al corrimano mentre echeggiava ancora, ripetutamente, il segnale acustico.

Gli spruzzi delle onde gli bagnarono il viso riscuotendolo ed egli si raddrizzò nuovamente fermo sulle gambe. Si volse ancora alla timoneria: era vuota, non c'era nessuno là, e la barra, immobile, manteneva saldamente la barca sulla sua rotta. Allora tornò indietro fino al boccaporto e scese sottocoperta. Prima di entrare nella sua cabina si accostò alla porta di fronte, vi appoggiò l'orecchio ma non udì nulla: «Sei là, Ioannidis?» chiese rauco. «Sei là, figlio di puttana?» Non ottenne risposta. Prese allora a gridare:

«Ne ho abbastanza, abbastanza, hai capito, figlio di un cane?».

Ma la sua voce si spegneva subito nello stretto corridoio; restava solo il rombo attutito delle vele in coperta e il cigolio lieve del fasciame. Entrò nella sua cabina gettandosi sul letto mentre dietro di lui risuonava lo scatto metallico della serratura e pianse di rabbia, in silenzio.

Passò così forse dieci, quindici minuti poi, a un certo punto, gli parve di udire un rumore e si volse verso la porta: per un momento vide dietro lo spioncino quegli occhi dorati, attraversati dalla luce della lampada che illuminava il corridoio. Ma era stanco, svuotato di ogni forza, vinto, domato...

Avrebbe voluto essere lontano, coi suoi amici, a Roma, all'università, o con Elizabeth a correre in motocicletta sui colli Albani... con suo padre, nella fattoria sull'Appennino a raccogliere l'uva matura perché ormai era settembre avanzato... era ora di vendemmiare... Come avrebbe fatto suo padre, da solo, a vendemmiare?

Uno strano ronzio palpitante roteò sulla sua testa, sempre più netto, più forte... il rumore di un motore... le pale di un'elica... L'elicottero, c'era sicuramente l'elicottero sospeso vicino alla barca. Era venuto a portare qualcosa, o forse a portare via qualcuno... Il rumore durò per qualche minuto poi aumentò d'improvviso di intensità e quindi si attenuò di nuovo sparendo lontano. Era quasi l'una di notte ma c'era movimento a bordo: si sentivano dei passi in coperta e poi lungo le scale del boccaporto e lungo il corridoio in direzione del quadrato.

Accostò l'orecchio alla porta e udì distintamente aprire e richiudere due volte a distanza di pochi minuti l'uscio che immetteva nella saletta del quadrato. Si coricò, cercando di immaginare che cosa stesse succedendo e udì di nuovo i passi lungo il corridoio e poi il rumore della porta della cabina di fronte. Ioannidis? O qualcun altro? Sentì che non riusciva più a ragionare per la stanchezza e si lasciò andare al sonno.

Dormì per un paio d'ore voltandosi spesso nel letto, poi si svegliò, fradicio di sudore: era un caldo soffocante e l'aria era viziata. Il condizionatore doveva essersi fermato e l'atmosfera nella piccola cabina completamente chiusa si era fatta irrespirabile. Ma allora, se il condizionatore era fermo, probabilmente c'era un guasto all'impianto elettrico. Forse anche le telecamere erano fuori uso!

Azionò l'interruttore della lampada da notte ma la luce non si accese; cercò allora a tentoni il suo temperino swiss-army e l'accendino e si accostò alla porta illuminando la serratura con la fiammella: era fissata al legno con tre viti a croce. Estrasse il cacciavite a stella e le svitò una dopo l'altra finché la piastra gli restò in mano. Ripiegò il cacciavite, estrasse il punzone e forzò all'indietro il catenaccetto: la porta era ormai aperta.

Scivolò scalzo nel corridoio e raggiunse senza il minimo rumore il quadrato entrando nella saletta. La fiamma dell'accendino illuminò il tavolo e su di esso una massa scura coperta da un pezzo di stoffa. La sollevò e si trovò di fronte il torso della statua rubata a Lavinium. Prese dal tavolo un pezzo di nastro adesivo e, dopo aver regolato al minimo l'emissione del gas, immobilizzò il tasto erogatore.

Aveva ora abbastanza luce per esaminare finalmente il reperto. Prese la lente di ingrandimento dal tavolo e osservò con attenzione il piccolo bassorilievo al centro del torso: c'erano due nudi maschili a destra e a sinistra che imbracciavano lo scudo e impugnavano la lancia rivolta verso il basso e uno di essi, quello di sinistra, portava in testa un elmo crestato: erano certamente gli eroi di cui parlava il codice di San Nilo, ripescati nel mare di Taormina!

Al centro c'era un'altra figura armata di lancia, scudo ed elmo, quasi sicuramente un'immagine di Athena... L'immaginetta era circoscritta all'interno di una specie di portale formato da due montanti verticali e da un listello orizzontale... si sarebbe detto la stilizzazione di un tempietto, di un sacello. Il listello orizzontale era ornato da un fregio in forma di linea spezzata... o forse... no, sembrava a prima vista una linea spezzata... Non potevano essere delle lettere dell'alfabeto greco-calcidese?... Ma certo, bastava raschiare lievemente il residuo di terra con la punta del tagliacarte e diventavano leggibili, una dopo l'altra... ΑΛΛΑΔΙΟΝ fino a comporre la successione "alladion". Mancava solo la P iniziale... Strano, dal momento che non c'era traccia di una lettera abrasa. A meno che... la linea del tempietto! Eccola la pi greca, le due linee verticali sormontate da una linea orizzontale... ecco la parola completa: PALLADION!

Si asciugò la fronte e osservò la fiammella dell'accendino: non c'era più molto tempo. L'immaginetta tra i due guerrieri rappresentava evidentemente il vero Palladio: quello era il modo in cui l'antico custode del segreto aveva inteso distinguere la vera immagine dalle altre statue.

Esaminò ogni minimo particolare per identificare la figura che il coroplasta aveva inteso rappresentare. La divinità era rivestita dell'egida da capo a piedi ma non aveva corazza, o corsetto. Solo la Gorgone, appena distinguibile sul petto e un cordone per cintura... o un serpente? Si ricordò della statua che aveva osservato in fondo al magazzino a Torre Rossa, rigida come la primitiva rappresentazione di un idolo scolpito in un tronco d'albero. Gli parve di udire la sua stessa voce che diceva "Ha gli occhi chiusi" e non ebbe più dubbi.

Guardò l'orologio: erano le tre e mezzo del mattino e il gas dell'accendino stava esaurendosi. Doveva ritornare nella sua cabina. Mentre si preparava ad abbandonare il quadrato pensò agli strani movimenti che aveva notato quella notte, si ricordò dell'elicottero che doveva aver portato qualcuno... forse. E gli venne in mente la frase che quella donna gli aveva detto l'ultima volta sulla tolda della barca: "Attento, se noi dovessimo scoprire da soli la chiave dell'interpretazione lei diverrebbe per noi più pericoloso che utile".

Tornò allora accanto al torso, afferrò un pesante posacenere e calò un colpo secco al centro della scultura mandandola in frantumi, poi sgattaiolò nel corridoio fino alla sua cabina. Aveva calcolato che quando anche fosse tornata la corrente gli sarebbe rimasto ancora qualche attimo prima che le telecamere si attivassero e l'immagine andasse a registro e a fuoco. Così rimontò con cura la piastra della serratura e si coricò stremato.

La luce della lampada si accese alle quattro in punto quando un debole chiarore cominciava già a filtrare dall'oblò del soffitto.

Si svegliò verso le otto quando sentì aprirsi la porta della cabina dirimpetto e il passo di due persone che si allontanavano in direzione del quadrato. Non si mosse dal letto e attese ad occhi chiusi circa un'ora: di solito era quello il tempo in cui lo chiamavano per la colazione. Ovviamente c'era qualcun altro nel quadrato, qualcuno che doveva essere sceso dall'elicottero quella stessa notte.

Verso le nove udì nuovamente un rumore di passi giungere dal corridoio, si alzò e si accostò alla porta guardando dallo spioncino: c'era Ioannidis che gli girava le spalle e copriva un'altra persona mentre entrava in cabina. Lo vide in faccia per un momento quando si girò per chiudere la porta: era il professor Morrison dell'Università del Michigan, il famoso archeologo, accademico pontificio.

Certamente lo avevano fatto venire per mostrargli il torso di Lavinium... Possibile che uno scienziato così celebre fosse d'accordo con quella gente?... Probabilmente no, in qualche modo dovevano averlo ingannato, forse gli avevano fatto credere chissà cosa... o peggio, forse avevano rapito anche lui, come avevano rapito il professor Lanzi.

Si era intanto allontanato dalla porta per non attirare l'attenzione su di sé qualora qualcuno lo stesse osservando al monitor ed era entrato sotto la doccia. Mentre il getto d'acqua gli massaggiava le spalle avvertiva un senso di sollievo: non era più solo, c'era là vicino un collega, tanto più illustre e famoso, ma pur sempre un uomo di studi, un anziano gentiluomo sulla cui intelligenza e onestà avrebbe forse potuto fare affidamento, se solo fosse riuscito a stabilire un contatto.

Pochi minuti dopo fu chiamato per la colazione e andò nel quadrato. Era apparecchiato sul tavolo: uova e toast con caffè nero. Mentre mangiava si guardò intorno; non c'era sul tavolo né sul pavimento il minimo frammento di terracotta: i pezzi del torso erano stati recuperati fino all'ultima briciola. Forse avrebbero tentato di ricomporlo... magari con l'aiuto di Morrison... Si rassicurò: uno scienziato di quella statura non avrebbe mai fatto il gioco di quella gente.

Terminò la sua colazione senza che la voce si facesse udire dagli altoparlanti e la cosa gli diede un senso di disagio e di apprensione: forse non riuscivano ancora a spiegarsi come la scultura fosse andata distrutta. Si alzò e raggiunse la sua cabina stendendosi sulla cuccetta. Verso le dieci sentì Morrison che andava verso il quadrato seguito da un'altra persona, probabilmente Ioannidis e lo sentì rientrare solo verso le quattro del pomeriggio. Mezz'ora dopo si rese conto che lo yacht si era fermato e udì il rumore dell'argano nel pozzo di catena e poi il tonfo dell'ancora.

Il nervosismo lo riprendeva: perché Morrison era stato quasi sei ore nel quadrato? Tese l'orecchio: la porta di fronte si era aperta, Morrison e Ioannidis stavano salendo sul ponte.

Sei ore... sufficienti per ricomporre il torso... e non gli avevano nemmeno portato il pranzo: aveva fame, e paura. Sentì il rumore di un motoscafo che si avvicinava, poi dei passi in coperta, voci confuse, e poi ancora il motoscafo che si allontanava. Calcolò a un dipresso che lo yacht doveva trovarsi in quel momento al largo del Peloponneso o nei pressi delle Cicladi.

La barca salpò l'ancora e si mise a navigare a motore: ancora quarantott'ore di navigazione e si sarebbe trovata, più o meno, a destinazione tra l'isola di Bozkaada e la costa turca di Çanakkale. Là, sul fondo del mare, coperte di sabbia, c'erano le armi dei guerrieri, ne era certo, mai più toccate da mano umana in duemila anni.

Yacht "North Star", ponte di coperta, 20 settembre, ore 22

«Ho la vostra parola che non tenterete di voltarvi, signor Ottaviani?» disse improvvisamente la voce dietro di lui.

«Avete la mia parola.»

«Avete voglia di parlare?»

«Sì.»

«Allora, innanzitutto, vogliate dirmi che rotta dobbiamo seguire questa notte e domani.»

«Dove siamo ora?»
«Circa trenta miglia a est di Skyros.»
«Tèn hodòn labè éis tòn Hellèsponton.»
«Che avete detto? Non vi capisco.»
«Per i Dardanelli, fate rotta per i Dardanelli.»
La voce tacque per qualche momento e Ottaviani si accese una sigaretta cercando di calmarsi ma le mani gli tremavano.
«Questa notte siete uscito dalla vostra cabina. Come avete fatto?» Ottaviani abbassò il capo, avvilito:
«Non mi sono mosso dal mio letto.»
«Siete entrato nel quadrato e avete distrutto il torso di Lavinium. Un'azione sciocca e inutile.»
Si sentì prendere dal panico: e se Morrison avesse ricomposto il pezzo e lo avesse decifrato?... No, non era possibile... aveva calato il colpo proprio al centro e la scritta era minuta, a mala pena leggibile quando il torso era integro... era un bluff.
«In quel torso c'era la risposta a ciò che voi cercavate di sapere» disse. «Non potevo rischiare che altri lo scoprisse. Ora io sono l'unico a sapere, io ho decifrato il segno che qualcuno vi aveva impresso perché la chiave del segreto non andasse perduta. E io l'ho cancellato.»
«Non avete seguito il mio consiglio. Siete stato temerario: qualcuno avrebbe potuto vedervi e la vostra vita sarebbe stata appesa a un filo in quel momento. Ci avete pensato?»
«Mi sono svegliato per il gran calore che c'era nella mia cabina: ho dedotto che il condizionatore doveva essersi fermato forse per mancanza di corrente e così anche le telecamere dovevano essere fuori uso. Se nessuno se ne era accorto era chiaro che tutti dormivano tranne il pilota in timoneria. Sono salito su uno sgabello e ho guardato dall'oblò. C'era luce in plancia: ho dedotto che in coperta doveva esserci un circuito indipendente per cui il timoniere non poteva sapere che l'impianto sottocoperta era fuori uso e così ho raggiunto il quadrato.»
«Lei è astuto, Ottaviani, e abile. Ha anche trovato il modo di aprire la porta.»
«Devo far funzionare la mia mente se non voglio impazzire.»

«Perché dice così?»
«Sono solo... la mia mente vacilla a volte. Mi sembra di vivere da sempre in questa condizione... Non so nulla di quanto accade intorno a me, non so che cosa accade nel mondo... ho delle allucinazioni.»
«Il mondo corre gravissimi pericoli. C'è bisogno di una forza nuova che lo governi; una forza nuova... e antica nello stesso tempo. È anche la forza che ha dentro di lei, Ottaviani. Perché non ci aiuta?»
«Vi sto già aiutando.»
«Sa cosa intendo dire.»
«Lo so.»
«Allora perché...»
«Ogni uomo ha uno scopo da seguire nella vita. Io so quello che debbo fare.»
La voce tacque ancora per qualche tempo. Ottaviani guardava il mare verso tribordo: brillavano qua e là sulle onde delle luci colorate, si potevano immaginare i paesetti sulle isole adagiati intorno alle cale tranquille. Pensava alla gente seduta fuori sotto le pergole a bere uzo ghiacciato e a discutere di pesca e di politica. Gli pareva di sentire l'odore forte del retsina e l'aroma del caffè bollente mescolato al profumo del rosmarino e del mentastro. Desiderava con tutte le forze che tutto finisse presto.
«Perché vi chiamano "Ànassa"?» chiese a un tratto. «È una parola di antico greco, eppure quando vi ho rivolto la parola in quella lingua, poco fa, non mi avete capito...»
«Lei sa molte cose; dovrebbe sapere anche questo.»
«Ciò che io penso ormai non ha più senso... Combatto gli spettri della mia stessa mente.»
«Lei mente, Ottaviani. Se è come dice, perché ha voluto impedire che altri tentasse di decifrare il segreto di quel torso? La sua mente è perfettamente lucida e le consente di perseguire i suoi piani con logica determinazione.»
«Nulla è più lucido della follia» rispose cupo Ottaviani.

Roma, 20 settembre, ore 20

Paolo Emilio Quintavalle parcheggiò l'auto sotto casa, prelevò la posta dalla cassetta e salì al suo appartamento al primo piano. La portinaia aveva ragione: c'era un piccolo disastro. Un vecchio rubinetto da tempo gocciolante aveva ceduto alla pressione dell'acquedotto e aveva inondato mezza casa prima che qualcuno se ne accorgesse e prendesse provvedimenti.

Il parquet dell'ingresso e della sala si era gonfiato e molti listelli erano usciti di sede: un danno piuttosto serio. Aprì la finestra per dare aria e uscì sul terrazzo per innaffiare le piante, poi passò ad aprire la finestra dello studio: grazie al cielo i libri della biblioteca non avevano patito alcun danno; solo un pacco di estratti di "Hellenic Studies" dimenticati sul pavimento si erano completamente infradiciati. Li appese ad asciugare con le mollette da bucato poi si sedette alla scrivania per dare un'occhiata alla posta. C'era il catalogo delle novità di Oxford University Press e quello di Thames and Hudson, una cartolina dei ragazzi dal campo estivo dei boy-scouts, un sollecito dell'Accademia nazionale di archeologia che reclamava un testo concesso in prestito e una lettera di Fabio Ottaviani con data dell'undici di settembre. Diceva:

"Caro Paolo,
avrei preferito dirti a voce ciò che debbo invece affidare a questo foglio. Non mi sono fatto vivo da parecchio tempo perché sono stato completamente assorbito da una ricerca che mi ha condotto a tali strabilianti risultati da parere incredibili. Non ho ora il tempo di spiegarti tutto e spero che avrò la possibilità di farlo al mio ritorno.

"Quando leggerai questa lettera penso che il professor Lanzi sarà già stato rilasciato da coloro che lo avevano rapito e le sue dichiarazioni saranno prova che quello che dico corrisponde a verità. Quando vidi la foto del torso rubato a Lavinium ebbi l'impressione che i due nudi maschili che affiancavano l'immagine centrale del bassorilievo potessero essere messi in relazione, in qualche modo, con i due bronzi di Taormina e la scomparsa di Lanzi nei pressi di Lavinium mi fece balenare l'idea che anche lui avesse avuto la stessa intuizione e che volesse vedere di persona il reperto. Qualcuno aveva avuto però la sua stessa idea e aveva sottratto il torso di Lavinium.

"Gli stessi poi rapirono Lanzi pensando che fosse in possesso di qualche altra informazione per loro preziosa. La stessa gente mi ha seguito e pedinato e hanno anche tentato di catturarmi con la forza perché anche io so qualcosa che è per loro della massima importanza, una tessera fondamentale per ricomporre una incredibile pagina del passato.

"Ho scoperto un codice integro di Polibio e ho la chiave per ritrovare le armi perdute degli eroi di Taormina. Non solo: le pagine di Polibio che ho avuto la fortuna di leggere attestano che una delle statue di Athena da te ritrovate a Lavinium fu venerata dagli antichi come il Palladio portato da Enea da Troia.

"Chi ha fatto prigioniero il professor Lanzi vuole i guerrieri, le loro armi e forse anche il Palladio. Non c'è nulla che possa fermarli e sono pronti, io credo, a qualunque cosa pur di portare a compimento il loro piano. Non sono dei comuni ladri di opere d'arte, Paolo, credimi, sono ben di più e ben altro ed è con paura e con sgomento che ho deciso di consegnarmi nelle loro mani in cambio della libertà del professor Lanzi.

"Non ho la stoffa dell'eroe, caro Paolo, e non sarei riuscito, in altre condizioni, a prendere una decisione così pericolosa, ma ho pensato che se qualcuno vuole ad ogni costo spogliare la nostra terra di questi preziosi simboli del suo passato, la ragione deve essere di enorme importanza. Non ho resistito: la curiosità e forse un po' anche l'ambizione mi hanno fatto superare la paura.

"Non so che cosa accadrà ma non dispero: sono molti di più quelli che mi vogliono bene di quelli che mi vogliono male. Se avessi fortuna, chissà... potrei forse tornare e restituire ai guerrieri le loro armi, ma tu intanto proteggi le statue di Lavinium che rappresentano la dea, soprattutto quelle. So bene che non hai i mezzi e che una costosa vigilanza ti sarà probabilmente rifiutata. In tal caso, Paolo, organizza una mostra, mettile sotto gli occhi e in custodia della gente nel cuore della Città, in un grande museo, in Campidoglio, magari. Sarà difficile portarle via di là, ma toglile da Lavinium, per l'amor di Dio. Non è una sciocchezza, amico mio, né una fantasticheria, te lo giuro: non si rischia la vita per uno scherzo.

"Non andartene da Roma per qualche tempo perché, se tornerò, avrò bisogno di un amico fidato e devo poterti trovare. Vorrei dire, se non tornerò, ricorda qualche volta un vecchio amico... ma mi sembra melodrammatico, e lo scespiriano 'Addio e per sempre addio, Cassio' decisamente eccessivo, e così non dico altro; ti abbraccio soltanto, con l'affetto e l'amicizia di sempre,

Fabio

P.S. Non avvertire la polizia, ma se proprio devi farlo, rivolgiti al capitano Reggiani della Legione carabinieri 'Lazio'."

Quintavalle lasciò andare la lettera sul tavolo e si appoggiò indietro alla spalliera della poltrona cercando di riordinare le idee. Era tutto incredibile, eppure ricordava bene di aver letto sui giornali come era stato ritrovato il professor Lanzi sulla costiera del Circeo.

Sollevò la cornetta del telefono e chiamò l'agenzia ANSA: «Sono il professor Quintavalle dell'Università di Roma, avrei bisogno di un'informazione».

«Dica, professore» rispose la voce dall'altra parte.

«Potrebbe dirmi, per favore, quando fu ritrovato il professor Lanzi? Non so se ha presente... quello che fu rapito e poi rilasciato sulla strada di Anzio...»

«Sì, ho capito... attenda un istante.» Si udì un fruscio di carte e poi dopo un po' la voce al telefono disse: «Ecco qua... il professore fu trovato da una coppia di gitanti, i signori Proietti, verso la mezzanotte del 15 di settembre».

Quintavalle ringraziò e riappese la cornetta poi controllò il timbro postale sulla lettera di Ottaviani: era dell'undici di settembre. Chiamò allora al telefono Elizabeth ma non ebbe risposta, forse era uscita a cena da qualche parte. Accese una sigaretta e rilesse attentamente la lettera di Ottaviani: era indubbiamente la sua calligrafia e non si trattava certo di uno scherzo anche se tutto appariva inverosimile. Un codice inedito di Polibio... una scoperta che avrebbe messo a rumore il mondo intero.

"Fabio è un ragazzo emotivo" pensò "ma non è un pazzo e ha una certa reputazione scientifica; non è ammissibile che abbia montato uno scherzo di questo genere... e poi si sente che è preoccupato, spaventato... ma Elizabeth, perché non mi ha detto niente? Possibile che non sappia nulla? Forse l'avrà tenuta all'oscuro inventando qualche scusa..." Controllò la data sul calendario che aveva sulla scrivania accanto alla fotografia di Silvia e dei ragazzi... Se Fabio si era consegnato al posto di Lanzi mancava ormai da più di una settimana... forse era davvero il caso di avvertire la polizia.

Si propose di richiamare Elizabeth più tardi e se la ragazza non avesse potuto dargli notizie avrebbe avvertito la polizia... non c'era altro da fare. Mentre spegneva la sigaretta squillò il telefono.

«Quintavalle» disse portando la cornetta all'orecchio.

«Il professor Quintavalle?» chiese la voce all'apparecchio.

«In persona. Chi parla per favore?»

«Sono il cardinale Fabrizio Montaguti. Noi non ci conosciamo, mi scusi se mi sono preso la libertà...»

«Ci mancherebbe, Eminenza... dica pure.»

«Lei è amico di Fabio Ottaviani, non è vero?»

«Certo.»

«Ecco, professore, si tratta di questo: ho seri motivi di preoccupazione per quel ragazzo. Sono stato suo insegnante quando frequentava il collegio e l'ho sempre seguito... l'ho presentato io alla Borromeo. Ebbene, a quanto mi risulta è scomparso da qualche giorno e nessuno sa dove si trovi. Ha trascorso alcuni giorni al monastero di San Nilo a Grottaferrata per una ricerca su certi testi... io stesso, una decina di giorni fa gli procurai il permesso di consultare un antico codice della Biblioteca Vaticana. Di là è poi passato a San Nilo dove è restato, mi pare, tre o quattro giorni, dopo di che le sue tracce si perdono. Ma forse mi preoccupo per niente... magari era con lei su qualche scavo...»

«Nemmeno io l'ho più visto, Eminenza: ero anzi partito

per le ferie con mia moglie. Sono tornato per puro caso e ho trovato una sua lettera.»

«Sono indiscreto se le chiedo che cosa dice?» Quintavalle ebbe un momento di esitazione. «Mi scusi,» riprese il cardinale «forse non dovrei...»

«Non si tratta di questo, Eminenza... io stesso mi trovo in una situazione molto difficile. Fabio mi racconta in questa lettera una vicenda eccezionale: dice di aver scoperto un codice inedito di Polibio... un testo antichissimo e sconosciuto...»

«Signore onnipotente...» disse il cardinale «e cos'altro?»

«Non so, Eminenza... forse non è prudente parlarne così al telefono...»

«C'è qualcosa di grave, vero?»

«Temo di sì.»

«Non dica altro, per favore, non dica nulla a nessuno. Possiamo incontrarci? Io mi trovo a Roma al collegio di Propaganda Fide.»

«Anche subito, Eminenza. Vengo io da lei.»

«La ringrazio... e porterà quella lettera?»

«Senz'altro» rispose Quintavalle. Prese la sua cartella, vi infilò la lettera di Ottaviani e scese in strada. Poco dopo la sua Alfa rossa sfrecciava velocissima sulla via Nomentana, imboccava con gran cigoliò di gomme il Murotorto, si tuffava nel sottopassaggio per riemergere all'inizio di via Pinciana. Qui sterzò a sinistra gettandosi giù per la discesa verso Trinità dei Monti, attraversò i giardini del Pincio poi rallentò accostando al marciapiede presso una cabina telefonica dietro piazza del Popolo.

Quintavalle raggiunse l'apparecchio e formò il numero del centralino della Legione carabinieri "Lazio":

«Sono il professor Quintavalle,» disse appena ottenne risposta «posso parlare al capitano Reggiani?»

«Ora vedo» disse la voce del piantone. Si udì lo squillo dell'interno poi un'altra voce rispose: «Capitano Reggiani».

«Capitano, sono Paolo Emilio Quintavalle dell'Università di Roma, un amico di Fabio Ottaviani.»

«Ah, Fabio,» disse la voce «proprio un mese fa gli ho

salvato un verbale coi fiocchi e il ritiro della patente per eccesso di velocità. Come sta quel pirata?»

«Ecco, capitano, è proprio di lui che voglio parlarle. Temo che Fabio sia in grave pericolo...»

«Scherzerà.»

«Purtroppo no, capitano. Si tratta di cosa molto seria.»

«Cos'è successo?»

«Non posso parlarne per telefono... Potrei vederla personalmente?»

«Si capisce, anche subito, se vuole.»

«Mi spiace, subito non posso. Diciamo tra un paio d'ore?»

«Sta bene. Dove?»

«Al "Colony" di via Sicilia. È proprio dietro via Veneto.»

«Lo conosco, ci sarò senz'altro.»

«Ah, dato che non ci siamo mai visti: io sono alto uno e settantacinque, capelli neri, baffi; avrò una cartella marrone di cuoio...»

«Non si preoccupi, professore, la troverò senz'altro... sono un poliziotto, no?»

«Molto bene. A presto allora.»

Quintavalle rimontò in auto e ripartì in direzione del ponte Vittorio Emanuele. In un quarto d'ora era davanti al collegio di Propaganda Fide. Il cardinale Montaguti lo aspettava nell'atrio e appena fu sceso di macchina gli andò incontro e lo accompagnò in un salottino appartato. Quintavalle estrasse dalla cartella la lettera di Ottaviani e la mostrò al prelato.

«Ha già avvertito la polizia?» chiese il cardinale quando ebbe finito di leggere.

«Non ancora.»

«Lo farà?»

«Lei che ne pensa?»

«Non so... è difficile prendere una decisione. Purtroppo quel ragazzo non ha lasciato alcuna traccia...»

«Il professor Lanzi è stato trovato sulla costiera del Circeo.»

«Possono averglielo portato in macchina chissà da dove.»

«E comunque lo hanno lasciato in condizioni tali che non ha potuto fornire alcuna indicazione prima di morire.» Il cardinale si tolse gli occhiali cerchiati d'oro e si portò una mano alla fronte: «Professore,» disse «lei è suo collega ed amico: mi dica, perché lo ha fatto secondo lei? È mai possibile che abbia rischiato la vita per alcuni reperti archeologici, sia pure importanti?»

«Ha salvato la vita di Lanzi... o almeno questa era la sua intenzione.»

«Ma non la principale, sembra di capire da questa lettera.»

«Se è vero che ha scoperto quel codice e se in quel testo ci sono veramente indicazioni esplicite che riguardino le statue di Lavinium... ecco, forse le parrà strano, ma l'idea di arrivare fino in fondo ad una scoperta senza precedenti può averlo tentato al punto di...»

«Professore, voglio dirle una cosa: lei sa che esiste notizia di quel codice in un documento antico ma ancora conservato?»

«Assolutamente no... Se esiste, un tale documento deve essere stato inaccessibile fino ad oggi altrimenti non si spiegherebbe come sia potuto rimanere sconosciuto. Di che si tratta, può dirmelo?»

«È il diario dell'amanuense medievale che trascrisse il codice.»

«E Fabio ha potuto consultarlo?»

«Direi di poterlo escludere. Per tutto il tempo della sua ricerca non è mai uscito dalla camera in cui aveva alloggio. Di questo ho sicura testimonianza.»

«E lei ha visto questo diario?»

«No, si trova in un archivio non accessibile ma so più o meno cosa c'è scritto. Posso dirle che vi si parla del codice. Pare che l'amanuense che lo scoprì ne rimanesse a tal punto sconvolto da dare segni di follia. Lasciò il monastero in cui si trovava per qualche giorno e quando tornò si ritirò nella sua cella dove fu trovato morto, all'età di trentaquattro anni. Poco dopo anche il suo confessore morì, senza una ragione apparente...»

«Ma lei non crede alle stregonerie, Eminenza» disse Quintavalle con un tono di leggera ironia.

« No, ma non le nascondo che sono ugualmente preoccupato... angustiato è la parola giusta. Fabio compirà trentaquattro anni fra meno di due settimane e ha letto quel codice, non c'è dubbio. »

« Se dovesse succedergli qualche cosa di male non sarà certo per... un qualche malefico influsso di quel testo. Quanto all'età di Fabio... non vorrà dare peso ad una semplice coincidenza. »

« Professore, » disse serio il cardinale « lei è uno studioso di fama... io, ecco, io vorrei chiederle... non è possibile che certi antichi reperti possano essere... che so... contaminati... Si sente dire a volte di archeologi che sarebbero rimasti vittime di misteriosi virus... »

« Eminenza, » disse Quintavalle accendendosi un'Emmeesse « si tratta di fantasie destituite di ogni fondamento, gliel'assicuro. Fossero solo questi i pericoli che minacciano Fabio, potremmo starcene tranquilli. »

« Comunque in questa storia ci sono molti conti che non tornano e io le ho chiesto questo colloquio per cercare di ricomporre i pezzi sparsi di questa vicenda, mettendo insieme quello che so io e quello che sa lei. Dunque: Fabio Ottaviani mi chiede, circa tre settimane fa, di ottenergli il permesso di consultare un testo della Biblioteca Vaticana, il membranaceo polibiano 4731, dopo di che mi chiede ancora di raccomandarlo presso l'archimandrita del monastero greco di San Nilo a Grottaferrata. Mi aveva promesso che, terminata la sua ricerca, sarebbe venuto a trovarmi a Villa Altobelli, la mia residenza estiva in Romagna prima di raggiungere la fattoria di suo padre sull'Appennino. Non avendolo visto e dovendo scendere a Roma, decisi di passare da San Nilo dove spesso prendo alloggio per vedere se per caso fosse ancora là. L'archimandrita mi disse che sì, era venuto, e aveva preso alloggio nel monastero. Per tutto il tempo in cui si era trattenuto non si era però mai fatto vedere né in archivio né in biblioteca, poi si era presentato per salutare e per pagare la retta. Era sconvolto, pallido in volto, allucinato... Aveva chiesto all'archimandrita cosa sapesse di un monaco esistito nel medioevo, di nome Theodoros. Ottenuta una risposta vaga, evasiva, aveva risposto “Quello di cui parlo morì disperato” e se ne era andato lasciando un’offerta per una messa di suffragio...»

«Per chi?»

«L’archimandrita non seppe dirmelo... Forse per l’antico monaco... o forse per sé?»

«Lei pensa a un presagio?»

«A che cosa se no?»

«Non c’è che una spiegazione: Fabio ha letto il diario di quel Theodoros e ne è rimasto suggestionato.»

«L’archimandrita lo escluse, come le ho detto... però... però mi disse che qualcun altro forse ci aveva provato e poteva esserci riuscito.»

«Chi?» chiese Quintavalle accendendo un’altra sigaretta dal mozzicone della prima.

«Un tale Ioannidis, Stavros Ioannidis, un bizantinista credo. Era entrato nel monastero per una ricerca, su raccomandazione del professor Morrison.»

«L’archeologo?»

«Proprio lui.»

«Se ho ben capito costui si sarebbe introdotto di nascosto in una sezione chiusa dell’archivio del monastero, senza il permesso dell’archimandrita.»

«L’archimandrita aveva buone ragioni per sospettarlo. Lei si rende conto, professore, che molte istituzioni possiedono un archivio riservato.»

«Mi rendo conto, Eminenza, e può contare sulla mia discrezione... Quando se ne andò questo... Ioannidis?»

«Subito dopo la partenza di Fabio.»

«Capisco...»

«C’è anche un’altra, diciamo, coincidenza singolare» disse il cardinale. «Nel suo diario Theodoros farneticava di una profezia che minacciava Roma e l’occidente intero e del potere tremendo di una divinità pagana. Ora... guardi quella lettera» e indicò il foglio aperto sul tavolino «Fabio la scongiura di mettere al sicuro le statue di Lavinium... tutte quelle che rappresentano la dea... perché fra di esse c’è il Palladio... Non si tratta forse di uno dei più possenti idoli dell’antichità classica?»

« Santo cielo, Eminenza, » sbottò Quintavalle « la più antica di quelle statue non va oltre il settimo secolo avanti Cristo. Il Palladio, ammesso che sia esistito, si sarebbe trovato sulla rocca di Troia nel dodicesimo secolo. »

« Lei non capisce quello che voglio dire, professore. Nella vita di un uomo non conta tanto ciò che esiste, ma ciò che si crede che esista... »

Quintavalle osservò la mano del cardinale: stringeva contro il petto la croce episcopale che gli pendeva dal collo.

« Già, » disse « la fede smuove le montagne. »

« Quel ragazzo è ossessionato dall'idea che qualcuno possa impadronirsi di quelle statue e vuole restituire ai guerrieri di Taormina le loro armi. Le coincidenze tra la sua situazione e la vicenda di Theodoros di Focea sono troppo precise per essere casuali. Professore, io sono un ministro della Chiesa Cattolica; può forse pensare che io creda... che so... a fenomeni di magia? »

« Io non mi permetterei... »

« Dunque siamo obiettivi e atteniamoci ai dati sicuri. L'unica spiegazione logica è che una certa combinazione di fatti, se vogliamo casuale, abbia provocato nove secoli fa la morte di Theodoros di Focea. Ora, se Fabio Ottaviani si trova oggi nella medesima situazione, non potremmo pensare che la stessa combinazione, per un caso bizzarro, si sia ripetuta esattamente, coinvolgendolo e ricreando per lui... Dio non voglia, lo stesso mortale pericolo? »

« Ma Fabio Ottaviani è un ricercatore, un uomo del ventesimo secolo; non possiamo assimilarlo ad un monaco dell'alto medioevo. »

« Professore, la scienza, la logica, la ragione non valgono a proteggerci dai fantasmi della nostra natura ancestrale. A volte basta un nulla e scatta un misterioso meccanismo, il terrore infantile del buio non ci abbandona mai e lei lo sa bene. Quel ragazzo si è gettato in un'avventura in cui rischia di soccombere perché qualcosa lo ha travolto, qualcosa che né io né lei, forse, riusciamo a spiegare ma che non possiamo negare... »

« Forse ha ragione, Eminenza, ma io... io penso piuttosto alla gente che lo tiene prigioniero e che ha provocato la morte del professor Lanzi: da un incubo ci si può risvegliare... dalla morte, no.»

«Che dobbiamo fare allora?» chiese il cardinale.

«Non molto, purtroppo. Rendere pubblica la cosa non aiuterebbe certo Fabio. Ma forse c'è una possibilità, un appiglio a cui possiamo aggrapparci: quella gente, chiunque sia, vuole qualcosa che per ora è affidato alla mia custodia, se è vero ciò che Fabio scrive nella sua lettera. E se è così può darsi che io possa entrare in contatto con loro. E forse ho anche trovato la persona che può aiutarmi;» guardò l'orologio «mi aspetta tra una mezz'ora in un bar del centro... debbo andare.» Prese la lettera dal tavolo, la piegò e la mise nella cartella.

«Grazie, professore,» disse il cardinale «grazie per quello che vorrà fare per quel ragazzo.»

«Non deve ringraziarmi, Eminenza, Fabio è anche mio amico. Stia di buon animo: è un ragazzo sveglio, vedrà che saprà trarsi d'impaccio. Noi intanto dobbiamo stare pronti perché prima o poi si farà vivo, vedrà.»

«Speriamo» disse il cardinale. «In ogni caso, per parte mia so quello che debbo fare.» Aveva una strana intonazione nella voce e un'espressione decisa nello sguardo. Quintavalle gli porse la mano: «Arrivederla, Eminenza, la terrò informata».

«Arrivederla, professore... e grazie ancora.» Lo accompagnò alla porta e lo guardò partire poi rientrò nell'atrio e disse al chierico che stava alla portineria: «Il mio autista è andato a letto?».

«No, Eminenza, è di là che guarda la televisione, mi pare.»

Prese il cappello dall'attaccapanni e passò nella saletta attigua. Dal televisore giungeva il fischio lacerante di un gruppo di aviogetti che bombardavano una città orientale. Si avvicinò a un uomo vestito di scuro che sedeva in un canto:

«Giuseppe,» disse «ho bisogno di te... ti dispiace?»

«No di certo, Eminenza» disse l'uomo alzandosi. «Non ho ancora messo dentro la macchina. Dove andiamo?»

«A Grottaferrata... al monastero di San Nilo.»

XI

Roma, Bar Colony, 20 settembre, ore 22

« Il professor Quintavalle? Sono il capitano Reggiani. »

L'archeologo appoggiò sul banco il tramezzino che aveva in mano e si voltò: aveva di fronte un pezzo d'uomo sui trentacinque anni, in jeans e giubbotto nero di nappa.

« Mi scusi, » disse deglutendo il boccone « non ho ancora avuto il tempo di mangiare e buttavo giù qualcosa. »

« Anzi, » disse Reggiani « le farò compagnia perché anch'io non ho potuto cenare. »

« Allora mi permetta di offrire » disse Quintavalle. « Cosa prende? »

« Oh, grazie... un panino al prosciutto e una birra andranno benissimo. »

Andarono a sedersi a un tavolino sul fondo della saletta illuminata da luci soffuse, sullo stile dei ristoranti americani.

« Posso chiederle come mi ha trovato? » chiese il capitano Reggiani.

« Fabio mi ha lasciato il suo nome e il suo... recapito. »

« Di solito mi chiama in causa quando è nei guai... Intendiamoci, siamo ottimi amici, compagni di liceo, ma sa com'è, ci si perde poi di vista e ci si vede ogni tanto in occasione di qualche rimpatriata, oppure, come le dicevo, mi chiama magari per toglierlo dai pasticci quando ne combina qualcuna... Lei lo conoscerà: è un impulsivo, per non dire sventato; niente di grave, una scazzottata, una rissa, una gara di velocità con una pattuglia della "volante"... Purtroppo, da quello che mi ha detto, temo che questa volta si tratti di ben altro.»

«Infatti...» disse Quintavalle. «Si tratta di una faccenda pericolosa e ingarbugliata... Forse avrei dovuto avvertire subito la polizia...»

«Ma io sono la polizia» disse sorridendo l'ufficiale.

«È vero... ma ho l'impressione che Fabio abbia pensato a lei come all'amico più che al poliziotto.»

«A tutti e due... se lo conosco bene, a tutti e due. Ma dica, professore, non riesco proprio a immaginare di che si tratta.»

«Niente professore,» disse Quintavalle «dato che siamo amici della stessa persona, tanto vale darci del tu, se le va. Io mi chiamo Paolo.»

«E io Marcello. Allora, ti ascolto.»

Quintavalle fece venire due caffè, accese una sigaretta e cominciò a raccontare tutto quello che sapeva cercando di ordinare la vicenda in successione di tempo. Non tacque nemmeno del colloquio con il cardinale Montaguti e alla fine mostrò anche la lettera di Ottaviani che l'ufficiale lesse lentamente e con la massima attenzione.

«Sicuramente,» disse quando ebbe finito «tutto mi aspettavo fuorché una faccenda del genere. Abbiamo a che fare con gente pericolosa e priva di scrupoli... Così, alla prima impressione direi che può trattarsi di una banda di grossi trafficanti di opere d'arte. Dimmi, quanto possono valere quelle statue e quegli oggetti... le armi dei guerrieri, voglio dire.»

«Parecchie centinaia di milioni, miliardi forse.»

«Ce n'è più che a sufficienza. Al giorno d'oggi c'è gente che uccide un uomo per un pugno di spiccioli.»

«Già. Però c'è qualcosa che non mi convince: in primo luogo, nella sua lettera Fabio sembra escludere che si tratti di semplici trafficanti e dato che lui ci ha avuto a che fare è probabile che abbia elementi sicuri per affermarlo. Oltre a ciò mi pare strano che vogliano proprio le statue di Lavinium, strano che abbiano rubato solo quel torso quando potevano prendere altri pezzi per un valore ben più grande. Inoltre c'è quel curioso personaggio, quel Ioannidis di cui mi ha parlato il cardinale: è rimasto a San Nilo finché c'è stato Fabio e poi è sparito. Ha presentato una raccomandazione del professor Morrison, uno studioso di fama mondiale, che non credo possa compromettere la sua reputazione spendendo il suo nome per un tale che poi si introduce di nascosto in un archivio riservato, se ho ben capito quello che mi ha riferito il cardinale.»

«Ammettiamo per assurdo che questo professor Morrison sia effettivamente immischiato in questa storia,» disse Reggiani «non trovi che molte cose cambierebbero?»

«E cioè?» chiese Quintavalle.

«Il movente è importante: qui è chiamato in causa non un ladro, sia pure in guanti bianchi e di reputazione internazionale, ma uno studioso, uno scienziato... Se il furto riguardasse una formula chimica o il progetto di un'arma segreta e vi fosse immischiato un famoso fisico o un noto inventore non ti sentiresti di operare un collegamento tra le due cose? Qui è stato rubato un torso nel quale Fabio sembra riconoscere un rapporto con le statue di Taormina. Al tempo stesso il nostro amico dice di aver trovato un codice inedito che gli consentirebbe di trovare le armi perdute dei due bronzi. Ora, proprio mentre conduceva la sua ricerca aveva alle costole questo individuo sospetto raccomandato da Morrison... E non basta: Fabio giura che quella gente vuole questo Palladio, se ho capito bene, una delle statue di Lavinium. Ora devi scusarmi se ti chiedo una cosa ovvia: il Palladio non era la statua di Athena che stava sulla rocca di Troia? Che cosa c'entrano le statue di Lavinium che, mi pare di aver sentito, sono molto più recenti?»

«Diciamo che fra quelle statue ce n'è una che forse fu venerata come il Palladio portato da Enea nel Lazio... Questo è ciò che si può ipotizzare. In ogni caso sarebbe un guaio se qualcuno rubasse quei reperti che sono di grandissimo valore storico e artistico.»

«Quello che mi colpisce di questa lettera è il tono,» disse Reggiani continuando a scorrere il foglio che teneva in mano «Fabio non parla di quelle statue come un professionista parlerebbe di reperti archeologici... non trovi?»

«Hai ragione... È vero che Fabio non è propriamente un archeologo ma è pur sempre un addetto ai lavori che ha visto migliaia di pezzi durante la sua carriera. Parla di quelle statue come un dilettante un po' maniaco... se debbo essere sincero.»

«Già... Sembra attribuire loro un'importanza molto maggiore e, non so... diversa... un'importanza tale da fargli prendere una decisione che comporta il rischio della vita, in fin dei conti. Insomma, si tratta di un atteggiamento molto serio, anche se per noi resta per ora oscuro. Tu come te lo spieghi?»

Quintavalle non disse nulla.

«E se si trattasse di un caso... come dire... di mitomania?» riprese l'ufficiale con un certo imbarazzo. «Lo dico perché gli sono amico e perché anche tu gli sei amico ed è importante per noi capire in quale stato si trova... anche dal punto di vista psichico, voglio dire.» L'archeologo scosse la testa:

«Fabio è uno studioso serio,» disse «su questo non c'è dubbio. I suoi lavori sono ben documentati, accurati, condotti con metodologia rigorosa... ma al tempo stesso è un entusiasta di carattere, impulsivo anche nel campo della ricerca sicché non potrei escludere la possibilità che un'ipotesi particolarmente suggestiva gli abbia preso la mano. Mi rifiuto però di credere che sia arrivato al punto di inventarsi la scoperta di un codice di Polibio...»

«O che si sia nascosto da qualche parte aspettando che scoppi il caso clamoroso per poi ricomparire improvvisamente al centro dell'attenzione nazionale» aggiunse Reggiani ad occhi bassi rigirando tra le mani il pacchetto delle sigarette.

«Tu forse conosci di lui aspetti che a me non sono noti» riprese interdetto Quintavalle «ma mi sembra un'ipotesi troppo azzardata... Cosa otterrebbe mai se non di coprirsi per sempre di ridicolo, di stroncare la sua carriera, di perdere la stima dei suoi amici... No, francamente mi sembra assurdo.»

«Non fraintendermi,» si spiegò Reggiani «la mia deformazione professionale mi spinge a prendere in considerazione qualunque possibilità, ma solo per principio, diciamo, metodologico. Anche io credo che Fabio dica la verità in questa lettera, o almeno che sia sinceramente convinto di ciò che afferma. Comunque la cosa più importante è scoprire dove si trova e toglierlo, se possibile, da una situazione rischiosa.»

«E come?»

«Se è vero che quelli vogliono le statue di Lavinium o una di esse in particolare, allora dovranno farsi vivi e sarà forse possibile beccarli con le mani nel sacco. Hai fatto bene comunque a non avvertire la polizia: sarebbe scoppiata la notizia sui giornali e l'elemento sorpresa sarebbe svanito. Ora fai bene attenzione perché anche tu potresti essere in pericolo o comunque coinvolto. Tienmi informato di tutti i tuoi spostamenti ma chiamami sempre da una cabina telefonica, mai da casa tua.»

«Sta bene. E per quanto concerne le statue?»

«Fabio ti ha dato un ottimo consiglio: esporle in una mostra pubblica le metterebbe al sicuro. Verrebbe stipulato un contratto di assicurazione per un valore altissimo e allora non solo la polizia dello stato ma anche gli agenti privati della compagnia di assicurazione terrebbero i reperti sotto costante sorveglianza. È possibile organizzare la cosa in tempi relativamente brevi?»

«A dire la verità mi era già stato chiesto dall'amministrazione cittadina che ha pronto un progetto di massima a cui dovrei dare il mio assenso. Intanto potrei fare imballare le statue e farle trasportare in città.»

«Dove?»

«Al Palazzo dei Conservatori, in Campidoglio.»

«Benissimo» disse Reggiani. Estrasse dal portafogli un biglietto e lo diede all'archeologo. «Qui c'è il mio numero riservato e anche quello di casa mia. Chiamami in qualunque momento del giorno o della notte se necessario.»

«Non mancherò» disse Quintavalle. Si alzò lasciando sul tavolo una banconota. «Allora arrivederci, e... grazie.»

«E di che? È stato un piacere conoscerti.»

«Anche per me» disse Quintavalle. «Be',» soggiunse poi guardando l'orologio «si è fatto tardi, è ora che io rientri, mia moglie potrebbe telefonare. Buona notte.»

«Buona notte» disse Reggiani.

Quintavalle fece per avviarsi all'uscita ma sembrò esitare un attimo; si voltò nuovamente verso l'ufficiale che stava seduto e fumava con un'espressione assente, come se seguisse il filo di un pensiero nelle volute azzurrine che salivano dalla brace della sua sigaretta.

« Pensi che si salverà? » chiese fissandolo negli occhi. Non attese la risposta, si girò e uscì in strada a passo svelto.

Yacht "North Star", 22 settembre, ore 7,30

Ottaviani guardò in alto, attraverso l'oblò e lo vide ritto a prora quasi sopra di lui. La curvatura della calotta di plexiglas ne deformava l'immagine facendolo sembrare smisurato. Era il più giovane dei due, certamente quello che lo aveva preso a bordo della scialuppa quando era sceso dall'elicottero assieme a Ioannidis. Indossava soltanto un paio di shorts e teneva in mano una scotta con cui probabilmente manovrava il boma dell'albero di maestra. L'altro doveva essere senz'altro al timone. Sentì dopo un po' il tipico rumore della vela lasca: la barca si era messa alla cappa.

Andò ad appoggiarsi alla parete di prora e poté vedere di scorcio la gran vela latina che scendeva lungo l'albero, poi vide il giovane andare verso prora, certo per ammainare lo spinnaker. Poco dopo la barca era quasi ferma. Sentì bussare alla porta, poi un rumore di chiavistello ed apparve Ioannidis:

« Kalyméra, kyrie kathighetìs, » disse con un mezzo ghigno « pòs ìste? »

« Male, tutte le volte che ti vedo » disse Ottaviani. « Che vuoi? »

« Siamo arrivati, professore. Ora farete colazione poi comincerà il lavoro; ho incarico di istruirvi su quello che dovete fare. Vogliate seguirmi nel quadrato; se non vi disturbo farò colazione con voi e intanto vi spiegherò tutto. Se invece non gradite la mia compagnia vi spiegherò tutto dopo. »

« È inutile perdere tempo, » disse Ottaviani seguendolo nel corridoio « tanto vale che io sappia subito quello che devo fare. E poi detesto mangiare da solo. »

«Molto bene» disse Ioannidis e aprì la porta del quadrato entrando dietro di lui. Sul tavolo c'erano toast, salsicce e burro salato con caffè e succo d'arancia.

«Dopo la colazione» disse Ioannidis sedendosi e versando il caffè «passerete nella cabina di carteggio per seguire le operazioni di ricerca sul fondale. Questa imbarcazione è provvista di attrezzature molto sofisticate che permettono di localizzare ogni massa metallica nel raggio di cento metri fino a una profondità di trecento.»

«Pensavo che avrei potuto immergermi io stesso» disse Ottaviani.

«Non è necessario. In cabina c'è la carta nautica e potrete fare il punto esatto che trasmetterete in timoneria dal citofono. Uno dei nostri marinai scenderà in collegamento radio e voi gli comunicherete la direzione da tenere sulla base di quanto vedrete sullo schermo del monitor.»

«E... sarò solo nella cabina di carteggio?»

«Ci sarò io con voi.»

«Va bene. Io sono pronto» disse Ottaviani mandando giù l'ultimo boccone e ingollando una sorsata di caffè nero.

«C'è tempo, c'è tempo,» disse Ioannidis «al momento opportuno ci sarà dato il segnale.» Estrasse un pacchetto di Papastratos e gli offrì da fumare. Ottaviani si appoggiò all'indietro gustando in lente boccate il forte tabacco greco e chiuse gli occhi. Era arrivato il momento della verità: là sotto, da qualche parte, affondate nel limo c'erano le armi dei guerrieri... gli scudi istoriati... le lance... l'elmo a celata sormontato dal cimiero...

E se invece non avessero trovato nulla? Se tutto fosse stato inutile? Avrebbero pensato che si era preso gioco di loro ed egli sarebbe divenuto un pericoloso ingombro. Non avrebbero nemmeno creduto che egli conoscesse davvero il segreto del Palladio. Non avrebbe più rivisto il suo paese... suo padre... gli amici... Elizabeth. Lei avrebbe voluto vedere soprattutto... Dov'era ora? Certamente dormiva ancora nel suo letto e il letto era tiepido del calore del suo corpo. Ma forse si lasciava prendere dallo sconforto... tutti quei giorni da solo, su una barca fantasma, popolata di fantasmi. No, non c'era motivo di disperare... le armi dovevano esserci, le armi cadute di mano ai marinai dell'"Aquila" duemila anni prima erano certamente là sotto e nella cavità dei grandi scudi avevano trovato ricetto molluschi e crostacei... e le lunghe aste erano fiorite di mille concrezioni.

Le armi erano là... Ne era sicuro, ora. Risuonò il segnale nel quadrato e Ioannidis disse: «Venite, è ora di andare».

Isola di Andros, base segreta dell'"Istituzione", 22 settembre, ore 16

La grande sala, pavimentata in marmo bianco si apriva con quattro arcate a vetri su un giardino prospiciente il mare. La piscina, al centro del giardino, era circondata da ciuffi di palme e da macchie di pitospori fioriti e il muro di recinzione, bianco di calce, era qua e là ricoperto di buganvillee. Oltre il cancello, guardato da due uomini armati, si intravvedeva l'imbarcadero privato.

L'uomo in completo blu e occhiali scuri, ritto dietro la vetrata centrale, teneva lo sguardo fisso al cancello come se aspettasse qualcuno. Dietro di lui altre persone stavano sedute attorno a un tavolo di mogano massiccio e conversavano a bassa voce. A un tratto l'uomo in blu si voltò verso di loro dicendo: «Ecco, è arrivato in questo momento. Sta salendo». Poi si diresse verso la porta d'ingresso e fece entrare un uomo sulla sessantina che portava una cartella di cuoio sotto il braccio.

«Bene arrivato, professor Morrison,» gli disse «aspettavamo solo lei. Venga, si accomodi.» Lo fece sedere e andò a prendere posto a sua volta al capo opposto del tavolo. «E ora,» soggiunse rivolto al nuovo venuto «può riferirci l'esito della sua missione. Siamo tutti impazienti di ascoltarla.»

Morrison aprì la borsa, ne estrasse una cartella gonfia di appunti e fotografie, inforcò gli occhiali e cominciò:

«Signori, sono spiacente di riferirvi che non sono riuscito ad ottenere alcun risultato apprezzabile durante la mia visita a bordo del "North Star". Il signor Ottaviani, lo studioso italiano sul quale stiamo conducendo il nostro esperimento, è molto più abile e scaltro di quanto ci aspettassimo: è riuscito a distruggere il torso di Lavinium prima che io potessi esaminarlo.» L'uomo in blu balzò in piedi incollerito: «Com'è possibile!» gridò battendo il pugno sul tavolo. «Qualcuno dovrà rendere conto di questo.»

«Non c'è stata negligenza a bordo del "North Star"» disse Morrison senza scomporsi. «Purtroppo durante la notte c'è stato un guasto all'impianto elettrico ausiliario e Ottaviani se ne è reso conto. È riuscito a raggiungere il quadrato e a fracassare il torso con un posacenere. Ho lavorato parecchie ore per rimetterlo insieme, ma alcune parti erano letteralmente polverizzate. Se c'era qualcosa in quella scultura che potesse servirci ormai non è più in nostro potere.»

«Abbiamo sempre le fotografie» disse l'uomo in blu rimettendosi a sedere.

«Le avevamo anche prima e non siamo approdati a nulla. Io speravo che l'esame diretto del pezzo potesse fornirmi qualche elemento che sfuggiva nelle fotografie. L'occhio di uno specialista non è l'occhio di un fotografo. Ci sono, è vero, fotografie che rivelano ciò che l'occhio nudo non distingue, ma può accadere anche il contrario. Quel torso aveva una forma convessa e solo la vista stereoscopica dell'occhio umano può percepire una visione d'insieme che l'obiettivo della fotocamera non riesce a rendere. È inutile comunque recriminare. Una cosa è certa, se quel torso conteneva il segreto del Palladio, Ottaviani deve essere riuscito a scoprirlo. Quindi l'ha distrutto per restarne l'unico depositario. A questo punto non c'è altro da fare che convincerlo a collaborare con noi.»

«"Dark Sail"...» disse l'uomo in blu «"Dark Sail" può riuscirci.»

«È quello che credo anch'io» disse Morrison. «Bisogna fare molta attenzione, però: se Ottaviani dovesse intuire i nostri obiettivi potrebbe crearci problemi molto gravi. Quell'uomo ha rivelato capacità insospettate.»

«Possiamo sempre condizionarlo contro la sua volontà,» intervenne uno degli astanti, un uomo sulla cinquantina, asciutto, vestito con camicia e pantaloni di tipo militare «i mezzi non ci mancano.»

«No» disse l'uomo in blu «questa è una cosa che non possiamo fare. Condizionare Ottaviani comporterebbe il rischio di squilibrarne le facoltà mentali. E sono proprio quelle facoltà che ci interessano soprattutto per l'esito del nostro esperimento. Per questo a bordo gli è concessa anche una certa libertà. Ora è necessario che io vi metta al corrente, nei dettagli, dei risultati che abbiamo ottenuto e dell'esito del piano che abbiamo pazientemente preparato in mesi di studi e di progetti.» Si rivolse all'uomo che stava seduto alla sua destra: «Professor Shu,» disse «potete esporre la vostra relazione».

Shu, che poteva avere sessantacinque anni, era professore di psicoanalisi all'Università di Seoul e aveva insegnato nei più prestigiosi atenei d'America e d'Europa ma soltanto l'"Istituzione" gli aveva dato la possibilità di realizzare un'esperienza scientifica che comportava la strumentalizzazione totale di un uomo e della sua mente.

Shu cominciò a parlare in buon inglese, appena segnato dall'accento della sua lingua madre: «Signori,» disse alzandosi in piedi «da secoli ormai è noto che la mente umana ha capacità e poteri superiori a quelli comunemente noti. Nell'antichità, chi era in grado di esprimerli era considerato, volta a volta, un veggente, uno stregone o, addirittura, un dio dai suoi simili i quali non si rendevano conto che tutti gli uomini, più o meno, ne sono naturalmente dotati. Ma questa non è certo per voi una rivelazione. C'è stato chi ha esibito i propri poteri davanti a platee di spettatori o davanti alle telecamere. Ciò che nessuno sa, invece, è che l'uomo è in grado di caricare, per così dire, di questi poteri anche determinati oggetti materiali.

«Feticci, idoli, immagini sacre, reliquie, sono stati, e sono tuttora, realmente dotati di poteri che la gente chiama miracolosi.

«Tali poteri sono invece il risultato di una immensa concentrazione di energia che le menti di sterminate moltitudini hanno riversato per secoli su questi oggetti ed essi ne hanno imprigionato così l'energia psichica e magnetica.

« Da principio si trattò per noi solo di un'intuizione, poi, in seguito alla raccolta di una grande quantità di dati in tutto il mondo, di una vera e propria certezza. In base a questi studi e a questi rilievi siamo oggi in grado di spiegare una quantità di quei fenomeni noti come "prodigi" o come "miracoli". In taluni casi l'attivazione di questi fenomeni da parte della mente umana è evidentissima: nel duomo di Napoli, in varie occasioni ha luogo ogni anno uno di questi supposti prodigi. Il sangue del martire Gennarius, un vescovo del IV secolo dopo Cristo, viene esposto in un'ampolla di vetro al popolo stipato nella chiesa in condizioni di grande eccitazione e fervore religioso.

« Dopo un certo periodo di tempo, a volte pochi minuti, altre volte dopo ore, il sangue che appare secco e raggrumato, si espande, ribolle, torna come vivo e acquista anche temperatura corporea, come se fosse appena sgorgato dalle vene di un uomo. Ma il fenomeno non è mai lo stesso e le caratteristiche che assume il liquido appaiono diverse ogni volta.

« Noi siamo stati in grado di costruire un'apparecchiatura capace di rivelare l'intensità dell'energia che emana dai cervelli delle persone che gremiscono il tempio. Abbiamo così potuto constatare che la rapidità e l'intensità del prodigio è direttamente proporzionale all'energia prodotta dalle menti umane che concentrano la loro forza sull'ampolla che l'arcivescovo tiene sollevata in alto, forse non a caso, in modo che tutti gli sguardi possano appuntarvisi, come i raggi del sole su di una lente ».

Il professor Shu fece un cenno al giovane che stava in piedi dietro di lui e questi andò ad oscurare le arcate che davano sul giardino, poi accese un pannello luminoso sulla parete di fondo.

« Sullo schermo alle mie spalle » riprese allora Shu « potete vedere i grafici su assi ortogonali che schematizzano gli esperimenti da noi condotti in questa occasione: potete notare che quanto maggiore è la quantità di energia liberata dai cervelli delle persone presenti, tanto più rapidamente avviene il prodigio. Anche la temperatura del sangue è proporzionale all'energia che si concentra sull'ampolla. Al di sotto di una certa soglia invece, il fenomeno non si verifica per nulla perché l'energia si rivela insufficiente a provocarlo. Ma le nostre scoperte sono andate ben oltre: » riprese lo scienziato togliendosi gli occhiali « sapevamo che la possibilità di certi oggetti di produrre i cosiddetti prodigi dipende dall'energia mentale dell'uomo. Infatti, quando cessa la venerazione o la preghiera cessano anche i prodigi. Per meglio analizzare ogni possibilità, circa un anno fa facemmo asportare da una chiesa di Venezia, a scopo di esperimento, le reliquie di una santa famosa il culto della quale è però quasi spento.

« I giornali italiani diedero un grande rilievo alla cosa e apparvero le ipotesi più strane per spiegare il furto, ma i nostri agenti seminarono indizi atti a stornare ogni possibile indagine, dal momento che, in ogni caso, non era opportuno per noi esporci a rischi inutili. La potenza della Chiesa di Roma è infatti ancora grande e spesso temibile.

« Analoghi prelievi furono effettuati in altre parti del mondo e tutti gli oggetti venuti in nostro possesso furono accuratamente studiati. Sul pannello luminoso potete vederne le fotografie e le schede relative... »

Le persone che sedevano attorno al tavolo con gli occhi fissi allo schermo erano abituate da lungo tempo a ben altre immagini: sofisticati sistemi d'arma, piani di tecnologie avanzate; volti di potenti della terra, capi di stato, generali, scienziati. Ora guardavano quasi increduli grotteschi feticci, teschi rosi dal tempo incastonati in reliquiari preziosi, amuleti, talismani... Possibile che quel bizzarro armamentario potesse rivestire tanto interesse da indurre l'"Istituzione" a convocarli d'urgenza?

« Quegli studi » riprese il professor Shu « portarono ad una conclusione inattesa: la potenza di taluni di questi oggetti pare possa sussistere anche quando sono stati privati del culto, oppure, perduti e dimenticati, sono giunti fino a noi come relitti di civiltà scomparse. La cosa più stupefacente però è che tale potere, a volte enorme, può essere in qualche modo riattivato in presenza di persone dotate della capacità che per ora chiameremo "magnetica" di entrare in contatto con la forza dormiente dell'oggetto accumulata da secoli o millenni di venerazione e di fede.

«Ora, mentre vi parlo, sta per aver luogo, come saprete, il più delicato e importante dei nostri esperimenti. Dal suo esito potrebbero dipendere le sorti future dell'"Istituzione".

«Tutto cominciò alcuni mesi fa quando in Italia vennero rese pubbliche alcune scoperte archeologiche di enorme interesse, sottovalutate dall'opinione pubblica internazionale. Si trattava dei due bronzi giganteschi ripescati dal mare nei pressi di Taormina e restaurati dagli specialisti italiani.»

Un brusio di ammirazione si diffuse nella sala mentre scorrevano sullo schermo in rapida successione decine di immagini delle due statue. «Ciò che mi colpì» riprese Shu «fu l'enorme impatto che le due statue ebbero sulla popolazione, tenuto conto, in particolare, che gli Italiani sono assuefatti da secoli alla presenza di ogni genere di opere d'arte sul loro territorio e nutrono scarso interesse per i tesori che affollano i loro musei.

«Come potete vedere da queste fotografie, le statue rappresentano due guerrieri che sono però privi delle armi.

«Un nostro agente fu spedito in Sicilia a questo proposito per vedere se per caso gli scudi e le lance dei guerrieri avessero preso la strada del mercato clandestino di opere d'arte, molto fiorente nell'isola. Non trovò traccia delle armi ma riuscì comunque a raccogliere altre importanti informazioni, quelle stesse che ci hanno poi indotto a prelevare il professor Lanzi e a impossessarci del prezioso documento che aveva con sé.

«Nel frattempo un altro nostro agente ci comunicava che nei pressi di Roma un archeologo aveva scoperto, in circostanze particolari, un gruppo di antichissime statue tra le quali, a quanto attualmente risulta, potrebbe trovarsi il più tremendo feticcio dell'antichità classica: il leggendario Palladio.

«Purtroppo il professor Morrison che avete ascoltato poco fa non è stato in grado di identificarlo per cui dovremo ancora un po' rimandare il piano già studiato dai nostri esperti per impadronirci della statua.

«Ora noi sappiamo che anche le armi dei guerrieri di Taormina e i guerrieri stessi sono da porsi in relazione con il Palladio se sono esatte le ipotesi che il professor Morrison ha potuto dedurre da certi appunti del soprintendente Lanzi.

« Ma veniamo allo studioso italiano che si trova ora a bordo del "North Star": egli attirò la nostra attenzione al tempo in cui i nostri agenti si trovavano a Roma per osservare da vicino i ritrovamenti di Lavinium e i due guerrieri di Taormina. Venimmo a sapere che egli aveva fatto una scoperta di enorme portata: un codice integro dello storico greco Polibio in cui si trovavano indizi tali da consentire la localizzazione delle armi perdute dei guerrieri. È grazie alle informazioni di "Dark Sail" che siamo venuti in possesso di questi dati e che ci siamo resi conto che le scoperte di Fabio Ottaviani erano dovute più che alla sua abilità di studioso alle sue eccezionali capacità di percezione extrasensoriale.

« La sua mente è in grado di captare, forse a sua insaputa, il flusso di energia che emana dai relitti apparentemente senza vita di un lontano passato e di amplificarlo ulteriormente. Da quando abbiamo cominciato a tenerlo sotto la nostra sorveglianza fino a questo momento nulla è stato trascurato per potenziare questa sua sensibilità, per suggestionarlo in ogni modo, per caricare al massimo le sue facoltà. A bordo del "North Star" la sua mente è stata sollecitata, nella veglia e nel sonno, da fasci di onde magnetiche ad alta concentrazione e le reazioni del suo cervello sono state captate e analizzate.

« Fabio Ottaviani è diventato, senza volerlo, il soggetto ideale per la realizzazione del nostro esperimento. »

In quel momento la porta d'ingresso della sala si aprì ed entrò un uomo che si avvicinò al professor Shu bisbigliandogli qualcosa all'orecchio.

« Signori, » disse allora Shu con improvvisa eccitazione « ci comunicano in questo momento dal "North Star" che sono state localizzate sul fondo del mare le armi dei guerrieri di Taormina: gli strumenti installati a bordo hanno registrato il flusso di energia magnetica che ha guidato senza esitazione Fabio Ottaviani sulla posizione precisa in cui si trovavano le armi. Fate pure luce, » disse poi rivolto all'uomo che aveva oscurato la sala per la proiezione « non ho bisogno di altri argomenti per illustrare la portata di questo esperimento. Fra non molto, appena le armi saranno state liberate da una parte delle incrostazioni che le ricoprono, darò ordine che siano messe a diretto contatto con lui. Se avverrà quello che penso, se il polo vivente sarà in grado di risvegliare da quegli oggetti l'enorme energia che contengono noi ci troveremo in possesso di un'arma di potenza inimmaginabile. »

La sala risuonò di un applauso mentre le persiane che chiudevano le arcate si riavvolgevano in alto con un lieve cigolio.

« Io non dubito che questo esperimento avrà esito favorevole, » ricominciò Shu appena fu tornato il silenzio « in tal caso procederemo per la seconda fase del piano: ci impadroniremo della statua che fu venerata per secoli come il Palladio di Troia, l'idolo più possente e temuto dell'antichità e forse... forse anche dei guerrieri di Taormina. L'impresa può sembrare impossibile, ma vi ricordo che anche ciò che è appena avvenuto a bordo del "North Star" va oltre ogni immaginazione e che solo pochi anni fa sarebbe apparso del tutto improbabile. Lei, professor Morrison, » disse poi rivolto all'archeologo « può ripartire subito per Roma: l'elicottero è pronto a decollare. Dovrà comunicarci al più presto dove si trovano le statue e ogni particolare utile per la realizzazione dei nostri obiettivi. »

Morrison fece appena un cenno col capo poi prese la sua borsa e uscì. L'uomo in blu si alzò allora a prendere la parola: « Signori, » disse « mai come in questo momento la situazione internazionale è stata così vicina al punto di rottura: i negoziati per la riduzione degli armamenti sono praticamente falliti. Le grandi potenze si fronteggiano schierando il loro potenziale bellico in tutti i punti critici dello scacchiere mondiale. La lotta per carpirsi a vicenda i segreti militari non è mai stata tanto accanita e voi lo sapete bene: è anche grazie a questo che la potenza dell'"Istituzione" è tanto cresciuta. Ora, se gli esperimenti che stiamo conducendo avranno l'esito che ci attendiamo, potremo forse in breve tempo disporre di un'arma nuova, totalmente sconosciuta e tale da consentirci di influire sugli attuali equilibri. Stiamo cercando di studiare e di controllare una forza che non ci è ancora nota del tutto.

Sappiamo per ora che esiste, che può essere enorme e che si può misurare. Se arriveremo a controllarla in modo da poterla usare a nostro piacimento, a isolarla dai suoi catalizzatori materiali, a renderla pura e docile, non ci saranno più obiettivi tanto ambiziosi che non potremo raggiungere.

« Domani all'alba l'unità speciale "Eagle" che incrocia nei pressi delle coste italiane impartirà l'ordine per il "North Star" di procedere all'esperimento e sui nostri monitors qui alla base potremo vedere e misurare il flusso di energia che si libererà al momento del contatto. Ventiquattr'ore dopo è previsto l'incontro con il "North Star" e il trasbordo del signor Ottaviani sulla nostra unità. Il "North Star" proseguirà poi con il suo carico prezioso fino alla nostra base nelle Ebridi dove anche noi ci dirigeremo appena avremo condotto a termine la seconda fase del nostro piano. » Si rivolse poi all'uomo in tenuta militare: « Faccia subito avvertire i nostri agenti a Roma che Morrison sta per arrivare, in modo che facciano i preparativi del caso. Inutile dire che la seconda fase è estremamente delicata e che va affrontata eliminando in partenza ogni margine di errore. È stato tutto previsto e calcolato: non potete fallire ».

Roma, 23 settembre, ore 18

La ragazza appoggiò sul tavolo il volume della Pauly-Wissowa che aveva preso dallo scaffale e sollevò il ricevitore del telefono: « Istituto di archeologia. Chi parla? ».

« Sono Silvia Quintavalle. C'è mio marito? »

« Sì, signora, è in sala di consultazione. Glielo chiamo subito. »

La bibliotecaria appoggiò il ricevitore sul tavolo e passò nella sala attigua, si guardò intorno ma non vide altro che un paio di studenti e il professore di epigrafia latina chini sui loro libri.

In quel momento Paolo Quintavalle stava attraversando il cortile della Minerva diretto verso il cancello. Gettò uno sguardo alla statua mussoliniana della dea che gli parve più arcigna del solito, attraversò con passo frettoloso l'ampio piazzale quasi deserto e si diresse verso il palazzo del CNR. Una Giulietta nera uscì da dietro l'angolo di via Monzambano e gli tagliò la strada prima che raggiungesse il marciapiede. Interdetto, l'archeologo indietreggiò per tornare sui suoi passi ma intanto l'auto si era fermata e lo sportello di destra si era aperto verso di lui.

Si chinò allora a guardare nell'interno e, riconosciuto l'uomo al volante, salì in fretta richiudendo lo sportello. La Giulietta ripartì a tutta velocità imboccando viale Università e sparì in pochi attimi all'incrocio di viale Regina Margherita.

Intanto, all'Istituto di archeologia la bibliotecaria era tornata al telefono: « Il professore non c'è, signora, mi dispiace, era in sala di consultazione cinque minuti fa. Ho guardato anche nel suo studio ma non c'è ».

« È strano che se ne sia andato così, senza dire nulla. Non sarà... alla toilette? » chiese Silvia Quintavalle con una punta di imbarazzo.

« No, signora, » fu la risposta « la chiave è al suo posto. Di solito, quando si assenta senza avvertire, scende a comprare le sigarette all'angolo, ma torna subito. Vuole lasciar detto qualcosa? »

« Be', volevo ricordargli che fra un'ora dovrebbe arrivare il professor Morrison qui a casa nostra. Sa, non vorrei che lo facesse aspettare. »

« Non dubiti, signora, » disse la bibliotecaria « appena rientra glielo ricorderò io e gli dirò anche che lei ha telefonato. »

Mentre Silvia Quintavalle riappendeva il ricevitore suo marito passava a non più di cento metri di distanza da lei sul viale Regina Margherita a bordo della Giulietta nera lanciata a cento all'ora, ma non aveva certo modo né tempo di fermarsi.

« Ci sono più di venti chilometri da qui a Lavinium » stava dicendo in quel momento al suo compagno al volante « anche correndo come pazzi come stiamo facendo non riuscirò a tornare in tempo per incontrare Morrison. »

« E chi vuole che tu arrivi in tempo? » rispose il capitano Reggiani affrontando in controsterzo l'ingresso della Salaria.

« E allora perché corriamo così? »

«Perché tu possa telefonare da Lavinium entro mezz'ora e scusarti per un improvviso contrattempo.»

«Scusa, Marcello, ma continuo a non capire.»

Reggiani pestò violentemente sul pedale del freno per non speronare un autobus pieno di giapponesi in visita alle catacombe di Priscilla, poi ingranò di nuovo seconda e terza riportandosi in pochi secondi a velocità di crociera.

«Mi hai detto che Morrison ti ha telefonato chiedendoti un appuntamento per le diciannove e trenta e che tu poi l'hai invitato a restare a cena» disse senza scomporsi.

«Esatto.»

«Ma tu, a quell'ora, saresti dovuto stare a Lavinium per controllare come hanno imballato le statue. Hai dovuto rimandare perché Morrison ha insistito per vederti a casa tua.»

«Giusto. E allora?»

«Sai dove alloggia Morrison?»

«Al suo solito albergo, in piazza di Santa Susanna, penso.»

«Pensi male. Morrison è al Cristoforo Colombo all'EUR. Il che significa che avrebbe benissimo potuto chiederti di fermarti là; per te è tutta strada e non avresti dovuto disdire l'impegno che avevi preso.»

Quintavalle si portò una mano sui baffi come faceva di solito quando si concentrava ma dovette riacciuffare immediatamente la maniglia della portiera perché Reggiani stava affrontando la rampa dell'Olimpica a ottanta all'ora. Quando la Giulietta riacquistò l'assetto orizzontale Quintavalle riprese a tormentarsi i baffi: «Il tuo ragionamento non fa una piega» ammise dopo qualche minuto di riflessione.

«Bada,» disse Reggiani «può darsi che facciamo questa galoppata per nulla ma ammetterai che la cosa è sospetta. Supponiamo che qualcuno tenti un colpo per mettere le mani su quelle statue prima che arrivino in Campidoglio: è chiaro che tutto diventerebbe più facile se tu non fossi tra i piedi. In altre parole l'appuntamento che ti ha chiesto Morrison potrebbe essere solo un pretesto. Che cosa ti ha detto esattamente?»

«Be', ha detto che il Rotary club del Michigan metteva a disposizione cinque borse di studio da spendere all'Università di Roma e voleva parlare con me per concertare un programma comune di ricerca in cui impiegare i borsisti. È una cosa del tutto normale. Già quest'anno ho avuto con me una sua assistente, una splendida ragazza che aveva il master in archeologia ad Ann Arbor... Fabio ci aveva preso una bella cotta... ma anche lei, mi pare.»

Reggiani si girò di scatto verso di lui: «Fabio si era innamorato di quella ragazza hai detto? E... ci andava insieme? Voglio dire... c'era una relazione tra di loro?».

«Altroché. Telefonai alla ragazza quattro o cinque giorni dopo che si erano conosciuti e lui ci dormiva già insieme.»

Reggiani aggrottò la fronte: «Cos'altro sai dirmi di quella ragazza?».

«Be', non saprei; è brava, molto preparata, ha sempre svolto il suo lavoro con diligenza... cos'altro...»

«Da quando non la vedi?»

«Dalla fine del mese scorso... sì, da quando sono andato in ferie.»

«E quando sei tornato e hai trovato la lettera di Fabio, non le hai telefonato per chiederle cosa sapesse?»

«L'ho fatto, naturalmente, ma non l'ho trovata.»

«E non ti è parso strano?»

«Be'... no. Fabio può essersene andato senza dirle il vero scopo della sua partenza e anche lei può essere andata in vacanza... magari era semplicemente uscita con degli amici... che so. Poi non ci ho più pensato.»

«Ricordati di darmi il suo numero di telefono e il suo indirizzo. Voglio controllare anche lei. Tutti quelli che hanno a che fare con Morrison sono sospettabili.»

Quintavalle scrisse su un biglietto i dati richiestigli e glieli allungò. Restarono in silenzio per un pezzo mentre l'auto lasciava la via Olimpica e si immetteva sul raccordo anulare. Quando Reggiani imboccò la via Pontina in direzione di Lavinium Quintavalle sembrò riscuotersi dai suoi pensieri: «Marcello,» disse «cosa troveremo a Lavinium?».

«Non lo so. Hai paura?»

«Be',... ho famiglia.»

«Anch'io.»

«Sì, ma...»

«Questo è il mio mestiere vuoi dire, mentre il tuo è quello di scavare. Hai ragione... be', se vuoi vado da solo. Ecco, guarda là, c'è un autobus che torna in città» tolse il piede dall'acceleratore e fece per accostare.

«Che fai adesso?» disse Quintavalle. «Dai, accelera che non abbiamo tempo da perdere.» Tirò fuori il pacchetto delle sigarette e ne accese due: «Ne vuoi una?» chiese sbuffando una gran nuvola di fumo.

«A una bella donna e a una sigaretta non si dice mai di no» disse Reggiani afferrando l'Emmeesse. Percorsero il tratto di strada incassato tra i fianchi delle colline, attraversarono il bosco e arrivarono alla gran curva sulla scarpata a ridosso del Fosso di Torre Rossa.

«Manca molto?» chiese Reggiani.

«Due chilometri.»

«Tutti allo scoperto?»

«No, c'è ancora una curva a ridosso di questo colle, avanti un chilometro circa. Sulla sinistra c'è uno spiazzo con un'osteria: ci vado sempre a pranzo con gli studenti.»

«Benissimo. Ci fermeremo là e telefonerai a casa tua inventando una scusa.»

«Che vuoi fare?»

«Io andrò avanti a piedi. Nel baule ho una giacca, un berretto e una doppietta. Avrò l'aspetto di un cacciatore che torna da una battuta.»

«Senza cane?»

«Be', uno può andare per la posta ai colombacci, no?»

«Giusto.»

«Quando avrai telefonato siediti al posto di guida e aspettami. Fra un po' sarà buio, la macchina è nera, non correrai alcun pericolo.»

«Non ti preoccupare. Bada a te piuttosto.»

Arrivato sulla curva Reggiani si assicurò che la strada fosse sgombra nei due sensi di marcia poi sterzò a sinistra e parcheggiò vicino allo spiazzo dell'osteria. Si vestì, prese la doppietta e si incamminò mentre Quintavalle entrava nel locale.

«Professore!» disse l'oste da dietro il banco. «Come va? È un bel pezzo che non la vedo.»

«Sono stato in ferie, Sergio, e ora, purtroppo, si riprende il lavoro... niente avventori stasera?»

«Eh, professore, dopo le ferie la gente è in bolletta: 'un c'hanno li sordi pevvenì all'osteria. E poi è lunedì, serata morta.»

«Posso telefonare?»

«E come no. S'accomodi.»

Quintavalle formò il numero di casa: «Silvia? Sono Paolo».

«Paolo! È tutta la sera che ti cerco. Ma non sapevi che...»

«Lo so, lo so. Ti spiegherò tutto quando torno. Morrison è lì?»

«Sì, è arrivato da poco. Stavo per mettere in tavola.»

«Bene, passamelo. Gli dirò che ho avuto un incidente in auto e che sono bloccato fuori Roma. Poi ti spiegherò. Stai tranquilla che non è successo niente... solo dovevo vedere una persona per una cosa che riguarda Fabio.» Sentì la voce di Silvia che chiamava Morrison all'apparecchio.

«Professore? Sono io, Quintavalle. Sono veramente desolato per questo inconveniente. Purtroppo ho avuto un incidente e non sono riuscito a trovare ancora un carro attrezzi per cui non so proprio quando potrò arrivare. Silvia le terrà compagnia e intanto può spiegare a lei il programma che aveva preparato. Se non potrò arrivare in tempo la richiamerò domani... al solito albergo?»

«Sempre a quello» rispose Morrison. «Ma spero che non si sia fatto male...»

«No, per fortuna. Ho solo ammaccato un po' la macchina.»

«Meglio così... allora arrivederci.»

«Arrivederci, professore, e... buon appetito.»

Riappese il ricevitore e andò al banco a pagare la telefonata poi raggiunse la macchina, mise in moto e avanzò per un centinaio di metri. Ormai era buio e si vedeva appena in lontananza la lampada accesa sopra la porta del magazzino in cui erano conservate le statue di Lavinium. Accostò a destra in uno slargo e spense il motore.

Il capitano Reggiani si era già appostato da tempo dietro una macchia di quercioli e di là poteva controllare la strada sia in direzione dell'osteria che verso l'incrocio che portava a Pomezia da una parte e a Torvaianica dall'altra. Verso le otto vide una luce che si muoveva lentamente verso di lui: era il fanale della bicicletta del custode che faceva il suo primo giro di controllo. Si fermò davanti al magazzino, appoggiò la bicicletta al muro e ispezionò il fabbricato tutto intorno, poi attaccò alla porta il tagliando con l'orario e se ne tornò di dove era venuto.

Passò ancora un'ora senza che succedesse nulla: erano transitati in tutto una decina di automobili e un paio di trattori. Verso le nove e mezzo Reggiani pensò che forse poteva concedersi una sigaretta dal momento che tutto sembrava tranquillo ma mentre stava per schiacciare il pulsante dell'accendino udì un curioso rumore, una specie di fischio metallico come di ingranaggi che girano a vuoto. Si voltò verso sinistra e vide una sagoma scura che avanzava verso di lui: un furgone veniva lungo la discesa in folle e a luci spente. La macchina sterzò improvvisamente a sinistra entrando per un attimo nel raggio di luce della lampada del magazzino e si fermò subito dopo con un cigolio di freni ai bordi del piccolo spiazzo.

Reggiani estrasse dalla tasca interna della giacca la calibro nove lungo d'ordinanza con il colpo in canna, uscì carponi da dietro il suo nascondiglio e si portò al bordo della strada. Dal furgone erano scesi intanto tre uomini: uno si era appostato vicino alla strada e gli altri due si avvicinarono al portone. Un attimo dopo la lampada si spense e si udì, dal portone, un rumore metallico: tagliavano la catena con un paio di tronchesi. Non c'era più tempo da perdere: Reggiani estrasse una grossa torcia elettrica, l'appoggiò su un paracarro dirigendola verso l'ingresso del magazzino poi, nell'arco di tre secondi, l'accese gridando «fermi o sparo!» e si tuffò a qualche metro di distanza appiattendosi sul terreno.

Ebbe appena il tempo di puntare la pistola verso i due uomini illuminati dal fascio di luce che una sventagliata di mitra spazzò via la torcia dal paracarro. Esplose un paio di colpi ma intanto il furgone era già andato in moto.

Sparò ancora nella direzione da cui proveniva un rumore di sportelli che si chiudevano e corse subito di lato evitando di un soffio un'altra sventagliata di colpi esplosi verso il punto in cui un attimo prima la fiammata della sua pistola aveva squarciato il buio.

Il furgone era ormai a cento metri da lui sulla strada che portava all'incrocio e mentre correva verso il centro della carreggiata udì dietro le spalle il rombo della sua Giulietta che arrivava a tutta velocità.

«Ti hanno colpito?» gridò Quintavalle con la testa fuori dal finestrino.

«No, per fortuna» disse Reggiani saltando a bordo. «Dai, pigia sull'acceleratore che li prendiamo.»

Quintavalle ingranò la seconda tirandola a fuori giri, poi la terza e la quarta mentre Reggiani estraeva da sotto il sedile un fucile a pompa e si sporgeva a destra fuori dal finestrino. Arrivarono in pochi secondi in cima al dosso da cui poco prima era sceso il furgone e se lo trovarono di fronte a traverso della strada. Quintavalle pestò con tutta la forza sul pedale del freno mentre Reggiani metteva a segno due colpi in cabina, ma la macchina, troppo veloce, pattinava sulle ruote bloccate per cui lasciò il freno e girò il volante tutto a sinistra fermandosi appena in tempo in testa-coda.

Reggiani balzò fuori e saltò sul furgone: era vuoto. Udì in quell'attimo il rombo di un motore e si gettò fuori dall'altra parte del furgone, appena in tempo per vedere un'auto allontanarsi a gran velocità.

«Ci hanno fregati» disse raggiungendo Quintavalle ancora seduto al posto di guida. «Ormai non li prendiamo più.»

Tornarono verso il magazzino e Quintavalle fermò la macchina: «Che si fa?» chiese.

«Be', io non credo che ci riproveranno, tanto più che il furgone è fuori uso. È meglio rientrare prima che arrivino i carabinieri. Abbiamo fatto un casino che ci avranno sentito fino a Pomezia.»

Quintavalle diede un'ultima occhiata al magazzino poi accese il motore e partì in direzione di Torre Rossa per raggiungere la Pontina evitando Pomezia.

« Vorrei chiederti scusa » disse a un certo punto il capitano Reggiani.

« E di che? »

« Be', mentre venivamo in qua, oggi pomeriggio, ti ho quasi scaricato... È stato come darti del fifone... e invece... »

« E invece ho avuto davvero una paura fottuta. »

« Non si vedeva. Ti giuro che non si vedeva. »

« E ti credo: era buio... »

« Va' là professore, che sei un drago » disse Reggiani mettendosi in bocca due sigarette. « Una la prendi? »

« Altro che » disse Quintavalle. « A una sigaretta e a un carabiniere non si dice mai di no. »

XII

Yacht "North Star", 26 settembre, ore 8

Fabio Ottaviani si alzò dal tavolo senza aver toccato cibo: aveva bevuto solo una tazza di caffè nero e ci aveva fumato assieme una sigaretta. Mentre si avvicinava alla porta la voce dagli speakers lo richiamò: «Si sente poco bene, Ottaviani?». Si fermò con la mano sulla maniglia della porta ma non rispose. «Lei non si nutre abbastanza da qualche tempo, ha sonni agitati... eppure è riuscito in una grande impresa...» Ottaviani si girò guardando verso gli altoparlanti: «Ora posso dirle che le sue indicazioni erano esatte e che la nostra missione ha avuto successo: abbiamo a bordo le armi degli eroi di Taormina».

Ottaviani si sentì mancare le ginocchia. Lo avevano lasciato per quattro giorni senza una notizia, senza una parola, a macerarsi nell'incertezza, a masticare la sua paura e la sua frustrazione, a rimuginare mille interrogativi. Cominciò a tremare convulsamente e si portò le mani al viso per nascondere l'emozione che gli alterava i lineamenti. Quando finalmente riuscì a dominarsi alzò di nuovo gli occhi agli altoparlanti:

«Potrò vederle?» disse.

«A una condizione» rispose la voce.

«Quale?»

«Noi abbiamo ancora bisogno di lei, lo sa... solo lei può dirci qual è il Palladio di Lavinium. Noi vogliamo quella statua, assolutamente.»

«E se io vi aiuto potrò vedere le armi...»

«Non c'è altro modo.»

« Quando? »
« Ora. »
Ottaviani restò qualche minuto immobile in mezzo al quadrato poi disse in un fiato: « Sta bene, vi aiuterò ».
« È la sua parola? »
« È la mia parola. »
« Allora esca dal quadrato e giri a destra verso la paratia poppiera: è aperta. C'è chi la condurrà nella cabina di poppa. Là ci sono le armi. »

Isola di Andros, base dell'"Istituzione", 25 settembre, ore 8,03

Il professor Shu, arretrato verso il fondo della sala, aveva davanti una consolle con tutti i terminali dei monitors. Era seduto su una poltrona di cuoio, immobile con le mani appoggiate ai braccioli: dal suo volto non trasparivano emozioni e i suoi occhi sembravano brillare solo del riflesso baluginante degli schermi catodici che aveva di fronte.
Si riscosse improvvisamente portando le mani alla consolle quando l'onda piatta sui monitors cominciò ad animarsi e un lieve ronzio a diffondersi dagli strumenti di misurazione. Guardò il rullo scorrevole: anche il pennino aveva cominciato a muoversi e tracciava una linea spezzata dai picchi sempre più acuti. Pareva che lo strumento stesse ascoltando un cuore umano che impazziva.
« Si sta avvicinando, » disse quasi in un soffio « ecco... si sta avvicinando. »

Yacht "North Star", 26 settembre, ore 8,05

Ottaviani aprì il portello della paratia e, per la prima volta da quando era a bordo, entrò nel corridoio che dava verso la cabina di poppa. Si sentiva nervoso, debole, sudato; il battito delle palpebre si faceva sempre più frequente e il respiro breve, come se avesse la febbre alta.

Avanzò appoggiandosi alla parete esterna del quadrato perché le gambe lo reggevano a fatica. Si trovò di fronte la porta della cabina e, da una parte e dall'altra, i due marinai appoggiati agli stipiti. Li fissò, fermo in mezzo al corridoio e sentì d'un tratto che il tremito se ne andava, il respiro ridiventava lungo e sicuro.

Il più giovane dei due aprì la porta e gli fece cenno di venire avanti: aveva denti bianchissimi, scoperti sotto il labbro superiore appena rilevato. L'altro se ne stava a braccia conserte senza guardarlo e si mosse solo quando egli avanzò e afferrò la maniglia della porta.

Entrò, seguito dai due uomini che richiusero l'uscio dietro di lui e si trovò all'interno della grande cabina poppiera, zeppa di strumenti e di apparecchiature elettroniche ma le notò appena perché sul fondo, appoggiate a dei supporti, c'erano le armi dei guerrieri!

C'era una celata corinzia su cui erano scolpiti due leoni sdraiati in atto di reggere sul dorso un gran cimiero crestato e c'erano le aste, lunghe più di due metri, che recavano sulla sommità i lunghi ferri fiammati: nei grumi di piombo sulle ghiere mostravano le impronte delle mani che un giorno le avevano impugnate. A fianco stavano gli scudi, immensi, di forma rotonda e convessa, orlati da un bordo piatto che girava tutto intorno.

Le armi erano state pulite dalle incrostazioni maggiori ma erano ancora coperte, su tutta la superficie, dalla patina biancastra dei sedimenti così che non appariva alcun dettaglio. Ottaviani rimase a lungo a fissare le armi fantastiche mentre dalla fronte grosse gocce di sudore gli scendevano brucianti sugli occhi spalancati. Avvertì il forte senso di nausea e le fitte dolorose alla testa che già aveva provato la notte che aveva estratto dalla sua nicchia il codice di Theodoros.

A un tratto, come se obbedisse ad un comando, tese le mani in avanti, afferrò uno dei due scudi sui bordi, e in quel momento una forza immensa gli invase le membra e le dita si serrarono come tenaglie sul bronzo enorme.

Il contatto gli diede un brivido di gelo, ma non lasciò la presa e a poco a poco il metallo divenne tiepido nelle sue mani e poi caldo, sempre più caldo. Una vibrazione sorda gli risuonò in fondo al cervello e si comunicò per le braccia al metallo ormai rovente sotto le sue dita rattrappite. E anche il bronzo prese a vibrare mentre egli, scosso da un tremito in tutto il corpo, lo toglieva dal suo sostegno...

Lentamente sollevava lo scudo immenso, pesante come un macigno, in alto, sopra la testa. L'arma vibrava ora tra le sue mani con un rombo cupo, come di tuono lontano, che aumentava man mano di intensità. Davanti ai suoi occhi sbarrati la patina biancastra che ricopriva lo scudo cominciava a screpolarsi, a spezzarsi in mille schegge minute che si staccavano una dopo l'altra scivolando a terra.

I crampi gli straziavano i muscoli delle braccia e del petto, il sudore gli inondava la faccia e colava in rivoli lungo il collo ma sentiva che non poteva allentare la presa e cacciava dolorosamente il respiro tra i denti serrati. Teneva fissi gli occhi al centro dell'arma superba dove appariva, prima confuso dietro il velo di lacrime e sudore, poi sempre più nitido, il più tremendo dei simboli di Pallade: l'orrenda Medusa cinta di aspidi velenose, gli occhi di rame fiammeggianti, la lingua immonda estroflessa in una smorfia atroce tra le zanne di bestia sanguinaria.

E da quella bocca usciva un fischio, il sibilo di mille serpenti, stridulo, lacerante, tagliente come una lama.

Stremato, oppresso da un'angoscia infinita, comprese in un lampo di gelida lucidità che stava per morire e allora chiamò a raccolta tutte le sue forze e disserrò le mascelle cacciando in un urlo tutto il terrore che aveva nell'animo.

Lo sentì risuonare, quell'urlo, all'infinito, frantumato in mille echi mentre l'immagine spaventosa si dissolveva lentamente nel buio.

Restò soltanto un moto alterno, regolare, rassicurante, come di onde che lambiscono la spiaggia... il ritmo uguale del suo respiro.

Isola di Andros, base dell'"Istituzione", 26 settembre, ore 8,08

Il professor Shu guardava incredulo i monitors e gli indicatori dei suoi strumenti mormorando: «È incredibile... incredibile... è al di là di ogni aspettativa, di ogni immaginazione... Presto,» disse poi riscuotendosi «presto, chiamate subito il "North Star", dite di interrompere immediatamente il contatto, presto!».

L'operatore eseguì: «"Faro" chiama "North Star", "Faro" chiama "North Star", rispondete, passo».

«Allora?» chiese Shu impaziente.

«Non rispondono, signore.»

«Provate ancora, maledizione!»

L'operatore chiamò ancora, con insistenza, ma senza ottenere risposta. Shu intanto era tornato dietro la consolle a controllare i suoi strumenti.

«Non importa» disse a un certo momento all'operatore radio «l'esperimento è stato interrotto. Probabilmente ci hanno sentito ma noi non riusciamo a sentire loro: forse ci sono interferenze che non possiamo filtrare o forse l'emissione di energia ha creato un campo magnetico che impedisce la trasmissione.»

Infatti gli strumenti che un momento prima sembravano impazziti si erano stabilizzati sul segnale di base.

«Signori,» disse Shu con un respiro di sollievo «il nostro esperimento ha avuto pieno successo: il contatto ha liberato una quantità tale di energia che i nostri strumenti non sono stati in grado di misurarla e tutti gli indicatori sono andati fuori scala. Per un momento ho temuto il peggio ma per fortuna sul "North Star" devono averci sentito e hanno interrotto l'esperimento. Questo, signori, è soltanto l'inizio: ci attende ancora un'intensa attività di studio e di ricerca, ma non è lontano il giorno in cui potremo controllare e guidare questa forza. Ora tenteremo di ristabilire il contatto radio con il "North Star" in modo da poter fissare il punto di incontro con l'unità "Eagle" che dovrà prendere a bordo le armi recuperate e anche... il signor Ottaviani.»

Si alzò dalla consolle e si avvicinò a uno dei tecnici: « Dove dovrebbe trovarsi ora il "North Star"? » gli chiese.

L'uomo si diresse verso un grande pannello luminoso che rappresentava la carta nautica del Mediterraneo, azionò un interruttore e una luce rossa intermittente si accese poco a nord delle isole Ponziane.

« Mezz'ora fa si trovava in quella posizione, più o meno, » disse « a non più di quaranta miglia dall'unità "Eagle". Fra tre ore il trasbordo sarà già avvenuto. »

« Se riusciremo a stabilire il contatto con il "North Star" » disse Shu lanciando un'occhiata ansiosa all'operatore che aveva ripreso a chiamare.

Dal veliero non giungeva ancora alcuna risposta.

Yacht "North Star", 26 settembre, ore 8,12

Fabio Ottaviani aprì gli occhi lentamente quasi temesse di trovarsi ancora di fronte le fauci spalancate della Gorgone. Si guardò intorno: le armi dei guerrieri erano cadute sul pavimento; solo l'elmo stava ancora sul suo supporto. Si rese conto di aver perso i sensi e di essere caduto in avanti. Si alzò girandosi verso la porta e chiese: « Che cosa è successo? Mi sono sentito male... ».

La scena che gli si presentò davanti gli fece morire le parole in gola: i suoi custodi giacevano immobili sul pavimento con gli occhi aperti e la faccia imbrattata di sangue che usciva loro dal naso, dalla bocca, dalle orecchie.

Raggiunse la porta scavalcando quei corpi ormai senza vita e uscì nel corridoio ma si trovò di fronte Ioannidis che sbucava dal portello della paratia con una pistola in mano.

Si gettò all'indietro per cercare riparo all'interno della cabina mentre Ioannidis gridava: « Fermo! Fermo dove sta o sparo! ». Ottaviani inciampò arretrando nei due cadaveri riversi sul pavimento e rotolò a terra mentre Ioannidis si avvicinava alla porta gridando: « Ottaviani, non faccia sciocchezze, venga avanti con le mani alzate! ».

Ottaviani si guardò intorno smarrito, vide il grande scudo

rovesciato sul pavimento, lo sollevò riparandovisi dietro nel momento in cui Ioannidis appariva sulla porta con la pistola in pugno e si arrestava alla vista dei due cadaveri distesi sulla soglia. Quell'attimo di esitazione gli fu fatale: Ottaviani si catapultò in avanti reggendo per i bordi il pesante scudo e gli rovinò addosso schiacciandolo sul pavimento.

Ioannidis cercò di afferrare la pistola che gli era sfuggita di mano, ma Ottaviani era già balzato in piedi e gli sferrò un calcio in faccia con tutta la sua forza rovesciandolo indietro contro la murata, poi l'afferrò per il bavero alzando il pugno per colpire ancora ma capì che era inutile: Stavros Ioannidis era morto. Il gran colpo gli aveva spezzato l'osso del collo e la testa gli penzolava inerte sulla spalla destra, come quella di un burattino.

Si appoggiò ansimando alla parete del quadrato e in quel momento udì un rumore dall'esterno, il rumore di un fuoribordo che andava in moto. Si ricordò della voce di donna che lo aveva dominato per tutto quel tempo; afferrò la pistola di Ioannidis e si slanciò per il corridoio, raggiunse la scala del boccaporto e salì in coperta. Dal parapetto vide la donna che si allontanava sulla scialuppa a motore. Sparò un colpo in aria gridando: «Fermati! Fermati o ti sparo addosso!».

La donna si girò un attimo verso di lui: quel viso, quei capelli, quegli occhi... li aveva già visti... quella notte sulla via Appia... lo stesso viso di Elizabeth... dietro il triplice arco!

La mano che reggeva la pistola gli cadde inerte sul parapetto e restò a guardare la piccola imbarcazione che svaniva in lontananza, con la mente torbida, col cuore vuoto.

Ormai era rimasto solo a bordo... o c'era qualcun altro di cui non aveva potuto avvertire la presenza? Andò verso la timoneria e vide che c'era inserito il pilota automatico: la barca stava filando in una ben precisa direzione, su di una rotta parallela alla costa che si intravvedeva sulla dritta. Doveva tentare di virare e di cercare un approdo.

Perquisì rapidamente tutta l'imbarcazione e la trovò deserta; tornò allora in timoneria, disinserì l'automatico e cercò di manovrare in modo da mettersi alla cappa per poter ammainare la velatura che da solo non sarebbe mai riuscito a regolare. Soffiava un ponente abbastanza teso di circa quaranta gradi e Ottaviani virò di bordo senza grosse difficoltà. Quando vide che le vele erano al lasco bloccò la barra e uscì di nuovo in coperta ammainando le vele dei due alberi. Tentò anche di recuperare lo spinnaker nero che pendeva dal pennone di prora ma abbandonò l'impresa dopo aver rischiato per due volte di finire in mare. Pensò ai tre cadaveri sottocoperta: l'idea di toccarli gli ripugnava profondamente ma non aveva scelta perché la loro presenza a bordo gli avrebbe procurato comunque dei guai. Scese dunque nella cabina di poppa, trascinò il corpo di Ioannidis fino alla base della scala e tentò inutilmente di caricarselo sulle spalle. Sapeva bene, per averlo sentito dire, quanto può pesare un corpo inerte ma l'esperienza era superiore ad ogni aspettativa. Dovette issare il cadavere fino ad adagiarlo sui primi gradini della scala, poi ridiscese, lo afferrò per un braccio e gli andò sotto con le spalle all'altezza della cintura così che il peso fosse bilanciato equamente davanti e di dietro.

Salì barcollando fino in coperta e lo gettò in mare. Fece lo stesso con gli altri due corpi ma salendo per la terza volta per la scala del boccaporto si accasciò sotto il peso.

Gli balenò in mente una scena dipinta sul vaso François: Aiace che si carica sulle spalle il cadavere di Achille. L'eroe teneva il ginocchio destro flesso, la gamba sinistra tesa all'indietro come un puntello... e il busto eretto... per poter respirare! Raddrizzò la schiena con l'ultima energia che gli rimaneva e inalò profondamente l'aria fresca di mare. Ritrovò abbastanza forza per rialzarsi, raggiungere il parapetto e liberarsi del suo fardello.

Si appoggiò stremato al corrimano e vomitò ma lo stomaco era quasi vuoto e i conati lo squassarono a lungo lasciandolo esausto. Si rese conto che l'imbarcazione andava alla deriva, doveva cercare di governare in qualche modo. Entrò in timoneria e accese il motore puntando la prua verso la costa; intanto consultava le carte nautiche sulle quali era stato fatto il punto un'ora prima.

La terra che appariva all'orizzonte era l'Italia, probabilmente la costa settentrionale della Campania. Se il carburante gli fosse bastato sarebbe potuto arrivare in vista del Circeo verso sera. Il ronfo del grosso diesel marino gli dava un senso di tranquillità e di sicurezza, la paura si dissolveva lentamente e per un attimo ebbe quasi l'impressione di aver sognato. Lontano i monti azzurri sfilavano sotto il suo sguardo, ma i suoi vestiti erano sporchi di sangue e sapevano di morto e da qualche parte, sul mare o sulla terra, la donna che chiamavano "Ànassa" gli preparava forse una trappola per catturarlo, per rinchiuderlo ancora, per osservarlo coi suoi occhi gelidi, per guidarlo con la sua voce ferma, che non ammetteva repliche. Eppure laggiù c'era la sua terra, il suo elemento, là c'erano i suoi amici, suo padre... e c'era Elizabeth che lo aspettava all'uscita dal labirinto.

Se solo avesse potuto ammainare la vela nera...

Roma, 26 settembre, ore 22

«Chi era al telefono?» chiese Silvia Quintavalle mentre il marito riappendeva il ricevitore.

«Fabio, Fabio Ottaviani.»

«Ottaviani? Era un bel po' che non si faceva vivo. Dov'è?»

«Qua vicino.»

«E non sale da noi?»

«No, vado io a raggiungerlo.»

«Ma Paolo, a quest'ora... domani dovrai alzarti presto...»

«Lo so, Silvia, ma sai com'è Fabio, non vuole disturbare... e poi è di passaggio. Tu vai pure a letto, può darsi che faccia tardi.» Prese la giacca e scese in strada raggiungendo in pochi minuti la cabina telefonica di piazza Quadrata. Entrò e formò il numero: «Sta arrivando».

«Chi?» chiese dall'altra parte il capitano Reggiani.

«Fabio.»

«Sorbole! E dov'è?»

«Su una barca. Mi ha chiamato col radiotelefono. Senti, so che non è da credere, ma dice che ha con sé le armi dei guerrieri di Taormina. Vuole che lo raggiunga col furgone dell'Istituto alla cala piccola di Astura, adesso.»

«Sei ben sicuro che fosse lui? Non vorrei che fosse una trappola...»

«Ti dico che era lui...»

«E se qualcuno lo avesse costretto a telefonarti sotto la minaccia delle armi? Senti, Paolo, dopo lo scherzo dell'altra sera non mi fido più. Tu non ti muovi.»

«E allora chi ci va, tu?»

«Nemmeno. Ieri sono stato pedinato... temo che mi abbiano scoperto e in ogni caso non voglio rischiare: se ci facciamo prendere Fabio resta solo in mano a quella gente.»

«E allora?»

«Stai tranquillo, qualcuno ci andrà. Da dove chiami?»

«Dalla cabina di piazza Quadrata.»

«Benissimo, hai un pacchetto di sigarette?»

«Che domande... sì che ce l'ho.»

«Vuotalo, mettici dentro le chiavi del garage e quelle del furgone e gettalo nel cestino dei rifiuti che c'è di fianco alla cabina, poi rientra immediatamente: è stata un'imprudenza uscire così di notte... E tienti vicino un telefono: può darsi che ti chiami.»

«D'accordo, farò come vuoi. Qualunque cosa tu abbia in mente... in bocca al lupo!»

Reggiani si infilò la pistola nella fondina, indossò il giubbotto di pelle e prese le chiavi di casa per uscire.

«Se ho ben capito, il nostro uomo è nei pasticci» fece una voce alle sue spalle.

«Hai capito benissimo» disse Reggiani. «E adesso stammi bene attento: hai preso la moto di Fabio?»

«Si capisce.»

«Allora vai subito in piazza Quadrata: all'angolo con via Po c'è una cabina del telefono e a fianco un cestino dei rifiuti...»

«Con dentro un comunicato dei terroristi.»

«Dai, Biscùt, che non è il momento di scherzare. In un pacchetto vuoto di Emmeesse troverai due chiavi: una apre il garage dell'Università che è al numero quattro di via dei Marrucini e l'altra è quella del furgone dell'Istituto di archeologia, un Fiat 238 blu. Sta' attento a non farti vedere dal metronotte o dalla volante della polizia che passa...» consultò l'orologio «esattamente tra dodici minuti, e poi, ogni quaranta minuti fino alle cinque e mezzo del mattino. Mi raccomando, non farti pizzicare.»

«Che discorsi. Ti sei scordato di quando portammo via la cappa del rettore dell'Università di Perugia, e il grifone di bronzo e tutto il resto?»

«No. Per questo ho chiamato te e anche gli altri amici. Sono già al loro posto?»

«Sissignore: Rasetti è al bar di fronte al Campidoglio, gli ho lasciato la mia Gilera, e Claudio Rocca è nella hall del Cristoforo Colombo che gioca a strappetto con un turista polacco.»

«Benissimo. Allora possiamo andare.»

«E la moto di Fabio? Che ne faccio?»

«Lasciala sul posto, davanti al garage. Legala con la catena e infila la chiave tra il parafango e la ruota anteriore. Tra un quarto d'ora sarò là e la prenderò io. Tu intanto sarai già partito. Ecco l'itinerario:» disse poi tirando fuori una carta stradale «prendi la statale 148 Pontina; qui gira a destra e raggiungi Torre Astura...»

«E lì ci trovo Corradino di Svevia.»

«La pianti?»

«Come non detto.»

«Arrivato sulla spiaggia risali verso nord sulla stradina costiera, occhio che è piena di buche, fino alla cala piccola. Là dovresti vedere un grosso veliero a ridosso del promontorio...»

«E a bordo c'è lo sciagurato...»

«Non scherzare, non so come lo troverai... deve averne passate di tutti i colori e, se è vero quello che dice, ha con sé a bordo le armi dei guerrieri di Taormina.»

«Cavolo!»

«Venite su a tutta velocità. Io sarò ad aspettarvi da qualche parte lungo la Pontina, ma non posso muovermi più di tanto perché debbo coordinare gli eventuali spostamenti degli altri. Dimenticavo: appena sei a tiro della barca lampeggia coi fari: tre lampi per due volte. Ti risponderà con una torcia elettrica. E adesso vai.»

Mezz'ora dopo, Paolo Quintavalle impartiva per telefono ad Ottaviani le istruzioni che aveva appena avuto dal capitano Reggiani il quale, salito in moto, si stava dirigendo verso l'abitazione di Elizabeth Allen. Claudio Rocca aveva terminato di spennare il turista polacco, era salito in camera sua e di là teneva d'occhio la camera in cui alloggiava il professor Morrison. Dino Rasetti, vestito di stracci e con una borsa turca a tracolla, era uscito dal bar e si era disteso su una panchina di piazza Aracoeli.

Intanto il furgone blu dell'Istituto di archeologia filava a cento all'ora sulla Pontina tra Castel di Decima e Tor de' Cenci.

Cala piccola di Torre Astura, ore 23

Fabio Ottaviani se ne stava seduto in timoneria a luci spente ascoltando la radio. Cercava un notiziario per rendersi conto di quanto era accaduto in sua assenza e ogni tanto gettava un'occhiata ansiosa verso il mare aperto da dove temeva potesse venirgli qualche minaccia. Tre ore prima infatti la radio di bordo aveva captato ripetutamente la stessa chiamata: «"Eagle" to "North Star", "Eagle" to "North Star", over...».

Aveva cambiato gamma d'onda per dare l'impressione di un disturbo e poi, dieci minuti dopo aveva spento la radio temendo che la dominante di base rivelasse la sua posizione. Ogni tanto guardava anche verso la costa che appariva buia e deserta, nella speranza di vedere arrivare qualcuno e teneva pronta vicino a sé la pistola di Ioannidis con il colpo in canna e la torcia elettrica per le segnalazioni. Aveva alla sua destra la foce del torrente Astura e alla sinistra, stagliate contro il cielo nuvoloso, vedeva le mura del castello dei Frangipane. Finalmente sul primo canale riuscì a prendere un pezzo di notiziario: la fregata "Scorpio" aveva dato la caccia per tutto il giorno a un sommergibile sconosciuto penetrato nelle acque territoriali davanti alla base navale di Jannas de Fogu in Sardegna, forse una unità della classe Stremlikoff a propulsione nucleare... Duemila soldati italiani erano in partenza per il Medio Oriente come forza di interposizione tra gli schieramenti belligeranti...

Era ben strano: Roma, piccola e decaduta, rimandava dopo ventidue secoli i suoi soldati oltre il limite invalicabile... al di là del Tauro. Sentì dei brividi di freddo e dei crampi di fame: in tutto il giorno non aveva mangiato altro che un pezzo di formaggio che aveva preso dalla cucina. Spense la radio e si accese una sigaretta cercando di calmarsi.

Passarono così altri dieci minuti; l'aria fresca e umida gli intorpidiva le membra e gli penetrava nelle ossa. Scese sottocoperta a prendere un pullover e quando risalì vide due fari avvicinarsi a passo d'uomo lungo la strada costiera. Il mezzo si fermò vicino alla spiaggia a non più di cento metri dalla barca in linea d'aria e spense i fanali. Passarono pochi secondi e si riaccesero, lampeggiarono tre volte, si spensero, lampeggiarono ancora e si spensero nuovamente.

Finalmente! Paolo Quintavalle era venuto a prenderlo. Afferrò la torcia e rispose al segnale, poi calò in mare il gommone e remò fino alla costa.

«Paolo, sei tu?» chiese mettendo piede a terra.

«No. Quando c'è da toglierti dai guai mandano sempre me» rispose una voce ben nota.

«Che mi venga un colpo... Biscùt!» disse Ottaviani sbalordito alzando la torcia elettrica a illuminare in faccia il suo interlocutore.

«Proprio lui. Dai, muoviamoci che non c'è tempo da perdere. Dov'è la ferraglia che dobbiamo caricare?»

«La ferraglia?... Ah, sì, è a bordo. Devi venire con me sul gommone: io salirò sulla barca e ti calerò i pezzi.»

«Allora dai, diamoci da fare che c'è della mossa in giro.»

«Vuoi dire che qualcuno ti ha seguito?» chiese Ottaviani mettendosi ai remi.

«Direi di no. Non qui, ma a Roma ci sarà da ballare.»

«Ma fammi capire... chi è che ti ha mandato qui? Come facevi a sapere...»

«È stato Marcello.»

«Chi, Reggiani?»

«Proprio lui. Dai, rema.»

«Allora l'ha avvertito Quintavalle.»

«Bravo.»

«Però. Invece di mandare i suoi uomini ha fatto venire te.»

«Lo sai com'è Marcello. Avrebbe dovuto dare spiegazioni, chiedere autorizzazioni... Per certe cose preferisce prendere le scorciatoie. Ti ricordi quella volta a Ferrara che c'era da fotografare quel tizio?»

«Già... E anche quell'altra volta che c'era da portare quel tale da Parma a Milano...»

«Esatto. E così manda a chiamare la vecchia guardia.»

«Perché, c'è qualcun altro?»

«Be', c'è Claudio Rocca con la jeep e Dino Rasetti con la Gilera che a quest'ora presidiano la città. Insomma, siamo venuti giù in forze. Oh, ferma che siamo arrivati.»

«Questa poi...» disse Ottaviani salendo a bordo per la scaletta di corda.

Calò nel gommone le due lance, l'elmo, e da ultimo gli scudi assicurandoli con una cima, poi scese a sua volta.

«Oh, fai piano che se no andiamo a fondo. Questa roba pesa da matti» disse Biscùt che si era messo ai remi. Riguadagnarono la sponda, caricarono il furgone e partirono.

Ottaviani si voltò indietro a guardare la sagoma scura del "North Star" che si dondolava sulle onde, quasi temesse di vederlo improvvisamente rianimarsi... Ecco, si accendeva la luce in timoneria, l'uomo dalla barba grigia era alla barra, e l'altro, il giovane dalla muscolatura possente, era ritto a prora.

Si affacciò la luna da uno squarcio tra le nubi e illuminò la tolda deserta. L'unica cosa che si muoveva era lo spinnaker nero che penzolava quasi inerte dal pennone prodiero, come un drappo funebre.

«Gran bella barca» disse Biscùt imboccando la strada asfaltata. «Ma di' un po', che fine ha fatto l'equipaggio?»

Ottaviani si frugò nelle tasche della camicia: «Hai una sigaretta?» disse. «Le mie le ho lasciate a bordo.»

Roma, ore 23,15

Marcello Reggiani fermò la moto davanti al numero 23 di via Selinunte ed entrò in una cabina telefonica per chiamare Rocca al Cristoforo Colombo.

«Qui va tutto liscio come l'olio» rispose Rocca. «L'uomo non si è mosso dalla sua camera. E lì come va?»

«Anche qui è tutto tranquillo. La ragazza è in casa e non pare abbia intenzione di muoversi. Forse ci preoccupiamo per nulla. Tu comunque non ti muovere di là, le cose possono sempre cambiare.»

«Aspetta un attimo» disse Rocca. «Non andar via.»

«D'accordo» disse Reggiani senza perdere d'occhio la strada. La sua attenzione era attirata da una piccola MG che si fermava davanti al numero 23, la casa dove abitava Elizabeth Allen. Ne scese una ragazza con pantaloni di pelle e giubbotto che entrò nell'androne e salì le scale.

«L'uomo ha ricevuto una telefonata in questo momento,» disse Rocca di ritorno all'apparecchio «ma non ho capito un tubo. Il marchingegno che mi hai dato dev'essere guasto.»

«Ma tu capisci l'inglese?» chiese Reggiani.

«Be', me la cavo meglio col turco.»

«Ma lo sai, sì, che Morrison è americano?»

«Lo so, lo so... ehi, aspetta un momento, non andartene.»

Si era accesa una luce al primo piano, nell'appartamento di Elizabeth Allen. Reggiani si sporse un po' fuori dalla cabina in modo da prendere il numero della MG: era una targa ovale della dogana tedesca.

«L'uomo sta telefonando adesso,» disse Rocca «ma continuo a non capire un tubo; però ho beccato le ultime quattro cifre. Ecco: tre, sette, tre, nove.» Reggiani consultò la sua agenda: le quattro cifre corrispondevano al numero di Elizabeth. Si pentì in quel momento di non aver interessato ufficialmente il suo reparto: avrebbe potuto far mettere sotto controllo tutti i telefoni e conoscere il contenuto di quelle conversazioni.

«Allora che faccio?» chiese di nuovo Claudio Rocca.

«Stai dove sei. Se però Dino ti chiama da piazza Aracoeli

raggiungilo più veloce che puoi. Io adesso devo andare incontro a Fabio e Biscùt. Ciao.»

Uscito dalla cabina Marcello Reggiani alzò lo sguardo al primo piano della casa che aveva di fronte: c'era una seconda luce accesa: probabilmente lo studio. Elizabeth Allen stava ancora parlando al telefono con Morrison o forse stava chiamando qualcun altro a sua volta?

Si mise il casco e partì veloce in direzione dell'Appia Nuova. Non immaginava quanto la sua intuizione avesse colto nel segno.

Ore 23,18

«Elizabeth, finalmente! Ti ho cercata tanto ma non ti ho mai trovata, dov'eri?»

«Sono stata in Francia per lavoro, Paolo; I'm sorry, anch'io ti telefonai per dirti dove mi trovavo ma non eri in casa. Oh, Paolo, sono sconvolta, ho trovato una lettera di Fabio... è terribile. Dice che...»

«Lo so» la interruppe Quintavalle. «Ha scritto anche a me.»

«Ma non è tutto. Ascolta, Paolo, è venuta una persona da me, proprio ora: mi ha detto che c'è qualcuno che può darmi notizie di Fabio.»

«E chi sarebbe costui?»

«Non lo so, vuole che lo incontri tra mezz'ora.»

«Non dargli retta. Fabio è libero, mi ha telefonato più di un'ora fa.»

«I know... mi ha detto che era scappato ma che lo hanno ripreso.»

«Questa non ci voleva, maledizione... E dov'è che vuole incontrarti costui?»

«Nei giardini di Monte Tarpeo... ma ho paura... Should I call the police?»

«No, non chiamare la polizia, è troppo pericoloso. Ma senti, non ti ha detto altro quella persona? Come facciamo a sapere se dice la verità?»

«Purtroppo dice la verità, Paolo. Porterà l'anello del Saint Patrick College che avevo regalato a Fabio e che lui portava nel mignolo... it's true, Paolo, it's true...» Si mise a piangere.

Quintavalle restò per un momento in silenzio, pensieroso. La ragazza sembrava veramente sincera, possibile che mentisse? Era abbastanza verosimile che Fabio fosse stato ripreso: in fondo era solo a bordo di una grossa imbarcazione.

«Vengo io con te» disse a un tratto. «Sarò là tra mezz'ora. Salirò da via delle Tre Pile.»

«Oh, Paolo, thank you so much... ho così paura.»

«Non ti preoccupare, Lizzy... su, non piangere, vedrai che andrà tutto bene. Lo troveremo e lo riporteremo a casa... vedrai.»

Riappese la cornetta e uscì di casa senza fare il minimo rumore. La strada davanti alla sua abitazione era leggermente in discesa: spinse a mano la sua auto finché ebbe preso un po' di velocità poi saltò a bordo e accese il motore solo quando fu sicuro che Silvia non si sarebbe svegliata al rombo troppo familiare della sua Alfa.

Ore 23,25

Dino Rasetti si scostò dalla faccia il cappello di cuoio e buttò un'occhiata verso via del Teatro di Marcello dove una grossa berlina nera con targa del Liechtenstein stava parcheggiando a ridosso del colle capitolino. Ne uscì un giovane alto, dalle spalle larghe, vestito con un impermeabile nero. Venne fino ai piedi della gradinata e poi salì la rampa di destra verso il muro settentrionale del Museo dei Conservatori. Dieci minuti dopo riapparve ed entrò nel bar di fronte. Tutta la zona era ormai semideserta e anche il traffico si era molto diradato. Dino Rasetti si alzò con calma dal suo sacco a pelo e raggiunse a sua volta il bar semivuoto dove il forestiero stava pagando il caffè che aveva appena bevuto.

«Un cappuccino con molta schiuma» disse al barista.

«Ma li sordi ce l'hai?» chiese l'uomo squadrando l'aspetto miserabile dell'avventore. Rasetti estrasse dalla borsa un pugno di monete e le appoggiò sul banco: « Ecco la grana, uomo di poca fede, » disse « e dammi anche un gettone ».

Si mise a sorbire il cappuccino senza perdere d'occhio l'uomo con l'impermeabile nero che se ne stava ora dietro la porta a vetri osservando la strada. Si sporgeva a destra e a sinistra, guardando l'orologio di tanto in tanto. Rasetti raggiunse il telefono e chiamò Claudio Rocca: « C'è della mossa ».

« Cioè? »

« È sbarcato un tizio da una Jaguar straniera: è andato in Campidoglio da via delle Tre Pile, poi è tornato giù, è entrato qui nel bar di fronte e se ne sta a guardare la strada... controlla l'orologio. Ha una faccia che non mi piace. »

« Non sarà lì per qualche appuntamento galante? »

« In questo cesso di bar? Non mi far ridere. E poi ci ha l'ascella gonfia ma il portafoglio lo tiene nella tasca sul culo. »

« Mmmh... c'è l'ambasciata di Siria, lì dietro: può essere qualche agente loro... o nostro. »

« Con una Jaguar da quaranta milioni? Ma va' là. »

« Be', senti, qui non succede più niente e mi son rotto le palle. Vengo lì. »

« Muoviti però. »

« Un lampo, sarò un lampo. »

Rasetti riattaccò, raggiunse la sua panchina e si distese sul sacco a pelo tirandosi il cappello sugli occhi, come per dormire. In realtà teneva sotto controllo l'uscita del bar. L'uomo con l'impermeabile nero uscì qualche minuto dopo sul marciapiede e si voltò in direzione del Teatro di Marcello. C'era un'altra macchina che stava arrivando: si fermò nello slargo antistante il monumento, diede un lampo brevissimo con gli anabbaglianti, poi spense le luci. L'uomo si accese una sigaretta e rientrò nel bar.

Rasetti, sicuro che si trattasse di un segnale, si alzò e si gettò di corsa in via di Tor de' Specchi aggirando in pochi secondi l'isolato. Si nascose dietro l'angolo che dava su piazza Campitelli e fece in tempo a vedere due uomini uscire dall'auto, scendere verso il tempio della Fortuna e attraversare la strada in direzione del vico Jugario. Certamente salivano verso i giardini del Campidoglio. Tornò di corsa al suo posto di piazza Aracoeli e si distese ansimando sulla panchina.

Guardò l'orologio: era quasi mezzanotte.

Chilometro 17 della via Pontina, ore 23,30

L'uomo stava quasi in mezzo alla strada e faceva cenno di fermare. Indossava un giubbotto nero e aveva in mano un casco da motociclista.

«Non ti fermare» disse Ottaviani all'amico che stava rallentando. «Non possiamo fidarci.»

«Calma» disse Biscùt ingranando la terza «e stai giù. Se è uno che ha voglia di scherzare gli tiro addosso prima che possa dire amen... ma no, quella è la tua Benelli... è Marcello, è Marcello Reggiani.» Accostò sulla destra mentre il capitano Reggiani si affacciava al finestrino: «Fabio! Come va, tutto a posto?».

«Tutto a posto» disse Ottaviani scendendo a terra. «Marcello, senti, io non so come ringraziarti...»

«Adesso non c'è tempo, Fabio, dobbiamo rientrare in città.»

«Perché, è successo qualcosa?» chiese Biscùt.

«No, finché io ero a Roma, ma ci sono dei movimenti sospetti. Claudio Rocca sta tenendo d'occhio Morrison, mentre Dino...»

«Morrison?» chiese Ottaviani.

«Sì, abbiamo il sospetto che...»

«Altro che sospetto, è venuto a bordo del "North Star": era d'accordo con quelli che mi hanno tenuto prigioniero.»

«Accidenti! Speriamo che Rocca non lo molli. Ma adesso andiamo: sono preoccupato per Quintavalle.»

«Aspetta» disse Ottaviani. «Dove sono adesso le statue di Lavinium?»

«In Campidoglio. Ci sarà una mostra. Ma non ti preoccupare, c'è Dino Rasetti là, che tiene d'occhio la situazione. Lo raggiungiamo subito e poi chiamiamo Quintavalle.»

«Senti, Marcello. Quintavalle ti ha parlato della mia ragazza?»

«Elizabeth Allen?»
«Sì... sai dov'è?»
«È a casa sua... Almeno c'era mezz'ora fa.»
«Ho capito. Allora guarda, sali tu con Biscùt, io riprendo la mia moto.»
«Ma sei sicuro di sentirti bene? Non è prudente che tu vada in giro da solo. Dammi ascolto.»
«Sto benissimo. Dai, dammi il tuo casco e il tuo giubbotto che fa fresco. E state attenti voi, piuttosto. Lo sai cosa c'è nel furgone.»
Reggiani si tolse il giubbotto e gli porse il casco:
«Mi raccomando, Fabio, non fare sciocchezze. Sei appena fuori da un'avventura che poteva costarti la pelle...»
«Sprechi il fiato,» brontolò Biscùt «è testone come un mulo... tanto ci sono sempre io che lo tolgo dalla merda.»
«Noi andiamo in Campidoglio,» disse Reggiani «ti aspettiamo là.»
Ottaviani montò in sella e partì velocissimo.
«Forse non avrei dovuto lasciarlo andare,» disse Reggiani «hai visto in che stato era?»
«Sì, non aveva una gran bella buccia, ma non prendertela, Marcello, saprà cavarsela... anzi, se debbo dirtela come la penso, secondo me quello si è fatto fuori l'equipaggio di quella barca... non chiedermi come...»

Roma, ore 23,45

«Che fai, dormi?»
«Ah, sei qui?» disse Dino Rasetti togliendosi il cappello dalla faccia. «Per la miseria, hai fatto presto. Dove hai la macchina?»
«Qui dietro in Portico d'Ottavia» disse Rocca. «Allora?»
«Ne sono arrivati altri due, sono saliti dal vico Jugario. Secondo me si sono appostati nei giardini.»
«E quel tizio che stava al bar?»
«Ssst, non voltarti. Sta uscendo adesso... ecco, sale la rampa... va verso la direzione dei Musei.»

«Dici che tentino di rubare le statue?»

«In tre? Sono un po' pochini, non trovi?»

«Non so. Forse facciamo tutta 'sta sceneggiata per niente. Ma dove diavolo s'è ficcato 007?»

«Chi, Reggiani? Mah, ormai non dovrebbe più tardare molto. Biscùt è partito da un pezzo e a quest'ora non c'è traffico. Senti, tu torna a prendere la macchina e appostati alla base del colle dalla parte del vico Jugario. Io vado su a dare un'occhiata... ehi, guarda là, ce n'è un altro.»

«Dove?»

«Lì, davanti alla gradinata di Aracoeli. È sceso adesso da quell'Alfa GT rossa.»

«E viene in qua... viene in qua... viene in qua... e sale anche lui!»

«Dai, muoviti, vai da quell'altra parte che potrai vedere anche Biscùt e Reggiani se arrivano.»

Rocca si allontanò di corsa girando dietro l'isolato mentre Rasetti attraversava con aria indolente via del Teatro di Marcello. Intanto Quintavalle era già quasi in cima alla rampa e si guardava intorno cercando di vedere se Elizabeth arrivasse ma non vide altro che uno straccione con un cappello di cuoio in testa che passava davanti alla sfinge egizia alla base della gradinata.

«Professore, non si muova» disse una voce dietro di lui in quel momento. «C'è una pistola puntata contro di lei. Non faccia alcun gesto e venga avanti.»

Quintavalle trasalì, e gettò istintivamente uno sguardo indietro con la coda dell'occhio, ma la rampa era deserta e solo un taxi passava in quel momento veloce ai piedi del colle. Si avvicinò alla siepe da cui proveniva la voce maledicendo la sua precipitazione. Si trovò di fronte un uomo vestito con un impermeabile nero che impugnava una pistola.

«Dove sono le statue di Lavinium, professore?» disse l'uomo.

«Sono nel museo... ma che volete fare?»

«Lei ha la chiave, professore, apra la porta.»

«Ma no, le assicuro, lei si sbaglia...»

« È inutile, lo sappiamo. La chiave è nel mazzo con quelle della sua automobile. »

"Elizabeth," pensò Quintavalle "lei lo sapeva, lo aveva visto qualche volta aprire la porta per salire in biblioteca. Ed era stata lei a farlo arrivare in quel posto a quell'ora... Come aveva potuto fidarsi?"

« Sta bene, » disse « ma non riuscirete mai... come potete pensare... »

« Lei non pensi a questo. Avanti, vada verso la porta, apra, e poi torni qua, camminando con indifferenza. »

Quintavalle avanzò verso la porta della direzione e si accorse in quel momento che la lampada che illuminava la facciata dell'edificio era spenta, rotta: c'erano i frammenti di vetro in terra. Non c'era speranza che qualcuno lo notasse. Non immaginava che un angelo custode coperto di stracci e acquattato dietro la siepe avesse udito tutto.

Rasetti infatti era salito per i giardinetti della rampa di Cola di Rienzo e aveva fatto in tempo a sentire le ultime frasi del colloquio. Si girò verso la strada e vide un'Alfetta dei carabinieri passare lenta alla base del colle e fu per precipitarsi giù gridando, ma l'auto era già passata oltre prima che potesse muoversi. Sperò che Rocca la vedesse ma si rese conto che l'amico non aveva nessun motivo per fermarla.

Rocca infatti non la vide nemmeno perché la sua attenzione era attirata in quel momento da un grosso furgone, un Bedford grigio con le insegne di una ditta di traslochi che saliva lentamente per via di Monte Caprino. Arrivato in cima al colle si fermò e spense le luci. Nessuno scese, o perlomeno Rocca non udì alcun rumore di sportelli.

Intanto Quintavalle aveva infilato la chiave nella toppa e aveva aperto la porta del museo.

« Adesso torni pure indietro » disse l'uomo nascosto nella siepe « ecco, piano, così. »

Quintavalle ritornò verso di lui mentre altri tre uomini vestiti con delle tute blu sbucavano dal parco.

« E ora, professore, » disse « voglia spiegarmi dove si trovano le casse con le statue. » Quintavalle esitava; l'uomo allora avvitò un silenziatore alla canna della pistola e gliela puntò allo stomaco: « Professore, parli. Non mi costringa... ».

« Va bene » disse Quintavalle. « Attraversate l'ingresso e proseguite lungo il corridoio. In fondo a destra c'è un vano che immette in un sotterraneo, alle fondazioni del tempio di Giove Capitolino: le casse con le statue sono là. »

« A noi interessano solo quelle che contengono le statue di Athena. Come sono contrassegnate? »

« Con numeri romani dall'uno al sette. »

L'uomo parlò in tedesco agli altri che entrarono, uno dopo l'altro, nella direzione del museo.

Rasetti se ne tornò silenzioso alla base della rampa, corse alla motocicletta e raggiunse Claudio Rocca al vico Jugario.

« Claudio, bisogna muoversi. Quel tizio che è sceso dal GT rosso è l'archeologo Quintavalle. Lo hanno preso e si sono fatti dire dove sono le casse con le statue di Lavinium. Ora sono nel museo. »

« Mi stavo giusto chiedendo cosa ci andasse a fare un furgone di traslochi su per quella strada a quest'ora » disse Rocca indicando via di Monte Caprino.

« Io vado ad avvertire la polizia: ci dev'essere un ufficio della Questura o dei carabinieri sul Lungotevere Cenci. Così li prendiamo tutti con le mani nel sacco. »

« E Quintavalle? Capace che lo ammazzano quelli. Cristo, ma dove si è cacciato Reggiani, quanto ci mette... va bene, corri, io resto qui. Con quel furgone non possono passare che di qua. »

« D'accordo. E se ti trovi nella merda dai fiato alle trombe... Oh, c'hai strizza? »

« Macché, son qui che mi diverto un sacco. »

« Dai, che se va tutto bene ci ricavi un servizio da prima pagina. Allora, tieni duro, che vado e torno. » Diede un calcio alla messa in moto della Gilera e schizzò via in direzione del Tevere. Cominciava a piovigginare.

Ore 23,55

Dino Rasetti saltò dalla Gilera ed entrò di corsa nella stazione di polizia. C'era un solo agente dietro il banco, con l'aria assonnata.

« Senta, » disse Rasetti « dovete correre subito in Campidoglio, all'ingresso della direzione dei Musei: c'è gente armata; hanno fatto prigioniero l'archeologo Quintavalle, vogliono rubare le statue di Lavinium, presto, per favore, è questione di minuti! »

« Uhè, calma, » disse l'agente « intanto favorite nome, cognome e residenza e ditemi se volete sporgere regolare denuncia. In tal caso provvederò a chiamare una volante perché qui non ci sta nessuno. Da più di un mese questo funziona solo come ufficio passaporti. »

« Cristo, » sbottò Rasetti « allora non mi sono spiegato: hanno sequestrato un uomo ed è in corso un furto ai danni dello stato a cinquecento metri da qui... » Frugò nella borsa ed estrasse dal portafoglio la carta d'identità buttandola sul banco: « Ecco, qui c'è tutto e scrivete che sporgo regolare denuncia contro ignoti, ma chiamate quella volante perdio! C'è un furgone grigio in cima a via Monte Caprino, sul Campidoglio: sono là, ma fate presto! ».

Raggiunse di corsa la moto e ripartì come una saetta per raggiungere Rocca al vico Jugario:

« Ho trovato la polizia, dovrebbero mandare una volante, ma temo che ci vorrà un po' di tempo: cos'è successo? »

« Secondo me hanno finito di caricare e stanno per andarsene. Che facciamo? »

« Non abbiamo scelta: diamo fiato alle trombe. »

« Allora vado » disse Rocca. Accese il motore, attaccò tutta la batteria delle trombe e inserì la sirena.

Il clangore improvviso e il fischio lacerante della sirena gettò la confusione fra gli uomini ancora intenti a caricare le casse sul furgone. L'uomo con l'impermeabile abbandonò Quintavalle e corse verso la macchina chiudendo gli sportelli e gridando: « Schnell, schnell, fahren! ».

Ma intanto quel rumore si faceva udire fino sul Lungotevere Aventino dove avanzava a tutto gas il 238 blu.

« Questa sirena la conosco » disse Biscùt. « L'ho fregata io da una macchina dei carabinieri e adesso sta sulla jeep di Rocca. Sicuramente sono nella merda. »

« Dai gas, dai gas » disse Reggiani estraendo la pistola e

sporgendosi dal finestrino. « Dai, che ormai ci siamo. Devono essere vicini al Campidoglio. »

Biscùt sterzò davanti a Santa Maria in Cosmedin e si buttò in via del Teatro di Marcello.

« Li vedo! » gridò Reggiani. « Buttati a destra che sono là. »

Biscùt sterzò ancora a rischio di ribaltarsi e inchiodò i freni davanti alla jeep di Rocca.

« Stanno venendo giù con un camion » disse Rasetti. « Bisogna fermarli, hanno con sé Quintavalle. »

« Ci penso io » fece Biscùt ripartendo con il furgone. In un lampo fu alla base di via Monte Caprino, piantò la macchina di traverso alla carreggiata con marcia e freno a mano innestati e tornò indietro di corsa. Arrivava intanto un'Alfetta della volante a sirene spiegate. Reggiani si buttò in mezzo alla strada: « Sono il capitano Reggiani » gridò « correte a via Monte Caprino. Se qualcuno tenta di scappare sparate, ma fate attenzione, hanno sequestrato un uomo. Claudio, di qua! » gridò poi a Rocca. La jeep arrivò sgommando e Reggiani saltò a bordo con la pistola in pugno: « Corri! Dobbiamo bloccarli dalla parte di Aracoeli ».

Rocca pigiò sull'acceleratore e si gettò a destra verso il Teatro di Marcello mentre echeggiavano degli spari dall'altra parte del colle. In un attimo arrivò sul rettilineo che portava ad Aracoeli in tempo per vedere quattro uomini saltare su una Jaguar nera.

« Sono loro! » gridò Rocca mentre Reggiani si sporgeva a prendere la mira. La Jaguar stava facendo inversione a U per fuggire nella loro direzione; un taxi che arrivava veloce da piazza Venezia tentò di schivarla sterzando tutto a destra e Rocca che si era buttato giù di mano per tagliare la strada alla Jaguar evitò per miracolo la collisione frontale.

Mentre il tassista scendeva bestemmiando Reggiani si girò sparando tre colpi in rapida successione, mirando alle gomme della berlina nera. Ma la Jaguar, ormai fuori tiro, spariva con un gran cigolio di pneumatici sul Lungotevere Cenci. Rocca, girata la macchina, era già pronto a ripartire ma l'amico lo fermò: « È inutile, Claudio, non li prendiamo più ».

« Che ve possino ceca' a voi e a l'anima de li mort... » imprecò il tassista furibondo.

« Perché non va a farsi fottere... » rispose Rocca impassibile.

« Senta, » intervenne Reggiani « sono della polizia... c'è stato un rapimento... »

« Scusate, potreste darmi ascolto un momento? » li interruppe una voce alle loro spalle.

« Paolo! » gridò Reggiani girandosi. « Temevamo che ti avessero portato via. »

« Grazie a Dio no. A un certo momento è scoppiato un tale casino... parevano le trombe del giudizio » disse Quintavalle « e così mi hanno mollato e sono corso giù per la rampa. Allora, l'avete trovato Fabio? »

« E come. L'ha preso su Biscùt ad Astura. »

« E adesso dov'è? »

Reggiani aggrottò la fronte: « Da Elizabeth Allen, temo ».

Mezzanotte

Imboccata la via Selinunte, Ottaviani tirò la marcia a tutto gas, poi mise in folle e spense il motore. Si fermò al numero 23 e guardò in alto: la luce era accesa nell'appartamento di Elizabeth. Si sfilò il casco e si appoggiò un momento al portone. Quando si fu un po' calmato aprì la porta e salì lentamente le scale senza far rumore...

Appoggiò l'orecchio al battente della porta: non si sentiva nulla. Forse era andata a dormire dimenticando la luce accesa. Infilò la chiave nella serratura e aprì entrando nel piccolo atrio buio, appena rischiarato dalla luce che filtrava dalla bussola a vetri del salotto.

L'aprì e si trovò davanti Elizabeth.

« Fabio... oh mio dio... Fabio... » si alzò per venirgli incontro.

« No, Elizabeth, no, resta dove sei. Non occorre più che tu finga... no more lies. » La ragazza lo guardò smarrita. « Sai bene che quello che mi hai fatto poteva restare nascosto solo se io fossi rimasto passivo. Invece, a un certo punto, ho preso io l'iniziativa, io mi sono consegnato ai tuoi amici... e per di più sono riuscito a tornare. Il susseguirsi degli avvenimenti era stato così rapido che io non avevo mai avuto il tempo di pensare veramente... o forse non avevo mai voluto... Ma i miei giorni di prigionia sono stati lunghi, eterni... e ho avuto il tempo per riflettere mentre i tuoi amici mi tenevano in osservazione come un topo da laboratorio...»

«Fabio, ascolta» disse Elizabeth alzandogli in faccia gli occhi velati.

«No, Lizzy, non voglio più ascoltarti. Tu sapevi chi mi stava aspettando sull'Appia Antica quella notte... Quel fantasma biondo con la tua faccia... Io l'ho rivista, sai, l'ho guardata bene come ora guardo te... Tu hai fatto entrare Ioannidis a San Nilo, o forse il tuo capo, Morrison, e ti sei assicurata che non potessi muovermi facendo mettere fuori uso la mia motocicletta. Tu hai detto a Ioannidis che cosa stavo cercando... e poi quello che ho trovato, e tu hai fatto rubare il torso di Lavinium... Chi altri se no? Io ho buona memoria, amore mio. Quella sera, alla pizzeria, dopo che eravamo andati a vedere i guerrieri a Villa Giulia... c'era Ioannidis seduto al tavolo dietro di te e ti faceva dei cenni che io scambiai per delle avances. A San Nilo mi sono chiesto tante volte dove avevo già visto quella faccia ma poi, a bordo del "North Star" mi sono ricordato, tutto è diventato chiaro. Ho visto anche Morrison a bordo di quella barca fottuta, sì, proprio lui, per un attimo, ma l'ho visto bene. All'inizio non potevo credere che un uomo come lui fosse immischiato con quella gente ma anche qui la memoria mi è venuta in aiuto... Ora è il mio turno di sbalordirti, amore mio; senti, senti, il 10 luglio, alle tre del mattino qualcuno dei tuoi amici era a Istanbul... cercavano il Palladio, alla base della Colonna bruciata. Un grande scienziato, quel Morrison: chi se non lui poteva aver presente un minuscolo frammento di Esichio di Mileto, quello che racconta di come l'idolo fosse incorporato nella base della colonna dall'imperatore Costantino... No, cara, non ci sono prodigi questa volta, solo il caso, semplice caso: qualcuno passava da quelle parti in quel momento e pensò a una rapina alla Banca Yapi, ma non ci furono rapine quella notte a Istanbul e io cambiai soldi alla Yapi, quella mattina stessa. Non avete avuto fortuna a Istanbul e allora vi siete spostati a Lavinium. Morrison ti ha messo con Quintavalle perché potessi godere del miglior punto di osservazione... E dimmi, ti ha ordinato lui di portarmi a letto? Ha programmato lui le tue... prestazioni? O forse Ioannidis, o come cavolo si chiamava... »

« No, Fabio, » disse Elizabeth « io ti amavo... ti amo » aveva gli occhi pieni di lacrime. « Non si può fingere di amare, questo non si può... »

Ottaviani restò in silenzio col cuore gonfio. « Non lo so » disse « e, comunque, cosa importa ora? »

« Fabio, please, ascoltami. Tu hai vinto, per ora, ma non è finita, sarai ancora in pericolo se non ti lasci convincere... Ascoltami perché voglio aiutarti... Io non avevo scelta, non posso spiegarti ora, ma io non ho mai avuto scelta... Ho sempre cercato che non ti accadesse del male. Non voglio che ti accada del male... Ti amo, Fabio... »

« Mi dispiace, Lizzy, ma tu stai con gente che uccide, e forse anche tu... No, Lizzy, basta, tu ora verrai con me. »

« Non è possibile, Fabio. Ascoltami, ti prego, ascolta, il Campidoglio non è più a Roma... Roma è solo un vecchio museo... il Campidoglio è altrove... »

« Tu ora verrai con me » ripeté Ottaviani meccanicamente, come se non udisse più la sua voce. « Verrai con me. » Parlava con tono fermo, perentorio e la fissava avanzando verso di lei, con gli occhi gonfi e rossi di fatica. Ma mentre le tendeva la mano risuonò alla sua sinistra la voce che aveva tante volte udito sul "North Star": « No, Ottaviani, Elizabeth non verrà con lei. Lei verrà con noi e questa volta non fuggirà più ».

Si sentì perduto, l'incubo lo riprendeva, e questa volta per sempre... Ma mentre stava per arrendersi gli venne in mente suo padre che lo aspettava nella sua casa sull'Appennino e in quell'attimo il sangue gli rifluì impetuoso alle tempie. Afferrò fulmineo la pistola che aveva alla cintola mentre Elizabeth gridava « No! » gettandosi in avanti, e sparò verso la voce. In un lampo vide i capelli biondi e gli occhi dorati scintillare di luce fredda e il volto di Elizabeth mortalmente pallido. E i due volti fondersi in uno. Volto immobile, di pietra. Come quello della dea immortale. E gli occhi... chiusi.

Poi sentì che sprofondava nel buio, come una foglia morta che si stacca dall'albero in una notte d'autunno.

XIII

Roma, Bar Colony, 10 ottobre, ore 21

« Be', è stato un trionfo, » disse Marcello Reggiani ripiegando il suo tovagliolo « giornali, televisione, interviste: siete gli uomini del giorno, e la mostra in Campidoglio sta avendo un bel successo di pubblico. »

« Già, » disse Quintavalle « solo tu, povero Marcello, che in fondo hai penato come noi per tutta questa faccenda, sei stato a mala pena nominato. »

« Sai com'è: gli uomini dell'Arma debbono restare sempre nell'ombra. »

« Usi a obbedir tacendo, e tacendo morir! » declamò enfatico Biscùt.

Ottaviani taceva, intento a rimescolare con il cucchiaino il fondo di una tazzina di caffè.

« Su con la vita, Fabio! » gli disse Quintavalle dandogli una pacca sulle spalle. « In fondo te la sei cavata con un graffio. Un centimetro più in là e quel colpo ti avrebbe spedito al creatore. Dai, vedrai che tutto tornerà come prima: hai solo bisogno di riposarti, di rimetterti tranquillo. »

« Eh, » intervenne Biscùt « lui non ci pensa nemmeno che ha rischiato la vita per un soffio, lui pensa a quel maledetto scartafaccio! »

« Il tuo codice... » disse pensieroso Quintavalle « ... Fabio, purtroppo l'hai visto bene... non c'era traccia di alcun manoscritto in quella nicchia a San Nilo. Forse sei stato imprudente a dare la notizia con tanta sicurezza. »

« Allora anche tu credi che me lo sia sognato! » sbottò

Ottaviani. «E allo stesso modo ho sognato il luogo esatto in cui si trovavano le armi dei guerrieri, e ho sognato di aver visto Morrison a bordo del "North Star" e di aver sparato contro Elizabeth e quell'altra ragazza bionda...»

«Ascolta, Fabio,» disse Reggiani «io sono arrivato in via Selinunte con Claudio Rocca verso la mezza e non c'era traccia né di Elizabeth né di quell'altra ragazza di cui mi parli. Ho trovato solo te, ferito alla testa, di striscio, grazie a Dio. Dopo che ti hanno portato all'ospedale ho frugato l'appartamento da cima a fondo e puoi credermi, non ho trovato niente, né una stampa, né un negativo di quelle foto che tu dici di aver scattato sul codice.»

«È chiaro che non potevi: le avevo nascoste bene.»

«Sì, ma poi nemmeno tu le hai ritrovate quando sei tornato.»

«Ma erano passati quattro giorni, Marcello... Chissà cosa è successo in quel periodo di tempo. Quella gente era ancora a Roma... forse c'è ancora.»

«È vero, Fabio, ma purtroppo devi prendere atto della realtà: di quel codice non è rimasta alcuna traccia; nessuno, tranne te, è in grado di testimoniare sulla sua esistenza. Quanto a Morrison: non ha detto né fatto niente per cui si potesse incriminarlo. Non puoi fornire alcuna prova che lui fosse a bordo del "North Star" il diciotto settembre e d'altra parte è documentata la sua presenza a Roma il diciassette e il venti settembre. Ammetterai che agli occhi di un possibile inquirente è piuttosto improbabile che in quel breve intervallo di tempo abbia potuto recarsi a bordo di uno yacht nel bel mezzo del Mediterraneo e poi tornarsene tranquillamente in albergo...»

«Ma non impossibile...»

«Fabio, fidati di me che ti sono amico. Devi rassegnarti: se tu lo accusassi formalmente perderesti la causa e ti copriresti di ridicolo. Mi dispiace, ma le cose stanno come ti dico.»

«Ma per Giuda!» intervenne Biscùt «ti resta sempre l'onore di aver riportato a casa un quintale di ferraglia... l'armamentario dei guerrieri, voglio dire. Non ti basta?»

«Oh, sì, i giornali hanno fatto un bel chiasso. Claudio

Rocca ha venduto dei servizi anche ai bollettini parrocchiali, a momenti, ma le sai le prime reazioni dell'ambiente scientifico? Diglielo tu, Paolo, quali sono stati i primi commenti... »

« Be', Fabio, l'ambiente lo conosci come me » disse Quintavalle « e d'altro canto è comprensibile... la prudenza non è mai troppa in questi casi. In fin dei conti si tratta di reperti erratici... »

« Ma c'è chi ha insinuato che si tratti di falsi, perdio! »

« Fabio, noi comprendiamo bene il tuo stato d'animo, ma loro non sanno quello che hai passato. Per loro tu sei uno che compare improvvisamente con dei reperti di provenienza sconosciuta, e che afferma essere le armi degli eroi di Taormina. Anche io sarei prudente al posto loro. La cosa importante è che l'Istituto centrale del restauro le ha prese in consegna e si è impegnato a restaurarle. Ho parlato io con il professor Carani... Certo, ci vorrà il suo tempo... lo sai, i bronzisti già sono pochi e quelli che ci sono stanno lavorando alla statua equestre di Marco Aurelio, al filosofo di Pozzuoli... poi c'è l'Hermes di Capo Rizzuto... »

« Lo so, lo so, » disse Ottaviani con un sorriso agro « fra qualche anno, chissà... »

« Dai, non abbatterti. Ti giuro che me ne occupo io... farò tutto quello che posso... Che diavolo, non ti fidi di un amico? E poi c'è Silvia là dentro, anche lei si darà da fare. »

« Hai ragione, Paolo... scusami... Grazie per quello che farai e ringrazia anche Silvia. »

« Figurati. Posso anzi anticiparti che lo scudo A ha suscitato meraviglia all'istituto: appare come parzialmente restaurato, libero, nella parte centrale, dalle incrostazioni... E quella Gorgone è veramente formidabile, una cosa unica. Solo che nessuno riesce a spiegarsi come sia stato possibile, in così breve tempo, eseguire un lavoro così perfetto, anche se parziale. Non esistono, che si sappia, specialisti in grado di ottenere un risultato di quel genere in pochi giorni, tutto sommato. Ed è anche per questo che a qualcuno la cosa è parsa sospetta. Tu ne sai qualcosa per caso? »

Ottaviani tormentava con le dita il pacchetto vuoto delle

sigarette: «Non so,» disse con una certa esitazione «non so dirti... era già così quando l'ho visto per la prima volta».

«Ehi,» disse Reggiani «sono arrivati Dino e Claudio.»

«Ehilà, brutta gente!» salutò Dino Rasetti accostandosi al tavolo e prendendo una sedia.

«Scusateci,» disse Claudio Rocca mettendosi anche lui a sedere «ma abbiamo trovato un tappo di dieci chilometri in autostrada: c'era un TIR ribaltato di traverso sulla carreggiata... ma vedo che avete già mangiato, meglio così. Noi ci siamo fatti un paio di tramezzini in un autogrill... Oh, ma cos'è questo mortorio? Noi eravamo venuti per fare baldoria.»

«Claudio,» disse Reggiani «Fabio è provato... ne ha passate di brutte, insomma è un po' giù.»

«Balle» disse Rasetti versandosi da bere. «Adesso lo riportiamo su e lo rimettiamo a nuovo noi. Quest'uomo ha bisogno di starsene un po' alla larga dalle anticaglie... secondo me gli hanno dato alla testa.»

«Parole sante!» disse Rocca indicando la benda che fasciava la fronte di Ottaviani. Tutti scoppiarono a ridere e anche Ottaviani rise. Rocca ordinò una bottiglia di Marino: «Oste! un'altra boccia, che offro io. Ragazzi, ho scritto seimila articoli su tutta la vicenda, sono ricco e potente. E anche tu, Biscùt, dovresti offrire: ti ho fatto vendere anche la foto di tua nonna!».

Nulla e nessuno poteva fermare Claudio Rocca una volta che aveva preso l'avvio e nemmeno il cameriere, preoccupato per la quiete del locale, poté fare gran che per arginare la verve del giornalista che ad ogni richiesta di moderare il volume della voce continuava a rispondere "Lei non si preoccupi".

Venne l'ora di partire: «Be', ragazzi,» disse Ottaviani stringendo la mano a Marcello Reggiani. «Non so cosa dire... non ci sono parole per quello che avete fatto.»

«Oh, hai deciso di farmi commuovere?» disse ridendo Reggiani.

«Io ho un nodo alla gola che non mi va né su e né giù» rincalzò Rasetti.

«È il tramezzino dell'autogrill,» fece Rocca «era un po' coriaceo.»

Uscirono in strada e Biscùt andò a prendere la jeep parcheggiata all'angolo di via Sicilia.

«Ah, Fabio, dimenticavo,» disse Quintavalle «ricordi quell'iscrizione e quel piccolo corredo della via Salaria?»

«Quello di Lucius Fonteius Hemina? Sì, certo...»

«Silvia è riuscita a datare la sepoltura sulla base della moneta che ci aveva trovato e ha poi scoperto che il padre del tribuno era morto alla battaglia di Canne, più di vent'anni prima: ha trovato la documentazione nel CIL.»

«Ma allora chi ha fatto incidere l'iscrizione?»

«Lo stesso tribuno Hemina, prima di morire.»

«Presago della fine imminente?»

«Perché no?»

«Paolo, che fai, ti lasci prendere anche tu da ipotesi suggestive? No, non è degno di un archeologo. Dammi retta, cerca un'altra soluzione. Ciao, professore, ci vediamo.»

PARTE QUARTA

Due anni dopo

Denique res omnis eadem vis causaque volgo
conficeret, nisi materies aeterna teneret... *

Lucrezio

* Percosse da un'identica forza tutte le cose sarebbero distrutte se non le tenesse insieme una materia eterna...

XIV

Bologna, piazza Maggiore, 7 giugno, ore 17

La folla gremiva ormai ogni angolo della piazza e la gente che continuava ad arrivare si accalcava intorno alla fontana del Nettuno benché di là non si potesse vedere il palco apprestato per il comizio davanti al palazzo comunale. Anche il portico del Pavaglione era stipato di gente e i vigili duravano fatica a mantenere libero un piccolo corridoio per il transito dei passanti che andavano e venivano da piazza Galvani e da via Rizzoli.

Nel cielo passavano lenti immensi cumuli orlati di nero e a tratti si abbattevano sulla piazza folate di vento che non promettevano nulla di buono. Ad ogni raffica le centinaia di bandiere rosse e tricolori si gonfiavano come vele o schioccavano con un rumore secco, come di una frustata. Solo il pesante gonfalone rosso-blu con la scritta "Libertas" si increspava appena sul balcone del palazzo comunale.

I canonici di San Petronio fecero chiudere i portoni della basilica benché fosse ora del vespro, abituati come erano da molti anni a fiutare gli umori del popolo ogni qualvolta era chiamato a raccolta nel grandioso arengario. Non aspettavano mai che il brusio crescesse fino a diventare un rombo di tuono sotto le arcate gotiche del tempio.

La campana della torre civica batté l'ora e uno stormo di piccioni si alzò con un fitto crepitare d'ali dai merli di Palazzo Re Enzo.

Era l'ora prevista: l'oratore si affacciò al palco e si fece silenzio: «Cittadini!» disse «per la prima volta in quasi mezzo secolo ci troviamo a fronteggiare una situazione drammaticamente pericolosa, una situazione che in ogni modo abbiamo tentato di scongiurare... inutilmente. Ci siamo sempre battuti perché il processo di distensione in atto tra le grandi potenze non venisse compromesso, ma ogni volta che facevamo sentire la nostra voce eravamo tacciati di comodo neutralismo o, peggio, di connivenza!»

La piazza rumoreggiò e le bandiere e gli striscioni ondeggiarono.

«Ma ora,» riprese l'oratore «noi possiamo gridare forte che la nostra voce parlava non solo per la pace nel mondo ma anche in difesa degli interessi vitali del nostro paese!»

Il popolo esplose in un boato levando in alto le bandiere e migliaia di piccioni, spaventati dal rumore, si alzarono in volo tra la facciata della basilica e la torre dell'arengario.

«Non c'è stata mai ambiguità nel nostro operare e nemmeno nelle nostre parole.» Continuò con più enfasi l'oratore: «Non abbiamo forse condannato a suo tempo le repressioni dei moti operai in Europa orientale? E non abbiamo condannato con la massima fermezza le inutili, barbare stragi di innocenti in ogni punto della terra, in America Latina come in Medio Oriente e in Africa? E ancora noi abbiamo denunciato i pericolosi squilibri tra paesi poveri e paesi ricchi e soprattutto la folle corsa agli armamenti. Non vogliamo ora far mostra del facile senno di poi, sarebbe inutile, ma non ci vuole il dono della profezia per prevedere che qualunque scintilla, qualunque banale incidente può provocare l'irreparabile quando la tensione non fa che salire e nulla si fa per disinnescare lo spaventoso potenziale distruttivo che senza sosta si è venuto accumulando dall'una e dall'altra parte: perché chi semina vento raccoglie tempesta!».

Una raffica più forte delle altre e un lontano brontolio di tuono sembrò sottolineare quelle parole. L'oratore cercò di ricomporre con un rapido gesto della mano i capelli arruffati e di trattenere sul leggio i pochi fogli su cui aveva annotato i passaggi principali del suo discorso.

«Ora, ecco, il tanto paventato incidente si è verificato e il campo è aperto solo alle ipotesi degli strateghi, alle previsioni delle possibili fasi di scontro militare, alle speranze, a questo ci siamo ridotti! Alle speranze dico, che il conflitto sia limitato alle armi convenzionali. Purtroppo in questa situazione tutto si radicalizza e i paesi che tradizionalmente hanno rivestito la funzione di cerniera tra i due opposti schieramenti sono costretti a prendere posizione. Così l'equilibrio si altera ulteriormente... o si compromette... definitivamente.»

L'oratore abbassò la testa e tacque per qualche attimo, mentre sulla piazza cadeva un silenzio greve, poi alzò lo sguardo e sembrò fissare per un momento la Pietà di Jacopo della Quercia sul portale della basilica.

«In Medio Oriente» disse «la situazione è ormai fuori controllo e già in questo momento l'Europa è minacciata di collasso, ma di chi è la colpa? Chi ci accusava di pavido neutralismo dovrebbe ora ricordare quante volte abbiamo chiesto al nostro governo e ai governi europei di assumere una posizione decisa e coraggiosa per impedire che i problemi di quella regione ne facessero saltare i precari equilibri, e quante volte ci siamo battuti per allentare la tensione in Europa. È forse viltà questa? Ora il continente sembra ancora una volta destinato a diventare il campo di battaglia più insanguinato, ma se davvero si dovesse giungere allo scontro non ci sarà più un domani, non ci sarà un futuro né una speranza per i nostri figli di ricostruire sulle macerie: questa sarà la fine!»

Le nubi andavano ormai addensandosi sulla città e si saldavano lentamente sulla piazza gremita, frangiate di bave giallastre. Restava solo qualche strappo di azzurro nella cappa di piombo.

«Ora molti guardano a noi e si chiedono quale posizione assumeremo, da che parte si schiereranno coloro che sono sempre stati esclusi dalle più importanti decisioni. A questa gente noi rispondiamo che non abbiamo paura ora, come non ne abbiamo avuta mai. Negli anni dolorosi dell'ultima guerra, negli anni sanguinosi della sfida terroristica siamo stati in prima linea e non intendiamo nasconderci ora!»

La piazza ruppe in un lungo applauso e le bandiere si gonfiarono sotto il rinforzare del vento.

«Noi che vi abbiamo rappresentati nel parlamento della

repubblica» disse ancora l'oratore «non siamo stati esenti da errori ma almeno il nostro sforzo è servito a mantenere per tanti anni il nostro paese in un costante impegno di pace. Ora che ci troviamo in prima linea in questo tragico confronto, ora che la situazione sembra precipitare, ci si chiede di entrare in un governo di salute pubblica. Non è per dabbenaggine che intendiamo aderire, né per coprire o mascherare gli errori altrui: pensiamo di avere ancora un ruolo importante da giocare, pensiamo di poter dare un apporto di forza, di dignità, di sangue freddo, pensiamo di poter impiegare ancora le nostre energie per evitare il peggio. Questo governo decreterà tra poco lo stato di allerta per le forze armate,» un gruppo di giovani lanciò una bordata di fischi ma l'oratore non si interruppe «ma questo non significa l'avallo per nessun tipo di avventura: noi continuiamo a credere che il negoziato sia ancora possibile anche se purtroppo i margini si restringono ogni giorno di più, ogni ora di più. E ora, amici, non c'è più tempo per le parole: è necessario passare ai fatti, prima che sia troppo tardi.»

L'oratore aveva terminato il suo discorso; un uomo gli porse un impermeabile ed egli lo indossò scendendo lentamente dal palco. Il brusio che cominciava a salire dalla piazza fu presto spento dalla pioggia che cominciava a cadere mutandosi in breve in un violento acquazzone.

Molti cominciarono a correre verso piazza Galvani e altri in direzione di via Ugo Bassi e via Rizzoli per cercare rifugio negli autobus che li avevano condotti alla manifestazione.

Claudio Rocca e Dino Rasetti, annidati sotto l'arcata del portale di San Petronio, restarono per qualche tempo a guardare la piazza che si svuotava, la gente che cercava riparo sotto i portici.

«Che ne dici?» chiese Rasetti.

«Mi è parso un discorso abbastanza onesto, senza isterismi e senza strumentalizzazioni apprezzabili. D'altra parte chi altri poteva mandare il governo ad affrontare questa piazza?»

«Eh già. E poi, questo temporale che spegne i bollenti spiriti è come il cacio sui maccheroni.»

«Giusto. Non si può nemmeno dire “Piove, governo ladro”. Dov'è Biscùt?»

Rocca alzò lo sguardo verso la torre dell'orologio:

«Lassù. Gli avevo chiesto un servizio spettacolare: devo mandare l'articolo a “Panorama” questa sera stessa.»

«E quando scende?»

«Subito, se non vuole restare intronato: fra un po' la campana batte le sei.»

«Ma davvero la situazione è tanto grave?»

«E peggiora ogni momento. Ho visto le agenzie un'ora fa al giornale: il presidente turco Tamer Evoglu è stato assassinato a Urfa, la sesta flotta si sta schierando all'imbocco dei Dardanelli, il comando Nato ha chiesto all'ammiraglio Quadri di schierare i due terzi della flotta nel canale di Sicilia e nel canale d'Otranto. Il maresciallo Rustov sta trasportando cinque divisioni corazzate al di qua del Danubio e altre sei sull'Oder. Quattro sommergibili sconosciuti sono stati segnalati tra il golfo di Taranto e capo Pachino.»

«Basta così, grazie, mi hai convinto. Fabio dov'è?»

«Non so, credevo che sarebbe venuto con te. Vedrai che si farà vivo stasera da Biscùt.»

«Non mi piace quell'uomo, non mi piace niente. È sempre più cupo, malinconico. Ho parlato con suo padre, il signor Eugenio, domenica scorsa: anche lui è disperato, povero vecchio. Era così contento quando se lo vide tornare, ma ora si tormenta a vederlo sempre così assente, abulico. “È morto dentro quel ragazzo,” mi diceva “è morto dentro.” Mi ha fatto una gran pena.»

«Capirai... lui è convinto che la ragazza che amava lo abbia tradito e venduto, ed è convinto di averla ammazzata con le sue mani... Ha dovuto lasciare l'università perché non riusciva a combinare più niente. Sai, con quella faccenda del Codice di Polibio ha perso credibilità... era tutto un sorrisetto ironico al suo apparire. E poi io non so cos'abbia passato su quella barca maledetta. Non ne ha mai parlato con nessuno...»

«Però, a quello che ho sentito dire, il restauro delle armi dei guerrieri è stato portato a termine e gli archeologi sono convinti per la maggior parte della loro autenticità. E questo si risolve per lui in un grosso merito, indubbiamente.»

«Sì. E infatti l'ho visto cambiato ultimamente: è come in preda a una strana eccitazione... Sai che era prevista una cerimonia solenne per l'esposizione delle statue con le loro armi. Sono arrivate tre giorni fa da Siracusa. Avrebbero dovuto essere esposte in Campidoglio ed era previsto che il presidente in persona rimettesse le lance nelle loro mani. Gli scudi e l'elmo sono già stati montati, mi pare. Ora però, con questa situazione... non so proprio cosa faranno, può darsi che tutto salti. In ogni caso posdomani io andrò giù a Roma per il servizio assieme a Fabio e Biscùt. Vieni anche tu?»

«Devo vedere cosa c'è da fare all'università. Se riesco a liberarmi ti telefono.»

Il temporale non accennava a calmarsi e la piazza ormai deserta era rischiarata di tanto in tanto da lampi che facevano brillare l'impiantito di una luce azzurra, accecante. A tratti, mista alla pioggia, cadeva anche la grandine crepitando sui marmi del sagrato e la piazza s'imbiancava in pochi attimi, come d'inverno.

Villa Altobelli, ore 18,30

«Sua Eminenza l'aspetta nel suo studio» disse il segretario del cardinale aprendo la porta. «L'accompagno subito.»

«Non si disturbi, don Luigi,» disse Ottaviani ripiegando l'ombrello «conosco la strada.» Attraversò l'atrio e salì lo scalone d'onore fino al piano nobile.

Il cardinale lo aspettava sulla soglia del suo studio: «Vieni, Fabio, accomodati. Mi spiace, hai preso una giornataccia. Posso offrirti qualcosa da bere? Ho del buon Marsala che mi ha mandato il vescovo di Trapani».

«Volentieri, grazie.»

Ottaviani si sedette nella poltrona a braccioli che stava davanti al tavolo fratino del presule. Sulla parete di fronte c'era un ritratto a olio che rappresentava il cardinale Svampa in porpora e rocchetto.

« Eccoti il Marsala » disse il cardinal Montaguti porgendogli un bicchierino e sedendosi di fronte a lui dietro il tavolo. « Allora, a cosa debbo il piacere di questa visita... è un gran pezzo che non ti vedo. »

« Eminenza, sono venuto a trovarla per una cosa molto delicata. Lei seppe a suo tempo di quello che mi accadde dopo che le chiesi quella raccomandazione per la Biblioteca Vaticana. »

« Oh, sì. E fui molto in pena, ragazzo mio. Grazie al cielo tutto si risolse per il meglio. »

« Eminenza, io trovai a San Nilo un codice inedito di Polibio... una scoperta di valore inestimabile. »

« Lessi anche questo, sui giornali... »

« Sì, ma non ho mai potuto provarlo... Quando andai al monastero il codice era scomparso: un colpo al quale non mi sono ancora rassegnato. »

« Scusa la franchezza, Fabio, » disse il cardinale appoggiandosi in avanti coi gomiti sul tavolo « ma non ti capisco. Il mondo rischia la catastrofe e tu non riesci a trovare pace perché il tuo presunto codice è scomparso. »

« Presunto? » disse Ottaviani risentito.

« Scusa, non volevo mettere in dubbio la tua parola, ma resto del mio avviso: la tua è una fissazione che in una situazione come quella in cui ci troviamo mi sembra ingiustificata. »

« Eminenza, lei ha ancora fiducia in me? »

« Sì » rispose il prelato senza esitazioni.

« Allora stia a sentire: io non ho in questo momento alcuna mira personale né alcuna ambizione per una carriera che, tra l'altro, è già definitivamente compromessa. Non è per questo che cerco quel codice... ammesso che sia ancora possibile trovarlo. »

« Allora, perché? »

« Non posso dirglielo... non mi crederebbe. Posso dirle solo che sulla base di quel testo io sono stato in grado di ritrovare le armi dei guerrieri di Taormina. Con quel testo io potrei provare... oh Dio... come posso dire... » si coprì la faccia con le mani mentre il cardinale lo guardava serio, in silenzio.

« Eminenza, le dico solo questo: io debbo ritrovare quel codice... è questione di vita o di morte, e non solo per me... forse per tanta gente. Ora, la scongiuro... l'archimandrita di San Nilo deve sapere chi è entrato in quella cella mentre io ero assente... o forse lui stesso lo ha preso... ma non può essere scomparso così. Eminenza, la prego, lei conosce bene l'archimandrita... Lei è anche in grande confidenza con il Santo Padre... Se lei vuole può fare in modo che... »

Il cardinale scosse la testa: « Sono spiacente, Fabio, » disse « non posso aiutarti: l'archimandrita è morto ».

« Quando? »

« L'anno scorso, ai primi di aprile. »

« Ma forse... il suo successore... » insistette Ottaviani.

« No, Fabio. Non lo conosco. Non l'ho mai incontrato: non posso fare nulla. »

« Capisco... allora non le rubo altro tempo... » si mosse per uscire.

« Ascoltami, Fabio, » disse il cardinale alzandosi « non devi fare così, anche tu devi fidarti di me. Non ti ho forse sempre aiutato? Se potessi fare altro per te lo farei, credimi. »

« Allora, » disse Ottaviani fermandosi sulla soglia « forse c'è qualcosa che lei può fare per me, se crede. »

« Dimmi. »

« Fra due giorni andrò a Roma: è prevista una cerimonia con l'intervento delle autorità per la ricomposizione del gruppo dei guerrieri di Taormina. Il presidente in persona dovrebbe rimettere le lance nelle loro mani... »

« E tu sarai l'ospite d'onore, suppongo. »

« Non è questo che mi interessa, Eminenza. Voglio parlare con il generale Fabbri. »

« Il consigliere militare del presidente... perché? »

« E col senatore Martini. »

« Il capo di gabinetto del Quirinale... Non chiedi poco. »

« Eminenza, lei li conosce molto bene. »

« Fabio, in nome di Dio, cosa vuoi da quella gente? »

« Che stiano ad ascoltarmi... una mezz'ora... dieci minuti. Voglio solo che stiano ad ascoltarmi. La prego, Eminenza, non le chiedo altro... non le chiederò più niente. »

« Non è questo il punto, ragazzo mio. Io ti vedo ossessionato... Non voglio che tu continui a inseguire una fissazione sprecando il tuo tempo, rovinando la tua vita... Perché non torni all'università? Io potrei... »

« Lei si era offerto di aiutarmi... Non se ne penta, per favore. »

Il cardinale Montaguti ebbe qualche momento di esitazione, poi gli si avvicinò appoggiandogli una mano sulla spalla:

« Sta bene, » disse « farò quello che mi chiedi, anche se non posso assicurarti che acconsentiranno. Tu però mi prometti che tornerai all'università? »

« Acconsentiranno, Eminenza, ne sono certo. »

« Mi hai sentito? Ti ho chiesto una promessa. »

« Glielo prometto. »

« Così mi piaci. E dove vorresti incontrarli? »

« So che dovrebbero essere presenti alla cerimonia in Campidoglio. Io posso disporre di una saletta nel palazzo dei Musei: è l'ufficio della soprintendente. »

« Hai già preparato tutto, allora... »

« No, Eminenza. È che a Roma ho degli amici. »

Il cardinale prese un appunto sulla sua agenda personale e lo accompagnò poi fino allo scalone.

« Vieni ancora a trovarmi, Fabio, » gli disse salutandolo « quando vuoi: lo sai che la mia porta è sempre aperta. »

« Lo so, Eminenza, grazie. »

Uscì nell'ampio cortile ombreggiato da cedri secolari. Aveva smesso di piovere e l'aria era intensamente profumata dell'odore delle conifere.

Frascati, 10 luglio, ore 17

Dino Rasetti finì di aggiustarsi la cravatta davanti allo specchio, si buttò sulle spalle l'unica giacca decente che possedeva e si avviò alla porta: « Tu non scendi? Guarda che se vogliamo essere in Campidoglio per le sei è ora di muoversi. Claudio e Biscùt sono giù che ci aspettano ».

Ottaviani diede un'occhiata all'orologio: « Hai ragione,

vengo tra cinque minuti, il tempo di vestirmi e di riordinare la mia roba. Vi raggiungo al cancello».

Entrò nella camera da letto e si sedette accanto alla finestra: gli amici erano da basso, già vestiti, e chiacchieravano e ridevano. Due anni. Erano passati due anni eppure, se girava lo sguardo verso il letto, gli sembrava di vedere Elizabeth che si copriva col suo accappatoio rosso e gli sorrideva mentre lui le diceva: «Non coprirti, ti prego... lasciati guardare... Un giorno te ne andrai e io rimpiangerò di non averti guardata abbastanza...».

Indossò la camicia fresca, mise una cravatta azzurra e prese dall'armadio la giacca blu. Era pronto. Mentre usciva dalla camera da letto squillò il telefono sul tavolino da notte: «Pronto,» disse alzando la cornetta «il professor Barresi è fuori Roma, io sono un suo amico...».

«Fabio,» disse la voce.

Dio onnipotente... non era vero... anche se le mani gli tremavano e il cuore impazziva... non era vero.

«Fabio» ripeté la voce «io so che mi senti... Non vuoi parlarmi?»

«Chi è lei?» riuscì a dire in un soffio. Sperò che il suono della sua voce dissolvesse la chimera. Sperò che tutto fosse stato frutto della sua malinconia. La voce al telefono sarebbe mutata ora ed egli si sarebbe reso conto di aver frainteso, di aver immaginato.

«Oh, Fabio, rispondi, ti prego, rispondimi... Non ti ho mai dimenticato. Ti amo, Fabio. Voglio rivederti... vieni da me, ti prego.»

«Non è vero» disse rauco. «Non è vero...»

«Sì che è vero, Fabio... non mentire a te stesso. Io ti aspetterò, questa notte... dove mi hai amata per la prima volta... a mezzanotte.»

Sentì che qualcuno bussava, che la porta della camera si apriva dietro di lui: «Fabio, ti vuoi muovere? Guarda che facciamo tardi» disse Rasetti entrando. Riappese il telefono e seguì l'amico che scendeva le scale.

«Ma chi era al telefono?»

«Non so... uno che non conosco.»

«I soliti scherzi del cavolo» brontolò Rasetti richiudendo la porta della villa dietro di sé.

Roma, Palazzo Senatorio, ore 18,30

Il presidente alzò gli occhi verso il piedistallo su cui torreggiavano i due guerrieri e rimase per qualche tempo muto a guardarli. Gli scudi, splendenti di rame e d'argento, brillavano sotto i riflettori e le punte delle lance, rivolte a terra, sembravano lingue di fuoco. Un segnale luminoso in regia lo avvertì che era il momento di pronunciare il suo discorso ed egli si avvicinò ai microfoni:

«Mi si chiede» cominciò «di rivolgermi a voi, amici e cittadini, in questo momento così terribile per dire ancora una parola di fede e di coraggio, e lo faccio di tutto cuore. I miei collaboratori mi avevano consigliato, in quest'ora così piena di paura e di tensione, di cancellare la cerimonia a cui avete assistito poco fa sui vostri teleschermi. Sembrava loro fuori luogo che il capo dello stato trovasse il tempo per presenziare, sul colle del Campidoglio, carico di tante memorie, alla ricomposizione di questo gruppo scultoreo di stupenda bellezza. Ma io ho voluto fare a mio modo: ho voluto comportarmi come se la vita del nostro paese scorresse tranquilla come nel passato, e sono convinto di aver fatto bene.

«Un attimo fa osservavo i guerrieri sui loro piedistalli e nel loro aspetto, nel loro atteggiamento, mi è parso di vedere il simbolo stesso dell'atteggiamento morale che il nostro popolo deve mostrare in quest'ora.

«Gli studiosi e gli archeologi mi perdoneranno» proseguì girandosi intorno e accennando un sorriso «se la mia interpretazione è poco ortodossa, ma io vedo in queste statue il trionfo della vita più che la minaccia della morte. Vedo immensa fierezza e vigore nel giovane guerriero dai capelli fluenti e vedo la saggezza, il senno e la calma dei forti nell'altro. Essi, come noi, vengono da un remoto passato: sui loro corpi sono passate innumerevoli bufere, eppure eccoli nuovamente sui loro piedistalli a impugnare lo scudo e la lancia.

«E così è accaduto del nostro popolo: secoli di sofferenze, di carestie, di guerre non sono valsi a distruggerlo e io sono certo che saprà superare questo momento.

«Ho rimesso poco fa nelle loro mani le armi che avevano perduto ed essi sono là, pronti ad affrontare il pericolo e la lotta, ma le loro lance sono rivolte in basso. Voglio ora che questo messaggio simbolico giunga a tutti voi e a tutti i nostri fratelli in Europa e nel mondo: il nostro popolo è nell'angustia ma non trema e non si nasconde. Noi vogliamo la pace e per la pace siamo disposti a dare tutte le nostre energie, ma non rinunceremo alla vita e alla libertà senza difenderci.»

Concluso il suo discorso, il presidente salutò gli intervenuti e poi si allontanò mentre le telecamere si spostavano sulle due statue.

Prese allora la parola il professor Carani, direttore del restauro, ricordando innanzitutto l'impresa del giovane studioso dell'Università Borromeo a cui si doveva l'eccezionale recupero delle armi. Ottaviani, seduto in prima fila accanto a Quintavalle, si girò intorno nella speranza di vedere il direttore del suo Istituto, ma il professor Cassini non c'era. Vide però Lella Licasi che gli fece un gran sorriso e poi, sul fianco destro della sala, Rocca e Rasetti che chiacchieravano sottovoce con il capitano Reggiani, impeccabile nella sua uniforme col fregio d'argento di foglie di quercia sul colletto della giacca.

Carani chiamò in causa anche lui, ricordando il ruolo che aveva avuto nel salvare le statue di Lavinium e proprio in quel momento, a un cenno dell'oratore, un inserviente tirò la pesante cortina di velluto marrone che faceva da sfondo ai due bronzi e apparvero, su di un podio di legno, le sette statue di Athena.

Scrosciò un applauso in sala mentre Ottaviani trasaliva aggrappandosi ai braccioli della poltrona: proprio di fronte a sé, in mezzo ai due guerrieri, vedeva il piccolo, rozzo Palladio di creta rossa, rivestito dell'egida, con la Gorgone sul petto e la cintura di serpenti.

Si sentì avvampare mentre una forza smisurata lo investiva di colpo inchiodandolo, grondante di sudore, sulla spalliera della sedia.

Palazzo del Quirinale, ore 21

La telescrivente si animò improvvisamente facendo riscuotere il segretario del presidente seduto al suo tavolo di lavoro. Il funzionario si alzò per leggere il messaggio che andava rapidamente formandosi sulla striscia di carta; non poteva crederci: la spirale tragica che aveva portato il mondo sull'orlo del baratro si invertiva improvvisamente!

Fece per strappare il foglio e correre dal presidente ma la telescrivente riprese il suo ticchettio: le armate si arrestavano, arretravano sui loro confini... Il presidente della Jugoslavia era volato a Bucarest, in Romania... aveva incontrato il maresciallo Rustov... aveva convinto il segretario di stato White a lasciare Ankara e i suoi preparativi di guerra e a raggiungerlo in elicottero... e c'era un intreccio di messaggi che passava sulla penisola... i governi europei riprendevano l'iniziativa uscendo dall'impasse rinunciataria che li aveva tenuti inerti nel terrore della fine...

Raggiunse di nuovo il suo tavolo e chiamò il ministero degli Esteri: confermavano, confermavano tutto!

Il pover'uomo era frastornato, tremava per l'emozione. Bisognava subito chiamare il ministero della Difesa, fermare tutto... no, no, era il presidente che aveva il comando supremo delle Forze Armate...

Strappò il foglio della telescrivente e si precipitò nel corridoio, volò, per quanto glielo consentivano le gambe, tra le statue, i busti, gli arazzi e irruppe nello studio del presidente sventolando la sua piccola bandiera di pace.

« Presidente! » gridò con le lacrime agli occhi « Presidente, guardi, legga, è finita, è incredibile ma è finita... si sono incontrati a Bucarest... discutono... si parlano... »

Il capo dello stato afferrò con mani tremanti il foglio, egli stesso incredulo, e lo scorse, più volte: « Senta, Dossena, senta, si è accertato... non si tratta di un errore, ha chiamato la Farnesina... ».

« Ho chiamato, ho chiamato ed è vero, è vero! Non ci sono dubbi, è proprio vero. »

Il presidente si lasciò andare sulla poltrona: « Dossena, qui ci vuole qualcosa di forte; prenda quel cognac e me ne versi un bicchiere per favore e ne prenda anche lei, amico mio, ne ha bisogno... Oh, Signore,» disse quando ebbe mandato giù una sorsata di liquore «se credessi ai miracoli...».

«Presidente, mi scusi,» lo interruppe il segretario «deve chiamare il comando di stato maggiore generale: abbiamo sette divisioni sulla frontiera orientale, tutte le navi in grado di galleggiare nel canale d'Otranto e tutti gli aerei in allarme rosso... sarebbe un disastro se la tensione facesse saltare i nervi a qualche ufficiale. Siamo sempre in una santabarbara, basta un fiammifero...»

«Per la miseria, ha ragione, Dossena,» disse il presidente appoggiando il bicchiere e afferrando il telefono. In pochi secondi il centralino gli passò la linea diretta riservata:

«Generale,» disse «sono il presidente della repubblica, dia il cessato allarme: abbiamo avuto notizia in questo momento che sono in corso negoziati a Bucarest. La parola è alla diplomazia... Sì, non ci sono dubbi... abbiamo avuto precisi ragguagli... Come dice?... No, continui... è chiaro che mi interessa... Oh, questa poi... ma ne è sicuro? È incredibile... Se non fosse lei in persona a dirmelo... Va bene, generale, la ringrazio... ma faccia presto, e mi dia conferma appena l'ordine sarà stato recepito. Arrivederla, generale... e grazie, grazie; anche lei avrà passato un brutto quarto d'ora.»

Riappese il ricevitore e riprese in mano il bicchiere.

«Va tutto bene, presidente?» disse il segretario con sguardo interrogativo.

«Sì, Dossena, va tutto bene, solo che... ecco, lei non immaginerà mai la vera ragione che ha spinto quelle teste dure a sedersi attorno a un tavolo.»

«Proprio non me lo figuro.»

«Ecco, poco fa il generale Valenti mi ha detto che si è verificato un fenomeno molto strano, non ancora del tutto chiaro. Pare che sulla zona critica dello scacchiere, su un arco che va dal Mediterraneo orientale fino ai Monti Tatra, si sia abbattuta una tempesta magnetica di violenza inusitata. Per alcuni minuti gli impianti radar, le comunicazioni via satellite, tutte le linee radio si sono interrotte. Decine di comandi di divisione e di corpo d'armata, flotte, squadre aeree in volo si sono trovate completamente al buio, gli strumenti più perfetti, i sistemi di navigazione più sofisticati sono andati fuori uso, insomma, una cosa mai vista. Il panico è stato tale che gli alti comandi, tutti, nessuno escluso, sono stati presi dal dubbio che si potesse trattare di un'arma in mano al nemico... o forse hanno pensato cosa sarebbe successo ai loro eserciti qualora il fenomeno si fosse verificato ancora... Insomma quella cosa, di qualunque accidente si sia trattato, deve averli fatti riflettere... se non rinsavire del tutto.»

Il segretario restò qualche attimo sopra pensiero.

«A che pensa, Dossena?»

«Il generale le ha detto quando è successo?»

«Sì, me l'ha detto: è stato oggi pomeriggio. È cominciato alle diciotto e trentasei coi primi disturbi, poi è ricominciato fortissimo alle diciotto e quaranta e per tre, quattro minuti è stato il caos.»

«Alle diciotto e trentasei, ha detto...»

«Esattamente.»

«Presidente, lei sa che io sono abituato a scandire tutti i suoi interventi ufficiali minuto per minuto.»

«Altroché.»

«Allora posso dirle che alle diciotto e trenta esatte lei fissava le lance nelle mani dei guerrieri di Taormina.»

«Ah sì?... Be', tutto ciò è molto bello... in fondo quella simbologia che io attribuivo nel mio discorso alle statue è stata, come dire, confermata dagli avvenimenti. E... giusto per curiosità, dato che lei è rimasto ancora un po' nella sala, cos'è successo dopo?»

«Il professor Carani ha fatto tirare la cortina e ha scoperto le sette statue di Athena di Lavinium.»

Il presidente restò a sua volta pensieroso rigirando tra le mani il bicchiere quasi vuoto.

«Mi dica, Dossena,» chiese a un certo momento «quel giovanotto... come si chiama... Ottaviani, mi pare...»

«Sì?»

«Ho sentito dire strane cose su di lui... dal comandante dei carabinieri. Lei, Dossena, non gli ha parlato, per caso?»

«No, ma lui ha chiesto di parlare col generale Fabbri e col senatore Martini.»

«Curioso... Si faccia raccontare che cosa ha detto, mi interessa.»

«Sarà fatto, presidente, non dubiti. Ma ora vada a riposare, si è strapazzato troppo.» Il segretario si alzò augurando la buona notte e uscì nel grande corridoio. Lo percorse a passi svelti e raggiunse il suo studio per riordinare le sue carte e predisporre i suoi impegni per il giorno successivo. Prima di coricarsi andò alla finestra e gettò un lungo sguardo alla Città immersa nel buio e nel silenzio. La luna si alzava in quel momento fra i pini e gli allori del Palatino.

Colle del Campidoglio, ore 21,10

Fabio Ottaviani aspettava, seduto sugli scalini dell'ingresso della direzione. La Città, davanti a lui, si stagliava nera contro il cielo rischiarato dalla luce lunare. La maggior parte delle lampade dell'illuminazione pubblica erano spente per la grande penuria di energia; sulla porta della direzione un modesto lampioncino diffondeva appena un po' di chiarore. Sentì un rumore di passi, poi una voce: «Professore, ci dispiace di averla fatta attendere, ma comprenderà, sono momenti molto duri». Ottaviani si alzò e strinse la mano che gli porgeva il consigliere militare del presidente della repubblica. «Sono il generale Fabbri» aggiunse l'ufficiale «e questo è il senatore Martini.»

«Piacere» disse Ottaviani inchinandosi. «Se vogliono seguirmi...» Aprì la porta e fece strada fino all'ufficio della soprintendenza. «Spero di non aver arrecato troppo disturbo,» riprese con un certo imbarazzo «mi rendo conto di rubare del tempo prezioso.»

«Non deve dispiacersi, professore,» disse il senatore «lei ha arricchito il nostro paese con il recupero di quegli oggetti stupendi.»

«E a prezzo di gravi rischi personali,» intervenne il generale «se sono vere certe voci che mi sono arrivate... Già, perché, se ben ricordo la sua improvvisa comparsa con quelle armi non parve del tutto chiara... Lei poi rimase ferito quella notte. »

« Signori, » disse Ottaviani « io desidero informarvi con precisione e assoluta sincerità di quanto accadde in realtà. Se fosse stato possibile avrei rese pubbliche a suo tempo le dichiarazioni che vi renderò ora in privato. Capirete, quando vi avrò detto tutto, per quale motivo dovetti fornire una versione differente... C'erano gravi ragioni... E anche ora, nonostante sia trascorso parecchio tempo, io non credo che quelle ragioni siano venute meno e pertanto io confido alla vostra discrezione e responsabilità di altissimi funzionari dello stato quanto sto per dirvi. »

Diede inizio al suo racconto e parlò a lungo, calmo, lucido, senza omettere alcun particolare. Solo di Elizabeth non fece parola. Man mano che esponeva la sua vicenda i suoi interlocutori si facevano sempre più seri e attenti e alla fine, quando Ottaviani tacque, si guardarono l'un l'altro con uno sguardo che esprimeva insieme ansia e incredulità.

Ottaviani riprese a parlare, questa volta più incerto, emozionato: « Ci sono altre cose che vorrei dirvi, ma taccio: già quanto vi ho detto mette a dura prova la vostra disponibilità nei miei confronti, me ne rendo conto. Quanto sto invece per chiedervi è motivato da tante altre ragioni, ma mi limiterò ad esporre a voi quelle che non sfidano la logica e la ragione e spero con tutto il cuore che bastino a convincervi. Signori, l'organizzazione che mi ha tenuto prigioniero ha tentato in ogni modo possibile di impadronirsi delle armi dei guerrieri e ho motivo di credere che avrebbero tentato il furto dell'intero gruppo. Tentarono anche di rubare le statue di Lavinium, come rammenterete, quelle stesse che avrete forse visto questa sera in Campidoglio. In realtà era una sola quella che volevano. Quattro, forse cinque persone, hanno perso la vita per questo e molte altre hanno rischiato di perderla, me compreso. Ora io solo so qual è la statua che essi volevano e non intendo rimanere l'unico a saperlo, nel caso che dovesse accadermi qualcosa. Ho scritto una lettera al presidente... » continuò porgendo loro una busta sigillata « vi prego, fate che la legga. I due guerrieri di bronzo e la statua di Athena debbono restare dove si trovano... sul Campidoglio, protetti da un sistema inespugnabile e per nessun motivo debbono essere rimossi di là. Non so come spiegarvi... posso dirvi solo che è un'organizzazione di enorme potenza quella che ha tentato di tutto per impadronirsene... ci deve essere un motivo, un motivo gravissimo. Non vi chiedo di fare una cosa pericolosa, vi chiedo solo di non muovere quelle statue da dove si trovano, per nessun motivo. Fate costruire dei falsi se è necessario, da mettere nei musei, ma non toglietele dal Campidoglio. Dandomi ascolto non avrete nulla da perdere, solo da aggirare qualche difficoltà tecnica. Se non lo farete vi giuro che la vita di molte persone sarà in grave pericolo. Non ho altro da dirvi.»

Si alzò salutando con un cenno del capo, ma il senatore e il generale non lo seguirono, assorti com'erano nei loro pensieri e non udirono nemmeno i passi di Fabio Ottaviani che usciva dal palazzo e scendeva le gradinate verso il Foro, subito avvolto nell'oscurità, perché le nubi avevano nascosto il disco della luna.

Frascati, ore 23,30

«Si può sapere dove va a quest'ora?» chiese Rasetti guardando dalla finestra Ottaviani che saliva sulla sua motocicletta.

«Mah, improvvisamente ha detto che ha un appuntamento» disse Rocca.

«Mi sa che arriverà fradicio» commentò Biscùt sporgendosi con la testa fuori dalla finestra. «È nuvolo marcio e tira scirocco. Peggio per lui, vuol sempre fare a modo suo. Noi adesso ci mettiamo comodi in poltrona e guardiamo l'ultimo telegiornale che così vediamo anche le nostre belle facce, ammesso che quelli della tivù abbiano già montato il servizio delle sei e mezzo.»

Le prime gocce di pioggia cominciarono a cadere mentre Ottaviani lasciava il raccordo anulare immettendosi nella statale 148. Quando arrivò nei pressi di Castel di Decima pioneva già abbastanza forte e aveva difficoltà a vedere la strada davanti a sé. Rallentò entrando in paese perché la scena che gli si offriva era ben strana: dappertutto c'era gente che gridava, rideva, si abbracciava sotto l'acqua e altri ne arrivavano in continuazione. Non sentiva quello che dicevano perché il casco gli premeva le orecchie, né gli interessava perché era quasi mezzanotte.

Accelerò appena fu fuori da quel baccano e imboccò a forte velocità la strada di Lavinium. Percorse oltre i cento il primo tratto in discesa infossato tra due rive boscose, poi tolse il gas e affrontò piegato sulla sinistra la stretta curva che chiudeva il rettilineo sull'orlo di una profonda scarpata. Al momento di ridare gas la ruota posteriore scivolò su un velo di fango e la moto sbandò. Toccò il freno anteriore e gettò tutto il peso del corpo sulla destra stringendo con le ginocchia il serbatoio ma non poté evitare il paracarro di cemento sull'orlo della carreggiata. Avvertì una fitta tremenda ai polsi e alle spalle e un terrore infinito mentre volava nel buio oltre il ciglio della strada, poi più nulla.

Una voce insistente nello scrosciare della pioggia lo richiamò alla coscienza. Per pochi attimi sentì una mano che gli accarezzava i capelli e la fronte, e vide per un momento il volto di Elizabeth contratto dal dolore, sentì che gridava il suo nome con forza disperata. Tentò di vincere con le sue ultime energie il torpore greve che invadeva il suo corpo, tentò di alzare le braccia verso il viso di lei, ma le forze lo abbandonarono e le palpebre si chiusero sui suoi occhi pieni di lacrime.

Adrano, laboratorio di Calogero Licodia, 2 settembre, ore 9

«È una carognata, è una carognata! A me non me la dovevano fare, ma io mi vendico, io li sputtano tutti, anche l'onorevole, anche il colonnello... facci come Sansone, aio a muriri cun tutti li Filistei!»

«Don Calò, vi volete calmare? Ma se vi dico...»

«E mi meraviglio di voi, don Michele, che nun site mai stato nu quaquaraquà!»

Il vecchio era invelenito, gli occhietti grifagni, affogati nelle palpebre spiegazzate, erano rossi di stizza. Michele Licasi perse la pazienza: «Don Calò, o mi state a sentire o me ne vado e vi arrangiate da solo».

Il vecchio accusò il colpo: «Io vi sto a sentire» mugugnò «ma a quello là fuori non ci parlo».

"Quello là fuori" era il nuovo soprintendente della IV Regione Meridionale, professor Livio Torrisi. Uscito dalla macchina blu del servizio di stato ormai arroventata dal sole, passeggiava avanti e indietro per il cortiletto gettando uno sguardo perplesso verso l'antro di Calogero Licodia ogni qualvolta sentiva risuonare gli strilli del vecchio. Il suo autista, nel frattempo, tentava, con scarso successo, di pelare dei fichidindia.

Finalmente apparve sulla porta Michele Licasi e gli fece cenno di raggiungerlo.

«Sono riuscito a convincerlo:» gli disse «acconsente a riceverla.»

«Non credevo fosse così difficile» disse quasi intimidito il soprintendente. «Aspetti un attimo, vengo subito.» Si avvicinò al suo autista: «Capitano Reggiani,» bisbigliò un po' titubante «allora io vado... non ci sarà pericolo».

«Vada tranquillo,» fu la risposta «non può succederle assolutamente nulla.»

Il soprintendente raggiunse Michele Licasi che gli aprì la porta:

«Non deve stupirsi professore,» gli disse indicandogli la strada «mastro Calogero è un po' diffidente... sa, con il mestiere che fa. Quando gli ho detto che il soprintendente voleva parlargli ha dato in escandescenze, pensava a una soffiata, temeva che lei fosse qui per una perquisizione. L'idea di finire in galera non è piacevole per nessuno.»

«Allora posso entrare?»

«Certo. È tutto a posto ora. Anzi, se non ha più bisogno di me, andrei a casa.»

«Vada pure, signor Licasi. Grazie ancora per il suo aiuto.»

«Sempre a sua disposizione, professore. Arrivederla.»

Il professor Torrisi entrò nel laboratorio di mastro Calogero e salutò garbatamente: «Buon giorno, signor Licodia». Il vecchio lo squadrò sospettoso «Posso sedermi?».

«Che cosa volete?» gli chiese mastro Calogero allungandogli con mala grazia uno sgabello e andando ad appollaiarsi sulla sua incudine.

«Signor Licodia, capisco che la mia visita la sorprenda,» prese a dire il soprintendente «ma vede, sono stato incaricato dal governo di far eseguire un lavoro che esige, al tempo stesso, una eccezionale abilità e la segretezza più assoluta. A qualcuno è parso che lei sia la persona più adatta...»

«E se io non volessi?» chiese il vecchio.

«Io credo che accetterà quando le avrò detto di che si tratta. Vede, il punto è questo: noi siamo disposti, diciamo, a chiudere un occhio, e anche tutti e due su certe sue attività non proprio limpide, e siamo disposti a pagarla molto bene se lei lavorerà per noi e terrà la bocca chiusa. Mi spiace, ma debbo riferirle che se rifiutasse o se si lasciasse sfuggire una sola parola sul lavoro che dovrà eseguire...»

«Ho capito, ho capito» disse il vecchio rassegnato. «Che cosa devo fare?»

«Signor Licodia,» riprese il soprintendente «si tratta di un lavoro per il quale le sarà necessaria tutta la sua abilità, dovrà superare se stesso...» Il vecchio scese dall'incudine e si avvicinò. Non c'era più diffidenza nel suo sguardo, ma solo un improvviso, immenso interesse: «Vi ascolto» disse.

«Dovrà riprodurre, a grandezza naturale, e in modo assolutamente perfetto, delle statue antiche. Signor Licodia, non si dovranno distinguere dagli originali, capisce? Nessuno, tranne me e lei, dovrà essere in grado di distinguere quali sono le copie e quali gli originali...»

Mastro Calogero abbassò il capo e restò per un poco in silenzio. Quando lo rialzò i piccoli occhi scuri brillavano come capocchie di spillo: «Nessuno potrà distinguerli» disse. «Ve lo garantisco... Di quali statue si tratta?»

Roma, cimitero del Verano, 10 settembre, ore 18

La Benelli rossa era appoggiata al muro di cinta con la chiave nel cruscotto. Claudio Rocca fermò la jeep davanti al cancello e spense il motore.

«Biscùt è già arrivato» disse indicando la motocicletta «e ha fatto anche un bel lavoro: forcelle nuove, fanaleria, cerchi nuovi in lega, serbatoio riverniciato... Elizabeth non viene?»

«Mi ha chiamato questa mattina: il suo aereo ha un ritardo di quattro ore.»

«Come ti senti?»

«Così...»

«Già... Be'... ecco, lo sai, non ci sono parole adatte in questi momenti. Ma, Cristo, ti devi tirare su. Come credi che si sentirebbe se potesse vederti in questo stato? È stato su a vegliarti notte e giorno, mangiando poco o nulla, per due settimane, finché sei uscito dal coma, poi ha ceduto. Ma io sono sicuro che è morto contento, sapendo che eri vivo, salvo... Credimi, è stato meglio così. Da quando eri tornato al paese non faceva che tormentarsi, non poteva rassegnarsi a vederti in quelle condizioni.»

«È vero, è colpa mia... Non sono riuscito ad ammainare la vela nera...»

«Oh, accidenti, Fabio, basta, basta. Cerca di onorare la memoria di tuo padre. Ecco, ora ce lo riportiamo a casa, nel cimitero del paese.»

Il carro funebre uscì in quel momento dal cancello e si avviò lentamente verso la strada provinciale. La jeep di Rocca gli tenne subito dietro seguita dalla Benelli rossa.

La gente si voltava ad osservare il piccolo, strano corteo.

EPILOGO

Il marmista si pulì le mani nel grembiule e prese il foglio con il testo per l'iscrizione. Lo rilesse per la seconda volta, attentamente, scuotendo la testa.

«C'è qualcosa che non va?» chiese il giovane che glielo aveva consegnato.

«Mi scusi, ma non ci siamo già visti? Non è venuto lei tempo fa a ordinarmi un'iscrizione... ma sì... un'iscrizione per una lapide...»

«Guardi che lei si sbaglia.»

«Eppure... Senta, le dispiace seguirmi un momento? Ecco, qua in fondo al cortile... vorrei che vedesse...»

«Sì, certo.»

«È strano... ero sicuro che fosse qua, proprio qua... Mah, mi sarò sbagliato, mi scusi.»

«Non fa nulla. Allora, quando sarà pronta?»

«Anche stasera, se vuole. Mi ci metto subito.»

«La ringrazio.»

Il marmista lo fissò per qualche attimo con uno sguardo perplesso, poi entrò nel laboratorio, prese lo scalpello e si mise al lavoro ricopiando sul marmo in belle lettere capitali il testo vergato a matita sul foglio:

IN MEMORIA DI
EUGENIO OTTAVIANI
PER AVER RICEVUTO DA LUI
DUE VOLTE LA VITA
IL FIGLIO FABIO

INDICE